들어가기 전에 ....

이 책은 양자역학을 기반으로 한 **전자생리학**을 기초로 기술된 책이다. 종교가 되어버린 현대의학은 **단백질 생리학**을 기반으로 형성된 의학이다. 그리고 단백질 생리학은 전자생리학의 **보조 생리학**이다. 그래서 이 책을 읽는 독자 중에서 현대의학에 경도된 이들은 이 책을 읽을 때 많은 불편함을 느낄 것이다. 이 책이 전자생리학을 기반으로 한 이유는 전자생리학이 한의학 이론의 기초이기 때문이다. 한의학은 음(陰)과 양(陽)이라는 체액 이론에 기반을 두고 있다. 음과 양을 결정하는 인자는 신(神)이다. 이 신(神)을 현대과학으로 표현하면 전자(Electron)이다. 즉, 한의학의 기반은 전자(神)가 핵심이다. 결국에 한의학을 해석하려면, 전자를 알아야 한다. 인체 안에서 전자가 행동하는 원리를 다루는 학문이 전자생리학이다. 그리고 전자의 행동을 연구하는 학문이 양자역학이다. 그리고 전자는 에너지의 원천이다. 또한, 전자는 파동을 만들어낸다. 그래서 전자생리학이 뭔지 알면, **에너지 의학, 파동의학, 양자의학**을 자연스레 알게 된다. 다시 말하면, 이 책이 기술하고 있는 내용은 에너지 의학이면서, 동시에 양자 의학이고 파동 의학이다. 그래서 이 책을 읽을 때, 지금 기술한 개념들을 염두에 두지 않으면, 이 책은 쓰레기가 될 것이다. 그러나 이 개념들을 염두에 두고, 이 책을 읽는다면, 여러분은 최첨단 현대의학과 또 다른 환상적인 새로운 의학의 세계를 보게 될 것이다. Good Luck!

양자전기역학(QED)의 결정체 침과 경락

생명이란 무엇인가?
침(鍼)·경락 완벽한 양자역학
생체 정보 시스템

D. J. O. 東洋醫哲學 硏究所

목차

〈양자역학 편〉

〈침, 경락 편〉

들어가면서 ....

이 책을 쓰게 된 이유는 독자들의 요구 때문이다. 황제내경을
공부하기 위해서는 양자역학을 배워야 한다고 책에서 말한 내용을
좀 더 보충해달라는 것이었다. 그래서 양자역학 자체만 논하기에는
뭐해서 마침 양자역학 학자들 사이에서 초미의 관심사인 "생명은
무엇인가?"라는 주제를 가지고, 침과 경락이라는 측면에서 고찰해보
았다. 또, "생명은 무엇인가?"라는 주제는 당연히 생체 정보의 소통
이라는 문제가 뒤따른다. 그런데 마침, 침과 경락은 생체 정보를 통
제하는 도구이다. 그리고 생체 정보 소통의 장애가 병(病)이다. 그
래서 우리가 일상에서 많이 겪는 질병 위주로 생체 정보라는 도구
와 연결해보았다. 즉, 최첨단 현대의학이 해결하지 못하고 있는 고
혈압, 당뇨, 암, 대사증후군, 다이어트 등등을 간략하게 살펴보았다.
처음에 이 책을 계획할 때는 아주 짧게 소책자로 집필할 예정이었
으나, 아무리 줄이려고 해도 200페이지를 넘고 말았다. 최대한 압
축한다고 한 것이 이 분량이다. 지금까지 어떤 책도 인체의 생체
정보 흐름을 설명하지 못하고 있었다. 그 이유는 최첨단이라고 으
스대는 최첨단 현대의학이 쳐놓은 장벽 때문이다. 그 장벽은 인체
의 에너지라고 잘못 명명한 ATP와 인체의 생체 정보의 핵은 DNA
라는 이 두 가지 잘못된 가정이다. 이 두 가정은 양자역학 측면에
서 보면, 말도 안 되는 헛소리에 불과하다. 즉, 우리는 지금까지 생
명현상에 관해서 최첨단 현대의학의 놀음에 놀아났던 것이다. 지금
까지 최첨단 현대의학에 세뇌된 사람들은 ATP는 에너지가 아니며,

DNA는 생체 정보의 핵이 아니라고 하면, 아마도 냉소와 비웃음으로 일관할 것이다. 왜냐면, 이 두 가정은 최첨단 현대의학의 근간이므로, 이런 주장은 최첨단 현대의학의 전체를 뿌리째 통째로 흔드는 결과를 가져오기 때문이다. 그러나 양자역학으로 인체를 바라보면, 이 사실은 엄연한 사실이다. 이 책은 이 부분을 간략하게나마 기술하고 있다. 그리고 이 기반을 가지고 기술된 책이 황제내경이다. 물론 황제내경을 기반으로 하고 있는 한의학이나 동양의학도 양자역학을 기반으로 하고 있다. 이런 식으로 의학을 접근하다 보면, 최첨단이라고 으스대는 최첨단 현대의학은 응급의학을 제외하면, 아직 걸음마도 떼지 못한 영아에 불과하게 된다. 또, 이렇게 양자역학을 생명에 적용하게 되면, 양자역학 천재들이 풀지 못했던 "생명은 무엇인가?"라는 주제가 자동으로 풀리게 되고, 황제내경과 한의학에 대해서 찬탄을 금할 수 없게 된다. 즉, 양자역학으로 인체를 바라보면, 의학에 대한 새로운 세계를 경험하게 된다. 즉, 양자역학은 생명현상을 탐구하는데, 아주 좋은 도구가 된다. 특히, 특수상대성 이론과 양자역학이 합쳐진 양자전기역학(QED)은 생명현상을 정확히 파악하는데 아주 좋은 도구가 된다. 그러나 이들의 단점은 이들을 가지고 생명에 접근하려면, 여간 까다롭지 않다는 데에 있다. 그러나 이 고비를 넘기면, 생명현상은 눈에 환히 보이게 된다. 이 책을 보면, 보기에 불편하거나 인지 부조화를 많이 일으킬 것이다. 그 이유는 그동안에 생명에 감히 적용할 수 없었던 과학적 원리들이 인체에 적용되기 때문이다. 즉, 인체 안에 반도체가 내장되어있다거나, 발전기가 내장되어있다거나, 자유전자가 인체의 에너지라거나. 침과 경락이 생체 정보 조절자라고 말하는 등등이다. 아무튼, 이 책이 논하고 있는 내용들은 많은 인지 부조화를 만들어낼 것이다. 동시에 생명에 관한 많은 터부 즉, 금기 사항들이 과감히 깨지는 것도 보게 될 것이다. 그러나 양자역학 측면에서 인체를 분석하면, 이는 엄연한 사실들이다. 그리고 이들을 고정관념 없이 그대로 받아들이는 독자들은 지금까지 배우지 못했고 알지 못했던 생명에 관해서 새로운 세계를 보게 될 것이다. 그리고 양자역학을 의학에 적용하면, 지금 전 세계를 강타하면서 인류를 괴롭히고 있는 코로나 문제도 아주 쉬운 문제가 되고 만다. 즉, 코로나 때문에 이렇게 호들갑을 떨지 않아도 된다는 뜻이다. 원인도 너무 간단하고 퇴치도 너무 간단하기 때문이다. 물론 이 책에 기술된 모든 내용들은 독자 여러분의 판단에 맡길 수밖에 없다. 그리고 이 책의 최대 장점은 생체 정보 시스템(Body Information System)의 파악에 있다. 이제 간략하게나마 새로운 생명현상을 접하게 될 것이다. 특히 경락은 생체 정보 시스템의 핵심이며, 침은 이 생체 정보를 조절하는 도구이고, 본초학이 생체 정보학이라는 사실은 아주 많은 인지 부조화를 만들어낼 것이다. 그러나 엄연한 사실이다. 지금까지 어떤 한의학에 관련된 책도, 이를 과학적으로 접근하지 못하고 있었다. 그 이유는 한의학이 기반이 양자역학이고, 이에 관련된 생리학이 전자생리학이라는 사실을 몰랐기 때문이다. 지금까지 한의학을 분석하면서, 맞지도 않는 현대의학의 기반인 단백질로 분석하려고 하면서, 한의학의 곱디고운 얼굴은 심하게 그리고 흉측스럽게 일그러지고 말았다. 이제는 이 흉터를 제거하고 본 얼굴을 찾아야 한다. 한의학이 양자역학을 기반으로 하고 있다는 말은 한의학에 대한 정확한 접근이 그만큼 어렵다는 뜻이다. 물론 그 배경에는 양자역학이 떡하니 버티고 서 있다. 이 장벽을 넘지 못하면, 한의학에 대한 접근을 포기해야만 한다. 이 책은 이런 한의학에 대한 접근의 단초를 제공할 것이다.

From, D, J, O. 20220201. 구정에 …

소통공간

E-Mail : energymedicine@naver.com

네이버카페 : D.J.O. 동양의철학 연구소

(https://cafe.naver.com/djooorientalmedicine)

D.J.O. 동양의철학 연구소 네이버카페 QRCode

〈양자역학 편〉

1. 생명이란 무엇인가?
양자역학, 반야심경(般若心經), 정보, 반도체, 생명체, 슈뢰딩거, 아인슈타인, 양자전기역학, 파인만, MMP

침과 경락이 작동하는 원리를 알기 위해서는 생명현상이 어떻게 작동하는지부터 알아야 한다. "생명이란 무엇인가?"라는 제목의 책들은 수없이 많이 나왔다. 특히 양자역학이 나오면서 이 주제를 뜨겁게 달구었다. 그러나 성과는 미미했고, 논쟁은 여전히 진행 중이다. 그리고 결론도 여전히 진행 중이다. 그러면 최첨단이라고 목에 힘을 주는 양자역학이 왜 생명현상을 밝히는데, 결론이 나지 않을까? 이 해답은 서양철학의 사고방식에 있다. 서양철학을 대표하는 의학이 현대의학이다. 현대의학은 병의 원인을 다루는 의학이 아니라 증상을 다루는 대증치료 의학이다. 이와 마찬가지로 서양과학도 마찬가지이다. 양자역학의 문제점도 현대의학과 똑같이 닮아있다. 양자역학은 아예 무엇이 원인이고 무엇이 원인으로 인해서 나타나는 현상인지를 모르고 있다. 그러면서 현상만 다루고 있다. 이 현상은 원인이 혼란스럽게 나타나면, 도대체 알 수 없는 미궁으로 빠지고 만다. 그런데 더 문제인 것은 이 현상을 수학으로만 풀려고 하려는 수학 만능주의에 빠져있다는 사실이다. "생명이란 무엇인가? (What is life? The physical aspect of the living cell)"라는 주제에 불을 붙인 것은 에르빈 슈뢰딩거(Erwin Schrodinger)이다. 그러나 필자는 이 책을 보면서 바로 받는 느낌은 고구마를 몇 개 먹고서 김칫국물을 먹지 않은 답답함이었다. 그런데 해답은 의외로 간단했다. 바로 서양식의 대증적 사고방식에 있었다. 즉, 원인은 내 버려두고 원인이 만들어내는 현상에만 집중하는 것이다. 그리고 슈뢰딩거는 완벽하게 서양 사고방식에 염색된 사람이다. 그래서 슈뢰딩거가 생명현상을 풀 수 없는 것은 당연한 사실이 되고 만다. 이에 대한 해답의 실마리는 알버트 아인슈타인(Albert Einstein)이 제공한다. 그리고 이 실마리는 불교에서 명확하게 나타난다. 아인슈타인은 살아생전에 이런 말을 한 적이 있다. "현대과학의 요구에 부응하는 종교가 있다면 그것은 곧 불교가 될 것이다" 정확히 맞는 말이다. 그리고 불교 사상에서 이 말뜻을 정확히 파악할 수 있는 경(經)이 하나가 있다. 바로 반야심경(般若心經)이다. 반야심경의 뜻은 "마음(心)이나 정신(心)이라는(若) 기반(般)을 논(經)한다"이다. 즉, 마음(心)이나 정신(心)은 생명현상의 특징 중에서도 특징이다. 이런 반야심경에서 한 문구만 보자면, 바로 다음 문구이다. "色不異空 空不異色 色卽是空 空卽是色". 인간의 눈에 보이는 것(色)과 보이지 않는 것(空)은 다르지 않고(不異), 인간의 눈에 보이지 않는 것(空)과 보이는 것(色)도 다르지 않다(不異). 즉(卽), 눈에 보이는 것(色)이 바로(卽是) 보이지 않는 것(空)이고, 눈에 보이지 않는 것(空)이 바로(卽是) 보이는 것(色)이다. 이 말뜻은 인간의 눈에 보이는 것(空)과 보이지 않는 것(色)이 같다는 의미이다. 이 구절은 불교를 미신으로 만드는데 일조한 구절이다. 물론 무지하고 오만방자한 사람들의 행동이지만 말이다. 그런데 이 부분을 왜 아인슈타인은 양자역학과 연결한 것일까? 현대물리학은 상대성이론과 양자역학으로 구성된다. 그리고 상대성이론을 만든 사람이 아인슈타인이다. 아인슈타인의 유명한 공식은 다음과 같다. $E=mc^2$. 이 공식의 뜻은 간단하다. 에너지와 질량은 같다는 뜻이다. 즉, 눈에 보이지 않는 에너지와 눈에 보이는 질량은 같다는 뜻이다. 도대체 무슨 말인지 모르겠다. 이 말을 정확히 해석하려면, 전자(Electron)의 행동과 질량의 관계를 알아야만 한다. 그러면 반야심경의 문구는 자동으로 해석된다. 이 문구를 풀기 위해서는 선풍기(扇風機) 팬(Fan)을 생각하면 된다. 선풍기를 정지시켜두면, 선풍기 팬과 공간이 확연히 구분되어서 인간의 눈에 보인다. 그러나 선풍기 팬을 고속으로 회전시키면, 팬과 공간이 하나의 물체로 보인다. 만일에 팬을 초고속으로 회전시키면 이 현상은 더 뚜렷해진다. 그러면 선풍기 팬(Fan)과 전자(Electron)는 무슨 관계가 있단 말인가? 태양계 아래 존재하는 모든 물체는 예외 없이, 반드시 핵과 전자로 구성된다. 그리고 핵에는 양성자와 중성자가 있다. 여기서 양성자와 중성자를 전자가 극단적인 초고속으로 돌면서 보호한다. 그리고 이 전자의 개수는 옥텟규칙(octet rule)에 따라서 보면 보통 4쌍으로 구성된 8개이다. 즉, 핵과 전자가 물체의 질량을 구성하고 있다. 그리고 인간은 이 질량을 눈으로 본다. 그런데 물체를 구성하고 있는 핵과 전자는 인간이 측정하기가 불가능할 정도로 크기가 작다. 그런데 인간의 눈으로 물체를 보면 크게 보인다. 이유는 뭘까? 그 이유는 선풍기 팬의 원리 때문이다. 전자는 선풍기 팬의 역할을 한다. 그래서 전자가 엄청난 속도로 회전하면, 이 회전 공간이 인간의 눈에는 물체로 보인다. 이것이 질량의 실체이다. 그래서 인간이 눈으로 보는 질량은 실제로는 엄청나게 작은 전자의 회전 공간이다. 즉, 텅텅 빈 공간이 질량이다. 즉, 인간은 대부분 헛것(空)을 보고 있다는 사실이다. 이 사실을 반야심경의 문구가 정확히 표현해주고 있다. 즉, 우리가 눈으로 볼 수 있는 질량(色)은 실제로는 전자가 회전하고 있는 대부분 텅텅 빈(空) 공간에 불과하다. 아인슈타인이 말하는 공식($E=mc^2$)의 내용이 바로 이 말뜻이다. 즉, 아인슈타인의 이 공식($E=mc^2$)을 반야심경(般若心經)의 문구가 구체적으로 기술해주고 있을 뿐이다. 즉, "色不異空 空不異色 色卽是空 空卽是色". 이제 아인슈타인이 했던 말이 이해가 가게 된다. 즉, "현대과학의 요구에 부응하는 종교가 있다면 그것은 곧 불교가 될 것이다". 반야심경은 불과 260자밖에 되지 않는 짧은 경문인데, 이 모두가 정확히 그리고 완벽하게 양자역학을 기술하고 있다. 더 정확히 말하자면, 전자의 행동과 인간의 정신세계를 기술하고 있다. 그러면 이제 인간의 정신세계와 전자의 관계를 정확히 알아야 한다. 다시 말하면, 이제 황제내경(黃帝內經)의 세계로 들어가 봐야만 한다. 황제내경은 에너지(Energy) 의학의 결정체이다. 그리고 이때 에너지는 바로 전자(Electron)이다. 이 전자가 에너지라는 즉각 와닿는 증거는 바로 전기(電氣:electricity)이다. 전기는 전자가 무리지어서 흐르는 현상이다. 즉, 전기는 전자의 흐름이다. 그래서 에너지(Energy)의 핵심은 전자(Electron)이다. 즉, 황제내경(黃帝內經)의 핵심에 전자(Electron)가 자리하고 있다. 그래서 양자역학이 다루고 있는 전자를 모르면, 자연스럽게 황제내경을 모르게 된다. 즉, 양자역학을 모르면 황제내경도 자동으로 모르게 된다는 뜻이다. 좀 더 정확히 말하자면, 특수상대성이론과 양자역학이 합쳐진 양자전기역학(QED)을 모르면, 황제내경도 자동으로 모르게 된다는 뜻이다. 즉, 전자의 행동을 모르면 황제내경을 모른다는 뜻이다. 특히 황제내경은 빛과 전자가 핵심이다. 이 둘이 인체의 에너지를 간섭하기 때문이다. 이것이 양자전기역학(QED)이다. 즉, 양자전기역학은 전자와 빛이 연구 대상이다. 그러면 지금까지 황제내경을 미신이라고 조롱했던 사람들은 양자역학을 모르는 사람들이었다. 다시 말하면 이들은 알지도 못하면서 잘난척했던 관종(關種)들이었다. 사실 양자역학은 이 학문을 전공하는 사람들조차도 어려워하는 분야이다. 그래서 황제내경은 지금까지 화석으로 남아 있을 수밖에 없었다. 그러면 인간도 핵과 전자를 보유한 원자로 구성된 물체에 불과하므로, 인간의 육체도 결국에는 전자가 만들어내는 빈 공간에 불과하다. 즉, 인간의 육체는 전자의 활동 공간에 불과하다. 여기서 인간의 소우주(小宇宙) 개념이 나온다. 태양계 아래의 우주(宇宙)는 모두 전자가 지배하는 세상이다. 그리고 인간의 육체도 전자가 지배하는 세상이다. 즉, 인간도 지극히 평범한 자연의 일부에 불과하다. 자연을 마구잡이로 파헤치고 약탈하고 파괴하면서 이 사실들에 명분을 주기 위해서 인간을 만물의 영장이라고 말하는 태도는 무식해도 너무 무식한 처사이다. 그리고 이 사실은 자연의 원리와 인간이라는 생명의 원리가 다르다는 사실로까지 발전한다. 즉, 자연과 인간을 분리해버리는 치명적인 실수를 저지르고 만다. 이제 생명이란 무엇인가라는 사실을 규명할 수 없는 단계로까지 가고 만다. 그래서 슈뢰딩거의 "생명이란 무엇인가?"의 해답은 이미 정해지게 된다. 당연히 생명현상은 자연스럽게 신비로 가득한 현상으로 이해하게 된다. 아메리카 인디언들이 모든 물체에는 영혼이 있다고 말할 때, 이들을 약탈한 서구 문명인들은 자기들이 최첨단 문명인이라고 목에 힘을 주면서, 이들을 무지한 미개인으로 취급하며 착취하고 몰살시켰다. 아메리카 인디언들이 말한 영혼(靈魂:soul)이란 바로 전자(Electron)이다. 태양계 아래 존재하는 모든 물체는 당연히 전자를 보유하게 되므로, 당연히 영혼이 있게 된다. 그리고 아직도 서양의 문명인들은 영혼의 실체를 모르면서도 최첨단 문명인들이라고 자부하고 있다. 과연 누가 문명인이고 누가 미개인일까? 판단은 독자 여러분의 몫으로 남긴다. 여기서 우리가 알아야 할 중요한 것은 인간의 육체를 지배하는 것은 전자(Electron)라는 사실을 아는 것이다. 즉, 인간의 육체는 전자의 놀이터에 불과하다. 인간의 육체를 불로 태워서 전자가 빠져나가면 인간은 한 줌의 재로 변하고 만다. 즉, 전자가 만들고 있던 육체라는 빈 공간이 없어져버린 것이다. 그래서 인간의 건강을 잘 다루기 위해서는, 이 전자를 잘 다루는 방법을 알아야 한다. 이 사실들을 기술한 책이 황제내경이다. 즉, 황제내경은 서양인들은 풀 수 없지만, 서양과학을 빌려서 풀어야만 하는 아이러니한 책이다. 결국에 황제내경(黃帝內經)을 정확히 풀 수 있는 사람들은 동양의철학(東洋醫哲學)과 서양의철학(西洋醫哲學)을 명확히 이해하는 사람들뿐이다.

"생명이란 무엇인가?"라는 진실을 알려면, 양자역학에서 만나는 이에 관한 논쟁들을 살펴보면 된다. 그래서 양자역학이 빠뜨린 부분들을 보면 생명현상의 진실이 나타나면서 자동으로 침(鍼)과 경락(經絡)의 문제가 풀리게 된다. 그리고 더불어 생명현상의 문제도 풀리게 된다. 다시 말하면 침과 경락의 문제는 아무나 접근할 수 있는 문제가 아니라는 뜻이다. 침과 경락은 최첨단이라고 자부하는 양자역학을 기반으로 하고 있다. 이 부분을 보고 있으면, 현재 우리의 문명은 발전(發展)해가는 과정일까? 아니면 복원(復元:復原)해가는 과정일까? 의문이 들 때가 한두 번이 아니다. 양자역학에서 제일 많이 거론되는 문제가 엔트로피(entropy)이다. 이 엔트로피는 거창한 용어가 아니라. 그냥 무질서(無秩序)를 말한다. 단지 열역학적 상태함수(state function)에서 약간 다르게 사용되고 있을 뿐이다. 더 정확히 말하자면, 엔트로피는 에너지의 무질서를 말한다. 특히 열에너지의 무질서를 말한다. 그런데 양자역학은 이 무질서에 신경을 곤두세우고 있다. 그리고 이 무질서는 열에너지의 원천인 전자가 만들어낸다. 그 이유는 전자가 활동하면, 이 무질서가 나타나기 때문이다. 그래서 실제로는 이 무질서를 연구하기 위해서는 전자의 행동을 보면 된다. 그런데, 서양과학은 이 무질서를 연구하면서 대증적 서양철학처럼 전자의 활동으로 인해서 나타나는 증상인 엔트로피만 열심히 연구하고 있다. 당연히 안 풀린다. 풀리면 그게 더 이상할 것이다. 우리는 지금 어마어마한 속도로 회전하고 있는 전자의 행동도 다 모르고 있는데, 이 전자로 인해서 나타나는 엔트로피를 연구한다는 것은 어불성설이 된다. 그리고 생명체를 양자역학으로 연구하면서 아주 중요하면서도 이의 핵심인 평형과 비평형의 문제를 즉, 생명체의 항상성(恒常性:Homeostasis) 문제를 엔트로피로 풀려고 하니 풀릴 리가 없다. 생명체의 항상성을 유지하는 존재는 전자이지 엔트로피가 아니다. 엔트로피는 전자가 활동하면 자동으로 만들어지는 부수물 즉, 증상에 불과하다. 여기에 결정적인 장애물은 최첨단 현대의학이다. 현대의학은 단백질 연구에 거의 미쳐있다. 미쳐도 단단히 미쳐있다. 그러나 중요한 사실은 단백질의 결정 요소는 질소인데, 이 질소는 에너지인 전자를 싣고 다니는 담체(Carrier)에 불과하다는 사실이다. 그러니 이 최첨단 현대의학을 가지고 전자가 지배하는 생명체를 해독하면, 이의 문제가 풀리면 그게 더 이상할 것이다. 그러면 생명체의 항상성은 누가 결정할까? 바로 전자이다. 다르게 말하면 pH이다. 인체는 pH7.45라는 항상성이 깨지면 자동으로 죽게 된다. 물론 다른 생명체도 자기들이 가진 고유의 pH가 깨지면 자동으로 죽는다. 그런데 현대과학은 pH를 다르게 기술하고 있다. pH는 산-알칼리 평형을 말한다. 이 pH의 원래 뜻을 보면 답이 곧바로 나온다. pH는 power of Hydrogen이다. 이 의미를 정확히 말하면 pH는 수소(Hydrogen)의 힘(power)이다. 더 정확히 해석하자면, 에너지의 원천인 전자(e^-)를 가진 수소(Hydrogen)의 힘(power)이다. 그리고 이때 전자(e^-)는 자유전자이다. 그러면 현대과학이 말하는 산과 알칼리의 정의를 다른 측면에서 바라봐야 한다. 현대과학에서 산(Acid:酸)은 프로톤(H^+)을 내놓는 물질을 말하고, 알칼리(Alkali:精)는 수산기(OH^-)를 내놓는 물질을 말한다. 이 정의를 다시 해보면, 산은 플러스 이온

(+)을 내놓고, 알칼리는 마이너스 이온(-)을 내놓게 된다. 이 사실들을 전자(e^-)로 정의해보면, 플러스 이온(+)을 내놓으려면, 이 물체는 마이너스 이온(-)의 결정인자인 전자(e^-)를 보유하고 있어야만 플러스 이온(+)을 내놓을 수 있게 된다. 그리고, 마이너스 이온(-)을 내놓으려면, 이 물질은 전자(e^-)를 보유해서는 안 된다. 이렇게 되면 산과 알칼리의 정의가 전자를 중심으로 재편된다. 즉, 바로 내놓을 수 있는 자유전자(e^-)를 보유하고 있으면 산성 물질이 되고, 아니고 자유전자(e^-)를 흡수할 수 있으면 알칼리 물질이 된다. 그러면 산성 환경과 알칼리 환경이 결정된다. 즉, 산성 환경은 프로톤(H^+)을 내놓는 자유전자(e^-)가 있는 환경이 되고, 알칼리 환경은 수산기(OH^-)를 내놓는 자유전자(e^-)가 없는 환경이 된다. 즉, 산과 알칼리를 자유전자(e^-)가 결정하는 것이다. 그리고 이 자유전자(e^-)는 pH를 결정하게 된다. 이제 그럼 인체의 항상성은 이 pH를 통해서 결정된다. 어떻게? 더 정확히 말하자면, 자유전자(e^-)를 통해서 인체의 항상성은 조절된다. 그러면 이 항상성은 어떻게 조절될까? 바로 폐가 주도하는 호흡(呼吸:respiration)이다. 호흡은 산소(酸素:oxygen)를 적혈구를 통해서 인체 안으로 유입시킨다. 이 산소는 전자친화성(電子親和度:electron affinity)이 엄청나다. 즉, 산소는 전자만 보면 환장하고 달려들어서 전자를 낚아채서 가져가 버린다. 그래서 전자가 과잉이어서 인체가 산성 환경이 조성되고, pH가 떨어지면, 호흡이 가빠지면서 산소 공급이 늘어나게 되고 자연스레 전자는 줄어든다. 그리고 이 과정에서 과잉 자유전자는 에너지이므로 에너지로 조절되는 호흡을 가빠지게 만든다. 그러면 산소 공급이 늘게 된다.

그러면 과잉 자유전자(e^-)는 산소(O)와 반응하면서 물(H_2O)이 된다. 그리고 이 과정에서 빛(light)과 열(熱)이 발생한다. 이때 열은 체온이나 과하면 병적인 열이 된다. 반대로 인체가 pH7.45를 넘어서서 알칼리 쪽으로 기울면, 이번에는 호흡을 가속화시킬 에너지인 자유전자가 부족하므로, 호흡이 느려지면서, 산소 공급이 줄게 되고 이어서 당연히 자유전자가 보존되고, 당연한 순리로 인체의 pH는 정상으로 복귀한다. 이렇게 해서 모든 생명체는 자유전자를 통해서 즉, pH를 통해서 생체의 항상성을 유지시킨다. 그런데 이런 원리에 엔트로피에다가 수학까지 들이대니 생명의 원리가 풀리겠는가? 그리고 여기서 현대의학의 치명적인 약점이 드러난다. 즉, 생체의 pH는 체액을 통해서 소통하고 조절된다. 그런데 잘 알다시피 최첨단 현대의학은 체액은 내팽개치고 오직 단백질에만 미쳐있다. 이런 현대의학을 기반으로 양자역학을 전공한 사람들이 생명의 원리를 푸니 풀리겠는가? 이미 채점은 영(0) 점으로 정해져 있게 된다. 그리고 최첨단 현대의학의 치명적인 문제는 하나가 더 있다. 바로 인체의 에너지라고 명명된 ATP(adenosine triphosphate)이다. 뭐가 잘못된 것일까? ATP는 인체를 가동하는 에너지라고 정의되는데, 이것은 생명체의 에너지를 잘못 이해한 결과물이다. ATP는 에너지인 자유전자(e^-)를 싣고 다니는 담체(Carrier)이지, 에너지 자체는 아니다. 물론 ATP가 에너지인 자유전자를 조절할 때 엄청난 역할을 하는 것은 사실이다. 그러나 에너지는 아니다. 그리고 에너지인 자유전자를 싣고 다니는 담체는 무수히 많다. 그리고 그 역할의 핵심에는 호르몬(Hormone)이 자리하고 있다. 여기서 에너지인 자유전자는 인체 안에서 하는 역할이 무수히 많다. 물론 여기에서 자유전자는 주로 수소가 싣고 다니는 자유전자가 많다. 즉, 자유전자가 인체의 pH 항상성을 조절하는 것이다. 그러면 ATP는 인체의 에너지가 아니고, 자유전자가 인체 에너지라면, 그 원리는 뭘까 하는 의문이 들게 된다. 에너지는 인체를 작동하게 하는 힘이다. 그리고 인체의 작동은 세포의 수축과 이완이라는 두 가지 과정을 통해서 실현된다. 그리고 세포의 수축과 이완을 자유전자가 조절한다. 우리는 이때 자유전자의 활동 상태를 표현하는데, 세포의 활동전위(活動電位:action potential)라고 말한다. 즉, 전위차(電位差)가 세포의 수축과 이완을 결정한다. 즉, 전자(電)의 위치적(位) 차이(差)가 세포의 수축과 이완을 결정한다. 전자(電)가 세포 밖에 위치(位)하고 있게 되면, 자연스레 전위차(電位差)가 발생하게 되고, 이 자유전자는 세포 안으로 들어가게 되고 세포는 수축하게 된다. 그러면 세포는 이 자유전자를 어떤 식으로든지 처리해야만 한다. 왜? 자유전자는 홀로 다니지는 못하고 반드시 담체에 실려서 다니게 되는데, 그러면 이 담체는 자동으로 전해질이 되고, 이어서 삼투압 기질이 된다. 즉, 전위차를 발생시킨 전자가 세포 안으로 들어올 때는 혼자 들어오는 것이 아니라 물을 잔뜩 끌고 들어오게 된다. 이 상태를 방치하게 되면, 세포는 자연스레 팽창하게 되고, 계속해서 내버려두면 세포는 파열되고 세포의 생명은 여기서 끝나게 된다. 그래서 세포는 곧바로 자유전자를 처리해야만 한다. 여기에는 대충 3가지 방법이 있다. 하나는 미토콘드리아의 전자전달계를 통해서 자유전자를 물로 중화하는 것이고, 둘째는 ATP를 이용해서 H-ATPase를 작동시켜서 세포 안에 있는 세포소기관에 자유전자를 격리하는 것이다. 셋째는 H-ATPase를 작동시켜서 호르몬과 다른 요소들을 만들어서 세포 밖으로 자유전자를 추방하는 것이다. 그러면 이때 세포는 이 완된다. 그래서 세포 안으로 들어온 과잉 자유전자를 처리하는데 ATP는 엄청나게 중요한 역할을 한다. 그리고 그 도구는 주로 호르 몬과 미네랄인 금속이 된다. 이제 호르몬이 분비되는 과정을 보자. 호르몬의 전구체는 세포소기관의 알칼리 콜라겐 단백질에 붙잡혀서 꼼짝도 하지 못하고 있다. 즉, 호르몬 전구체는 세포소기관의 콜라 겐과 공유결합(共有結合:covalent bond)을 형성해서 이에 붙잡혀있 는 것이다. 이때 세포소기관에 자유전자가 공급되면 당연한 순리로 공유결합이 환원되면서 이들이 풀리게 되고, 이제 호르몬 전구체는 자유전자를 받아서 알콜기가 만들어지면서 호르몬이 되고, 세포 밖 으로 추방된다. 그래서 자유전자를 환원받은 호르몬은 반드시 산성 물질일 수밖에 없게 된다. 호르몬이 과잉 분비되어서 문제가 되면, 현대의학이 이것을 호르몬 독성학(Endocrine Toxicology)으로 명 명하는 이유이다. 이제 세포 밖인 간질로 끌려서 나온 자유전자를 누군가는 처리해야만 한다. 아니면 문제를 발생시킨다. 이때 처리하 는 방법은 대충 3가지가 된다. 하나는 간질에 녹아있는 산소를 통 해서 중화하는 것이고, 둘째는 신경(神經:nerve)을 통해서 원거리로 보내버리는 것이다. 셋째는 간질에 있는 간질 조직인 알칼리 콜라 겐을 사용해서 격리하는 것이다. 그리고 이때 병이 발생하기 시작 한다. 이때 산성 물질에 붙은 전자의 무시무시한 위력이 나타나게 된다. 이때 자유전자가 발휘하는 무시무시한 위력은 이의 환원력(還

元力:Reducing power)이다. 인체는 전자의 공유결합을 통해서 정교하게 조립된 물체이다. 물론 태양계 아래 모든 물체의 특성이기도 하다. 그런데 자유전자는 환원력을 통해서 이 공유결합을 풀어 버린다. 즉, 인체가 해체되는 것이다. 이것이 염증이고 통증이고 병이다. 그래서 모든 병의 근원 즉, 만병의 근원은 자유전자가 된다. 그리고 이때 자유전자가 전용으로 이용하는 효소가 바로 간질을 구성하고 있는 알칼리 콜라겐 단백질 분해 전용 효소인 MMP(Matrix MetalloProteinase)이다. 즉, 효소는 전자를 전달하는 도구인 것이다. 여기서 이 효소의 핵심은 금속(Metal)이다. 즉, 이 효소에 붙은 금속이 자유전자를 감지해서 이들을 받아서 콜라겐으로 중계해준다. 그러면 콜라겐은 환원되고 분해된다. 이때 염증이 발생하고 더불어 통증이 수반된다. 우리는 이 상태를 이르러 병(病:Disease)이라고 부른다. 이런 과정을 통해서 과잉 자유전자는 만병의 근원이 된다. 이때 만일에 세포 안에 있는 자유전자가 호르몬을 통해서 밖으로 추방되지 못하면, 세포 안에서는 어떤 일이 일어날까? 앞에서 이 상태가 되면 파열된다고 했는데, 그건 나중에 일어나는 일이다. 먼저, 자유전자의 중화를 전문으로 하는 미토콘드리아에서 문제가 발생한다. 만일에 미토콘드리아로 자유전자가 과하게 들어왔는데, 이들을 처리하지 못하게 되면 자유전자는 세포질로 역류한다. 그리고 호르몬 등을 통해서 세포 밖으로 추방된다. 그런데 이 과정이 막히게 되면, 자유전자는 미토콘드리아 안에 적체된다. 그러면, 이 과잉 전자는 전자전달계에 붙은 Cytochrome-c의 공유결합 연결고리를 환원해서 풀어버린다. 그러면 Cytochrome-c는 미토콘드리아에서 분리되어서 세포질로 나오게 되고, 미토콘드리아는 전자전달계가 망가지면서 그대로 기능을 멈추고 만다. Cytochrome-c가 전자전달계의 핵심이기 때문이다. 그러면 세포는 자유전자가 만든 수분 과잉 때문에 팽창하게 되고 결국에는 파열되면서 세포는 생을 마감하게 된다. 우리는 이것을 세포사(cell death:細胞死)라고 말한다. 그래서 일반적인 세포사의 제1 요인은 Cytochrome-c의 세포질로의 유출이다. 세포사의 이 기전을 최첨단 현대의학은 모른다. 그 이유는 이 기전을 오직 단백질로만 풀려고 하기 때문이다. 그리고 이 상태가 되면 살이 염증을 넘어서 썩는다. 살이 썩는 경우는 주로 과잉 자유전자 때문에 일어나는 당뇨병 말기 환자에게서 볼 수 있다. 이제 신경을 보자. 현대과학에서 신경(神經:Nerve)은 전기가 흐르는 전선(電線:electric wire)이라고 말한다. 그리고 전기는 전자가 무리지어서 흐르는 현상이므로, 신경은 전자가 흐르는 전선이 된다. 즉, 신경은 전자를 실어나르는 도구인 것이다. 그래서 간질에 호르몬 등이 공급한 산성 물질이 과하게 되면, 이 산성 물질에서 자유전자가 떨어져나오게 되고, 이 자유전자는 신경을 통해서 원거리로 수송되어서 그곳에서 알칼리 산소 등으로 중화된다. 그리고 이 과정에서 신경 세포 자체에서도 과잉 자유전자는 중화된다. 이때 신경이 사용하는 도구는 리포푸신(lipofuscin)이다. 이 단어 자체에서 알 수 있듯이 리포푸신은 지방질(lipo)이다. 보통 태양계 아래에서 모든 물체가 만들어지려면, 반드시 공유결합이라는 과정을 거치게 된다. 그리고 공유결합을 통해서 유기물질이 만들어지려면, 반드시 에스터(Ester) 과정이 필요하다. 그리고 이때 필요한 에스터 과정

(Esterification:縮合)은 아주 간단하게 表現하자면, 자유전자를 보유한 알콜기(Hydroxy Group:Alcohol Group) 두 개가 서로 반응해서, 그 결과로 자유전자 2개를 산소를 통해서 물(H_2O)로 중화하면서, 공유결합(共有結合:covalent bond)을 만들어내는 과정이다. 그러면 두 개의 물체는 하나로 조립된다. 우리는 이것을 성장(成長:Growth)이라고 말한다. 즉, 성장은 에스터 과정의 연속이다. 그런데 이 성장이 나타나려면 먼저 자유전자를 가진 알콜기가 존재해야 한다. 그리고 이 알콜기가 만들어지려면 반드시 알칼리가 자유전자를 받아야 한다. 즉, 먼저 알콜기를 만들 수 있는 자유전자가 존재해야 알콜기가 만들어지는 것이다. 그래서 성장에는 반드시 자유전자(e^-)가 요구된다. 그래서 신경 세포에서 리포푸신이 만들어졌다는 사실은 과잉 전자를 신경 세포가 중화했다는 뜻이다. 그래서 신경은 간질에서 만들어지는 과잉 자유전자를 리포푸신과 원거리 수송이라는 2가지 방법으로 처리하게 된다. 그래서 간질에 존재하는 과잉 자유전자는 이런 식으로 대략 3가지 방법으로 처리된다. 그런데 여기서 콜라겐에 격리되는 과잉 자유전자가 처리되는 방법이 하나가 더 있다. 즉, 콜라겐을 구성하고 있는 프롤린(proline)이 자유전자를 흡수해서 보관하게 된다. 그러면 MMP는 작동하지 않게 되고, 염증 등의 병은 발생하지 않는다. 이때 관여하는 단백질 효소가 있는데, 이를 이르러서 TIMP(Tissue inhibitors of matrix metalloproteinase)라고 한다. 이 단어가 말해주듯이, 이 효소는 MMP의 작동을 막아주는(inhibitor) 것이다. 즉, MMP를 작동시키는 자유전자를 프롤린에 격리하는 것이다. 그러면 당연히 MMP는

작동하지 않게 된다. 지금 기술하고 있는 이 말은 아주 아주 중요
하다. 이 과정이 바로 기억(Memory)이다. 최첨단 현대과학은 기억
이 신경하고 연결된 것까지는 알고 있다. 그러나 그 이후는 모른다.
이 개념을 정확히 이해하려면 인체도 지극히 평범한 자연의 일부라
는 사실을 먼저 알아야 한다. 현대 서양과학이 기억이라는 문제를
풀지 못하는 이유는 자신이 만들어낸 업보(業報) 때문이다. 이 업보
란 바로 "인간은 만물의 영장이다"라는 헛소리이다. 그리고 인간의
기억(Memory)이라는 문제를 풀려면, 정보의 흐름과 저장 문제를
먼저 알아야 한다. 그리고 그것들은 자연 모두에서 공통원리를 가
지고 실행된다는 사실도 알아야 한다. 즉, 반도체의 정보 저장 원리
와 인체의 기억이라는 정보 저장 원리가 같다는 사실을 인정해야
한다. 아마 황당하다는 느낌을 받는 독자도 있을 것이다. 그 이유는
지금까지 모든 배움의 장에서 인간은 만물의 영장으로서 특별하고
신비한 존재로 각인되었기 때문이다. 그러나 인간도 지극히 평범한
자연의 일부에 불과하다는 사실을 인정해야 한다. 먼저 우리에게
아주 친숙한 정보 저장 장치인 컴퓨터에 쓰이는 반도체의 원리부터
알아보자. 반도체(半導體:semiconductor)는 전기인 자유전자(이하
부터 전자라고 부른다)가 공급되면 전기인 전자가 흐르는 도체가
되고, 전기 공급을 끊으면, 전기가 흐르지 않는 부도체가 된다. 즉,
기억을 저장하는 반도체 메모리는 전자가 결정하는 것이다. 우리는
이것을 "0"과 "1"로 표시해서 Digit라고 말한다. 즉, 전자의 수용
여부에 따라서 전자가 없으면 "0"이고, 있으면 '1'이 된다. 그래서
전기인 전자의 공급을 끊으면, 반도체에 저장된 기억은 깨끗이 지

워진다. 이것이 우리가 일상에서 쓰고 있는 컴퓨터의 두뇌로서 기억 장치인 RAM Memory chip이다. 그런데 이 과정이 인체에서도 똑같이 진행된다. 바로 앞에서 말했던 TIMP가 이 과정을 수행한다. 그래서 최첨단 현대과학은 TIMP와 기억 문제까지는 접근하지만 여기서 끝이다. 그 이유는 최첨단 현대과학은 인체의 모든 기능을 오직 단백질 하나만 가지고 풀려고 하기 때문이다. 무식해도 너무 무식한 처사이다. 상식적으로 봐도, 아주 복잡하게 작동되는 인체가 어떻게 단백질 하나만으로 작동하겠는가? 이 사실은 3살 먹은 아이도 아는 상식일 것이다. 그러면 인체에서 반도체 역할을 하는 존재는 뭘까? 바로 콜라겐(Collagen) 단백질이다. 물론 다른 단백질들도 반도체로서 역할을 한다. 그런데 그중에서도 콜라겐 단백질이 이 역할을 아주 잘한다. 대신에 이 콜라겐 단백질이 반도체가 되려면 반드시 물에 잠겨있어야 한다는 전제 조건이 붙는다. 그 이유는 물이 전자를 공급하는 통로이기 때문이다. 그런데 인체의 60% 정도는 체액이라는 물이다. 그래서 인체의 간질에 주로 존재하는 콜라겐 단백질은 항상 간질액에 적셔져 있게 되고, 자연스럽게 반도체가 된다. 그리고 신경섬유는 콜라겐 단백질 덩어리라는 사실이다. 즉, 신경은 콜라겐 반도체의 덩어리이다. 그래서 당연히 신경은 기억 소자가 된다. 그래서 신경으로 이루어진 뇌가 손상되면, 당연히 기억은 사라지게 된다. 그리고 인간이 죽어서 체액의 흐름이 끊기면 기억도 자동으로 사라지게 된다. 이것이 우리가 말하는 치매(癡呆:dementia)의 원리이다. 이것을 현대의학에서는 보통 알츠하이머병(Alzheimer's disease)이라고 한다. 이것이 슈뢰딩거가 말한 "생명이란 무엇인가"의 해답이다. 즉, 생명은 정보의 흐름과 저장이 있는 존재를 말한다. 좀 더 구체적으로 보면, 전자가 소통하는 공간이 있으면, 이것이 바로 생명인 것이다. 슈뢰딩거가 "생명이란 무엇인가"의 해답을 찾지 못한 이유는 현대의학을 맹신하고서 이에 따랐기 때문이었다. 즉, 그는 단백질만 연구하는 현대의학이 의학의 전부라고 착각하고 있었기 때문이다. 그래서 양자역학을 전공하는 사람들이 인체가 정보로 소통한다는 사실까지는 아는데, 여기서 끝이다. 즉, 최첨단 현대의학의 틀이라는 감옥에 갇힌 것이다. 당연히 슈뢰딩거가 말한 "생명이란 무엇인가"의 주제는 미궁으로 빠지고 만다. 생명의 핵심은 정보의 저장과 흐름이고, 그 도구는 전자(Electron)이다. 그런데 인간을 만물의 영장이라고 말하는 사람들의 입장으로 보면, 인체에 전기가 흐른다는 사실은 허무맹랑한 헛소리에 불과할 것이다. 즉, 어떻게 만물의 영장이고 신비스러운 인간과 약탈해도 되는 자연이 같단 말인가? 그러나 태양계 아래 존재하는 모든 존재는 전자의 놀이터라는 사실을 알면, 곧바로 입을 다물 것이다. 이것을 이해시키려면, 노벨상 수상자이면서 양자전기역학(QED)의 대가인 리처드 파인만(Richard Feynman)의 글을 인용하면 될 것이다. 이 내용은 "일반인을 위한 파인만 QED 강의(박병철, 승산)"라는 책에서 따온 것이다. 원문을 그대로 옮겨보면, 내용은 다음과 같다.

"우리에게 친숙한 대부분의 자연현상은 '끔찍하게' 많은 수의 전자들이 서로 얽혀서 일어나는 현상이며, 우리의 지능은 매우 단순하여 그 복잡한 상황을 따라갈 능력이 없다. 이러한 처지에서 우리가 할 수 있는 일은 그 복잡한 상황을 대충 그려낼 수 있는 이론을 개발하는 것이다".

여기서 핵심은 전자(Electron)의 역할이다. 즉, 태양계 아래 존재하는 모든 존재물은 전자의 놀이터에 불과하며, 인체는 이 전자를 신경을 통해서 정보의 도구로 이용한다. 즉, 인체가 생명이게끔 만들어주는 존재가 전자(Electron)인 것이다. 여기서 그럼 당연히 식물도 생명인데, 그럼 식물은 신경이 없는데 어떻게 정보를 전달하는가? 라는 의문이 들 것이다. 그런데 식물에서도 인간의 신경 역할을 하는 존재가 있다. 바로 유관속초세포(Bundle sheath cell)이다. 이 세포의 덩어리가 인간의 신경과 똑같은 역할을 한다. 그리고 여기서 인간이 치료 때 사용하는 식물 추출물이 인간의 신경에 작용한다는 근거를 제시해준다. 이 물질의 정체를 파악하려면 인간과 식물이 정보 전달을 위해서 사용하는 공통 물질을 찾으면 된다. 그것은 바로 신경 전달 물질인 방향족 물질이다. 왜? 이 방향족 물질(aromatic compounds:芳香族化合物)은 전자를 잘 흡수하고 배출하는 물질이기 때문이다. 즉, 신경 전달 물질이 바로 방향족이라는 뜻이다. 이 방향족의 특징은 모두 고리 환을 보유하고 있는데, 이 환들이 이중결합(double bond:二重結合)을 보유하고 있다. 이중결합은 전자의 부족을 뜻한다. 그래서 이 물질은 당연히 전자를 흡수해서 공급할 수 있는 도구가 된다. 즉, 이 물질은 전자가 많은 산성환경에서는 전자를 흡수하고, 전자가 없는 알칼리 환경에서는 보유한 전자를 공급하는 역할을 수행한다. 이 일이 신경이 하는 일이다. 그리고 신경은 신경 전달 물질을 만들어낸다. 이 이론은 인체의 전체 작동 구조를 묻게 한다. 인체의 모든 기능은 근육이 수행한다. 그리고 이때 근육은 **활동전위**를 통해서 수축과 이완을 반복하면서 기능하게 된다. 그리고 이때 **활동전위**에 필요한 전자를 신경이 공급한다. 그래서 결국에 근육은 신경이 통제하게 된다. 신경이 손상되면 근육이 마비되는 이유이다. 즉, 근육 세포의 활동전위를 만들어주는 전자를 신경이 공급하지 못하게 되면서 근육에 마비가 찾아오는 것이다. 그리고 이 신경은 전자가 통제한다. 그리고 이 전자의 공급은 체액이 한다. 그러면 우리가 인체를 알기 위해서는 체액의 중요성을 아는 것이 얼마나 중요한지도 알게 된다. 여기서 "생명이란 무엇인가?"라는 주제가 왜 안 풀리는지 그 해답을 얻게 된다. 즉, 이 의미를 연구하는 사람들이 최첨단 현대의학의 노예가 되어 있기 때문이다. 최첨단 현대의학은 체액은 쳐다보지도 않는다. 그런데 인체는 체액의 노예이다. 문제가 풀리면 그게 더 이상할 것이다. 그래서 인간에게 치료제가 되는 식물 추출물은 반드시 전자를 조절하는 방향족일 수밖에 없다. 식물도 이 물질을 통해서 전자를 조절해야 살아갈 수가 있다. 아니면 전자는 식물에서도 MMP를 작동시켜서 식물의 생체를 분해시켜버리니까! 즉, 식물이 죽는 것이다. 그래서 방향족 물질은 식물에서도 인체에서도 전자 조절 장치로서 작동하게 된다. 즉, 이 물질은 식물에서나 인간에서나 치료제가 되는 것이다. 그래서 한의학이나 동양의학, 최첨단 현대의학 그리고 전세계의 전통의학에서 사용되는 모든 약제의 성분은 방향족이 된다.

서양에서 이것을 아주 잘 이용한 전통 치료법이 바로 아로마테라피 (Aromatherapy)이다. 이 아로마테라피 즉, 향기 요법은 바로 이 방향족의 성질을 이용하는 치료법이다. 그러나 최첨단 현대의학은 이 기전을 일부만 겨우 알고 있다. 앞뒤 맥락을 보면 당연한 결과일 것이다. 이렇게 인간을 자연의 일부로 생각하고 전자라는 존재를 알게 되면, "생명이란 무엇인가?"라는 주제가 간단히 풀린다. 그러나 최첨단이라고 목에 힘주는 최첨단 현대과학은 아직도 인간을 만물의 영장이라고 생각하고 있다. 그 증거는 미국 스탠퍼드대에서 식물 추출물이 신경계에 작용하는 원리를 연구한 과정을 보면 드러난다. 여기서 문제점은 아직도 단백질이 하느님이다. 이 부분을 종합해보면 생명체란 전자를 이용해서 정보를 소통하는 존재이다. 그래서 양자역학에서도 생명체가 어떻게 정보를 소통하는지 열심히 찾고 있다. 물론 최첨단 현대의학의 장벽에 갇혀서 꼼짝하지도 못하고 있지만 말이다. 아무튼, 생명이란 전자를 통해서 정보가 시시각각 소통되는 존재이다. 아니면 생명이라고 말하지 못한다. 그런데 예외도 있는 법이다. 생명과 비생명을 오가는 존재가 있다. 바로 바이러스(Virus)이다. 지금 전세계를 괴롭히고 있는 코로나바이러스 형제들 말이다. 바이러스는 때로는 생명체이기도 하고, 때로는 비생명체이기도 하다. 이 바이러스는 반도체하고 꼭 닮아있다. 즉, 반도체가 전기를 통해서 전자가 공급되면 도체가 되고, 전자가 끊기면 부도체가 되는데, 바이러스도 전자가 공급되면 생명체가 되고, 전자가 없으면 비생명체가 된다. 여기서 전자는 에너지이므로, 바이러스는 에너지가 공급되면 생명체가 되고, 에너지 공급이 없으면 비생명체가 된다. 왜? 이는 바이러스의 구조에 있다. 바이러스는 캡시드 (capsid)라는 캡슐 안에서 잠들어있다. 그래서 바이러스는 누가 밖에서 이 캡슐을 열어주지 않으면 영원히 잠만 자고 있게 된다. 이 경우는 박쥐에 잠복하고 있는 바이러스에 해당한다. 이 캡시드에는 금속 단백질이 많이 붙어있어서 캡시드의 구조물을 연결해주고 있다. 즉, 철(Fe)이 DNA의 두 가닥을 붙잡고 있는 것과 마찬가지이다. 그래서 자유전자가 철을 환원하면 DNA 두 가닥이 풀리듯이, 캡시드도 자유전자가 캡시드에 붙은 금속을 환원해주면, 드디어 캡시드가 열리게 된다. 그러면 이제 이 안에서 잠자고 있던 바이러스는 활동을 시작하게 된다. 즉, 바이러스가 전자를 얻어서 생명체가 되는 순간이다. 그래서 바이러스가 생명체가 되려면 반드시 전자가 있는 환경이 조성되어야만 한다. 다른 말로 하자면, 전자가 남아도는 산성 환경이 되어야 바이러스가 활동을 시작하게 된다는 뜻이다. 그런데, 박쥐는 체액의 산도가 pH8.5로서 강알칼리이므로, 여간해서는 전자가 존재하는 산성 환경이 조성되지 않는다. 결국에 박쥐 체액에 있는 바이러스는 영원히 잠만 자게 된다. 이런 이유로 강알칼리 체액을 가진 육식 동물들은 인간이 걸리는 바이러스에 쉽게 굴복하지 않게 된다. 그러나 인간의 체액은 pH7.45로서 약알칼리이므로, 조금만 잘못하면 곧바로 산성으로 기울게 되고, 곧바로 바이러스에 걸리게 된다. 그래서 바이러스 예방법은 의외로 쉽다. 즉, 체액을 최대한 알칼리로 유지하면 된다. 그러면 설사 바이러스에 감염되었다 할지라도 바이러스는 활동하지 못하고 잠만 자게 된다. 즉, 인체에 해를 끼치지 못하는 것이다. 그래서 인체의 체액이 알칼리로 유지되면 바이러스에 걸려도 무증상으로 나타난다. 이런 이유로 똑같은 조건에서도 어떤 사람은 바이러스에 걸리고, 어떤 사람은 바이러스에 안 걸리게 된다. 이 바이러스 문제는 뒤에서 다시 논의될 것이다. 아무튼, 이런 이유로 바이러스는 생명체와 비생명체라는 양쪽을 오가게 된다. 결국에 생명체에서 전자라는 에너지는 필수 품목이 된다. 이때 전자는 물론 자유전자이다. 그래야 생체를 소통하면서 정보의 역할을 할 수 있으니까! 여기서 자유전자의 역할을 다시 정의해보면, 생체 정보 시스템을 가동하는 도구라고 해야 맞다. 즉, 인체 안에서 자유전자가 하는 일은 아주 다양하고 많지만, 이들의 핵심은 생체 정보(生體情報:Body information)로서 역할이다.

2. 태양계 아래 존재하는 모든 존재는 전자의 놀이터이다.
성장, 용매화 전자(溶媒化電子), GMO, Roundup, DNA, 트랜스 지방, 육채전쟁, 전자파, 전자레인지, 대사증후군, 탄수화물 중독, 당뇨, 고혈압, 고지혈증, 콜레스테롤, 암.

태양계 아래 존재하는 모든 존재를 놀이터로 삼는 전자의 역할을 좀 더 알아보자. 양자역학에서 성장(成長:Growth)에 관해서도 관심이 많다. 성장은 이미 앞에서 살펴보았지만, 에스터 과정의 연속이며, 이 과정은 반드시 전자가 필요한 과정이다. 즉, 전자가 성장인자(Growth factor)인 것이다. 그러면 식물의 배아와 인체의 배아에서 어떻게 전자가 성장인자로서 작동할까? 이 두 개의 과정은 성장인자인 전자의 공급 과정이 서로 다르다. 먼저 인체는 남성의 정자(sperm:精子)와 여성의 난자(卵子:ovum)가 수정(fertilization:受精) 과정을 거쳐야 배아(embryo:胚[芽])가 형성된다. 그리고 이때 전자의 공급은 정자가 하게 되는데, 정자의 머리 부분에 전자가 농축되어있다. 그리고 난자는 이 정자의 전자를 흡수할 수 있는 알칼리를 보유하고 있다. 그러면 알콜기가 만들어지게 되고, 이어서 에스터 과정이 진행되면서 배아가 성장한다. 그리고 세포가 분열하면서 태아로 성장하게 된다. 이때 세포의 분열에도 반드시 전자가 개입하게 되고, 만일에 전자 개입이 없으면, 세포의 분열은 멈춘다. 그 핵심에 철(Fe) 보조인자(Cofactor)가 자리하고 있다. 철은 자유전자에 아주 민감하게 반응하는 금속이다. 그런데 이 철이 DNA의 두 가닥을 연결하는 보조인자로서 역할을 한다. 그리고 세포 분열의 첫 단계는 반드시 DNA 두 가닥이 서로 풀려야 된다. 그런데 이 DNA 두 가닥을 연결하는 인자가 철이다. 이때 이 철에 전자가 공급되면, 철이 환원되면서 철은 DNA와 자동으로 분리된다. 그러면 이어서 DNA의 두 가닥이 서로 풀리게 되고, 세포 분열의 첫 단계가 작동하게 된다. 그래서 인간의 배아가 성장해서 태아가 되기까지 반드시 자유전자가 요구된다. 즉, 전자가 성장인자인 것이다. 이번에는 식물을 보자. 식물은 씨앗에서 성장이 시작된다. 그런데 식물의 씨앗을 보면 인간의 정자에서 볼 수 있는 성장인자인 전자가 없다. 그러면 식물은 어떻게 성장인자인 전자를 조달할까? 답은 씨앗을 둘러싸고 있는 환경에 있다. 씨앗은 싹이 트기 위해서 두 가지 조건이 필수이다. 하나는 습도이고, 나머지는 온도이다. 여기서 습도의 의미를 정확히 파악해야 한다. 습도는 물의 양이다. 그런데 물이 모이려면 반드시 삼투압 인자가 요구된다. 즉, 물이 존재한다는 말은 여기에 반드시 삼투압 기질이 존재한다는 뜻이다. 그리고 삼투압 기질은 전해질이다. 전해질이란 전자를 포함하고 있는 물질을 말한다. 그리고 수분이 있는 곳에는 반드시 전자가 존재한다. 우리는 이 전자를 용매화 전자(溶媒化電子:solvated electron)라고 부른다. 즉, 물이 모이는 곳에는 반드시 성장인자인 전자가 존재한다는 뜻이다. 그런데 이 전자는 열에너지가 주어지지 않으면 꼼짝도 하지 않고 자기 집의 방구석에 처박혀있게 된다. 그래서 이 전자를 활동하게 하려면, 반드시 열에너지가 필요하다. 그래서 식물이 싹을 틔우기 위해서는 전자를 활동하게 하는 따뜻한 온도가 필요하게 된다. 그래서 식물이 싹을 틔우기 위해서는 습도와 온도가 요구된다. 이런 조건이 형성되면, 식물의 씨앗 껍질 부분에 저장되어있는 알칼리 성분이 이 전자를 흡수한다. 그리고 씨앗에 있는 전분이 알칼리를 추가로 대량 공급하면서 드디어 식물의 씨앗이 떡잎을 만들어 낸다. 이때 식물의 씨앗에 저장된 전분은 에스터 형태로 저장되어 있으므로, 당연히 전자를 받을 수 있는 알칼리가 된다. 이때 씨앗에 제일 많이 있는 알칼리 성분이 바로 비타민들이다. 그래서 통곡물을 먹으면 건강에 좋은 이유가 바로 이들 알칼리 성분들 때문이다. 그래서 쌀겨가 비싼 값에 팔리는 이유이다. 식물은 이렇게 전자를 공급받아서 성장하게 된다. 이제 씨의 전분이 모두 소모되면, 물을 이용해서 전자를 공급받아서 어른 나무가 된다. 이렇게 해서 인간이나 식물이나 전자라는 성장인자의 도움을 받아서 존재하게 된다. 즉, 전자가 없다면 생체는 없다(No Electron, No Life). 여기서 전자의 역할은 끝날까? 아니다. 성숙한 식물과 인간에게서 전자의 활동이 달라진다. 여기에서 체액의 역할이 아주 중요하다. 보통 식물의 체액은 pH5.5로서 전자가 많은 산성 환경이다. 그리고 인간의 체액은 pH7.45로서 전자가 없는 약알칼리 환경이다. 그러나 영아나 한참 자라나는 청소년들의 체액은 약간 산성 쪽을 기울게 되고, 여기서 성장인자인 전자가 공급되면서 성인으로 성장하게 된다. 그리고 성장이 끝나고 성인이 되면 드디어 체액의 산도는 pH7.45가 된다. 성장이 끝났으므로 더는 전자가 필요 없는 알칼리 환경이 조성된다. 이때부터는 성장인자인 전자의 관리를 잘하지 못하게 되면 병이 들게 된다. 그런데 이 전자는 인체의 에너지이기도 하다. 그래서 전자의 관리는 아주 미묘해지게 될 수밖에 없다. 즉, 인체의 전자 관리는 건강 관리와 에너지 관리가 된다. 이 문제는 한의학과 동양의학의 주제이므로, 나중에 황제내경을 논할 때 다시 기술하려고 한다. 여기서는 이 정도로 기술을 마친다. 이제 식물로 넘어가 보자. 식물의 정상 체액의 산도는 pH5.5이므로 항상 전자가 존재하는 환경이 된다. 그래서 식물은 이 전자를 어떻게 해서든 중화해서 없애줘야 생존할 수 있다. 아니면 이 전자가 MMP를 작동시켜서 식물의 생체를 환원해서 분해시키면서 죽게 만들 것이다. 그래서 식물은 전자를 중화하는 에스터 과정을 살아있는 한 계속해서 수행해야 하는 운명의 굴레를 타고 태어났다. 그래서 식물은 성장하지 못하면 자동으로 죽게 된다. 그래서 식물의 성장은 살아남기 위해서 발버둥을 치는 안쓰러운 과정에 불과하다. 즉, 식물은 살아있는 순간순간이 전자와의 전쟁을 벌이는 과정이다. 인간도 이 측면에서는 같다. 즉, 인간도 살아있는 순간순간마다 전자를 중화해서 pH7.45라는 전자가 없는 알칼리 환경을 만들어내야 한다. 아니면 전자가 MMP를 작동시켜서 인체를 분해해버릴 테니까!

전자가 생체를 다루는 다른 측면들도 살펴보자. 먼저 질소 비료를 보자. 여기서 질소의 핵심은 고립 전자쌍(孤立電子雙:lone pair)의 역할이다. 이 특징이 성장인자인 전자를 공급하는 통로가 된다. 그래서 질소 비료를 시비하면 식물이 아주 잘 자라게 된다. 우리는 이 현상을 보고 에너지가 충분히 공급되었다고 말한다. 즉, 전자는 성장인자이기도 하면서 동시에 동력을 만들어내는 에너지이기 때문이다. 이번에는 농약(農藥:agricultural chemicals)을 보자. 농약 중에서도 GMO(Genetically Modified Organism:유전자변형 농수산물)에 사용하는 라운드업(Roundup)을 보자. 이 농약은 가을에 추수 때 건조제(drying agent:乾燥劑)로도 사용된다. 그러면 라운드업은 자동으로 수분을 조절하는 약제라는 추론이 가능해진다. 그래서 이 라운드업이 제초제로 사용된다. 즉, 식물 세포질의 수분을 탈취해서 수분 부족을 일으켜서 잡초를 죽이는 것이다. 라운드업의 구성 물질은 글리포세이트(Glyphosate)인데, 여기서 핵심은 인산(Phosphate)이다. 인산은 강산이다. 그래서 전자를 통해서 수분을 더 많이 끌어당길 수가 있다. 즉, 인산으로 구성된 글리포세이트는 아주 강한 삼투압 기질이 된다. 그래서 제초제가 되고 동시에 건조제가 된다. 그래서 이 약제는 거의 모든 식물체를 죽이게 되고 오직 GMO만 살려 놓게 된다. 즉, 전자를 이용한 삼투압을 이용하는 것이다. 즉, 식물 세포질이 가진 삼투압 능력보다 라운드업이 가진 삼투압 능력이 더 세므로, 식물 세포질은 수분을 자동으로 뺏기게 되고 수분을 빼앗긴 식물은 자동으로 말라서 죽게 된다. 이 약제를 성숙한 씨앗에 뿌리게 되면, 여기서도 이 약제가 수분을 빼앗으면서 곡식은 자동으로 건조된다. 그러면 GMO의 정체가 자동으로 드러난다. 즉, GMO는 라운드업보다 더 강한 삼투압 기질을 보유하고 있어야 라운드업과 삼투압 싸움에서 이길 수 있다. 즉, GMO의 세포질이 라운드업보다 더 많은 전자를 보유하고 있다는 뜻이다. 삼투압 기질은 반드시 전자 있어야 한다는 사실을 상기해보자. 이 말은 아주 재미있는 암시를 준다. 전자는 산도(酸度)를 결정하는 인자이다. 그래서 GMO는 자동으로 산도가 높은 즉, 전자를 많이 함유한 곡식이 된다. 다시 말하면, GMO는 우리가 예전에 자주 먹던 곡식보다 더 강산성 식품 재료라는 뜻이다. 즉, GMO를 먹으면 인체는 산성화된다는 뜻이다. 그리고 인체의 산성화는 만병의 근원이 된다. 인체의 최적 산도는 pH7.45라는 약알칼리 환경이라는 사실을 상기해보자. 이것이 전자를 기준으로 살펴보았을 때 GMO의 문제이다. 이 문제를 단백질 생리학으로 풀면 당연히 안 풀린다. 그래서 단백질 생리학으로 GMO 문제를 풀면 자동으로 문제가 없는 식품이 된다. 이 사실을 알건 모르건 간에 현대의학과 GMO는 돈을 벌기 위해서 공생하고 있다. 즉, 병도 주고 약도 주고 있다. 즉, 환상적인 짝꿍이다. 이번에는 트랜스 지방(Trans Fat) 문제로 가보자. 트랜스 지방은 원래 지방을 변화(Trans)시킨 것이다. 그러면 왜 지방을 변화시키려고 했을까? 문제는 식품제조업자들의 고민에 있다. 가공식품은 반드시 유통기한이 붙게 된다. 즉, 가공식품을 오래 진열할 수 있으면, 수익이 더 많이 난다. 그런데 이 과정에서 오메가3 같은 불포화지방산은 산패가 쉽게 일어난다. 이 사실은 원리상 당연한 이야기인데, 불포화는 전자가 부족하므로, 불포화지방산은 공기 중에 있는 전자를 아주 잘 흡수한다. 그 결과로 식품은 자동으로 산패한다. 이 골칫거리를 해결한 것이 트랜스 지방이다. 이 지방을 만든 사람은 폴 사바티에(Paul Sabatier)인데, 나중에 노벨상을 받게 된다. 그러나 이 지방이 암(Cancer)에 취약하다는 문제가 제기되면서 트랜스 지방은 인류의 적이 되어버렸다. 그러나 이 문제도 최첨단 현대의학으로 풀면 안 풀린다. 원리는 간단하다. 트랜스 지방은 전자가 부족한 불포화지방산에 수소를 이용해서 억지로 전자를 삽입시킨 것이다. 그러나 이 트랜스 지방이 인체로 들어가면, 원래의 형태로 변하게 된다. 즉, 인간이 억지로 집어 넣어둔 전자가 곧바로 풀려나는 것이다. 그러면 트랜스 지방은 인체에 전자를 공급하는 도구로 변한다. 이미 말했듯이 전자는 만병의 근원이다. 암의 원리는 뒤에 다시 언급할 것이므로, 여기서는 설명하지 않는다. 이번에는 다이어트 논쟁으로 가보자. 먼저 인간은 채식이 원칙인가? 육식이 원칙인가? 논쟁이 심하다. 이 문제를 논의하면서 석기시대까지 들먹인다. 이 문제도 최첨단 현대의학의 기반인 단백질 생리학으로 풀면안 풀린다. 그래서 논쟁이 계속되는 이유이기도 하다. 그러나 체액으로 풀면 간단하다. 인체의 체액은 pH7.45로서 약알칼리이다. 그리고 보통 육식성 동물의 체액은 pH8.5로서 강알칼리이다. 왜 육식성 동물의 체액이 강알칼리일까? 이유는 간단하다. 육식은 에너지가 많다는 것이 특징이다. 에너지는 전자를 말하고, 전자가 많다는 것은 강산성 식품이라는 뜻이다. 즉, 육식성 동물들은 강산성 식품을 섭취하므로 자연스럽게 체액은 강알칼리가 되어야 이 강산성 식품을 중화할 수가 있게 된다. 아니면 생존할 수 없게 된다. 그러면 인간의 체액이 약알칼리라는 말은 인간은 약산성 식품을 섭취하므로 약알칼리가 되어도 문제가 없다는 결론에 다다르게 만든다. 즉, 인간은 에너지가 미미한 채식으로 살게끔 설계된 동물이다. 즉, 인간은 채식이 원칙이다. 이번에는 비만이다. 보통은 비만이 만병의 근원이라고 하면서 BMI(Body Mass Index)를 들먹인다. 이 BMI는 한마디로 인체의 중성지방 수치를 측정하는 것이다. 무엇이 만들어진다는 것은 반드시 에스터(Ester) 과정이 필요하다. 그리고 이 과정은 전자가 필수이다. 그리고 전자가 있는 환경은 산성 환경이다. 즉, 인체의 체액이 산성화되면, 전자가 과잉되고, 이 전자가 에스터 과정을 거쳐서 중화되면서, 중성지방이 만들어진다. 이것이 비만이다. 그래서 비만이 만병의 근원이 아니라 비만을 만들어내는 전자 과잉이 만병의 근원인 것이다. 비만 문제는 체액 이론으로 풀면 아주 간단히 풀린다. 물론 최첨단 현대의학으로 풀면 도대체가 안 풀린다. 단백질로 이 문제를 풀기는 불가능하기 때문이다. 사실 다이어트 문제는 모든 건강 문제와 직결된다. 모든 생체는 먹는 것이 그 자체이기 때문이다. 즉, 생체는 먹는 것이 살(肉)로 가기 때문이다. 이번에는 전자파 문제를 보자. 이 문제도 말들이 많다. 그러나 전자를 중심으로 풀면 간단히 풀린다. 인체는 전자를 가지고 운용되는 생체이므로, 전자의 행동이 교란을 받으면 안 된다. 그러면 인체는 정상적으로 정보를 소통하지 못하게 되고 문제가 생긴다. 그런데 이 전자는 외부에서 에너지를 받으면 곧바로 교란된다. 그리고 전자파는 이 전자를 교란시키는 에너지이다. 그래서 전자파를 쏘이게 되면, 인체 안에서 활동하는 전자가 자극을 받게 된다. 인체의 단백질은 반도체 성격을 가지고 있다고 이미 앞에서 말했다. 이 말은 단백질이 전자를 보유하고 있다는 뜻이다. 그런데 전자파라는 에너지가 인체에 가해지면, 인체의 이 전자가 체액으로 빠져나오게 된다. 그리고 이들은 호르몬의 형태로 분비된다. 호르몬은 전자의 환원을 받아서 분비된다는 사실을 상기해보자. 그래서 호르몬은 무조건 산성 물질이 된다. 그러면 당연한 수순으로 호르몬의 과잉 분비는 인체에

독이 되고 만다. 현대의학은 이 상태를 내분비 독성이라고 말한다. 정확히 맞는 말이다. 이 전자파 문제는 세계 제2차 대전으로 거슬러 올라간다. 추운 겨울에 병사들이 이상하게 레이더 기지 옆으로 모여드는 것이었다. 레이더는 잘 알다시피 엄청난 전자파를 내뿜는다. 이 전자파가 인체의 반도체인 단백질에 저장된 전자를 간질로 빼내게 되고, 이 전자는 간질에 있는 산소와 반응해서 물이 만들어지고, 이 과정에서 당연히 열이 만들어진다. 그러면 몸은 자동으로 따뜻해진다. 이런 이유로 병사들이 추운 겨울에 레이더 기지 옆으로 모여든 것이다. 그런데 전쟁이 끝나고 나서 이상하게 백혈병이 집단 발병하게 된다. 당연히 군 당국에서 역학 조사가 이루어진다. 그래서 나온 결과는 당연히 레이더 기지 문제였다. 이때부터 전자파 문제가 수면 위로 부상하게 된다. 그러면 전자파와 백혈병의 관계는 뭘까? 원리는 간단하다. 전자파라는 에너지가 인체의 전자를 자극하면 전자가 간질로 빠져나오게 되는데, 이때 나온 전자는 홑전자이다. 즉, 자유전자이다. 이 자유전자가 MMP를 작동시키는 것이다. 그러면 이 MMP는 골수의 콜라겐에 붙어있는 혈구 아세포 등등을 분리시킨다. 결과는 자동으로 혈구 세포들이 많아진다. 당연히 이 혈구 세포들이 성숙할 시간을 주지 않는다. 즉, 너무 빠른 시간에 너무 많은 혈구 세포들이 간질로 빠져나오기 때문이다. 그래서 이때 만들어진 백혈구들도 미성숙 백혈구들이다. 또, 백혈병에 걸리면 상처를 입었을 때 지혈이 잘 안 된다. 그 이유는 지혈은 주로 혈소판 등등의 알칼리 콜라겐의 역할이다. 그런데 전자는 알칼리 콜라겐을 이용해서 중화된다. 즉, 인체 안에서 과잉 전자는 인체 안에 정상적인 콜라겐의 부족을 유발한다. 당연히 지혈이 잘 안 된다. 이 문제도 최첨단 현대의학의 기반인 단백질 생리학으로 풀면 제대로 풀리지 않는다. 즉, 단백질 하나만 가지고는 이 기전을 밝히기가 불가능하다. 이 원리를 역으로 이용한 치료법이 방사선을 이용한 항암 치료이다. 방사선이라는 전자파를 강하게 쪼이면, 단백질에 있는 전자가 빠져나올 뿐만 아니라, 체액에 있는 물(H_2O)까지 깨져버린다. 물은 전자를 두 개 격리하고 있다. 이 전자가 체액으로 빠져나오는 것이다. 그러면 세포를 둘러싸고 있는 간질액은 과잉 전자로 가득하게 된다. 이 과잉 전자는 당연히 활동전위를 만들어내면서 세포 안으로 진입한다. 그러면 이제 세포 안팎은 과잉 전자로 가득하게 되고, 인체의 미토콘드리아에서 Cytochrome-c를 환원해서 분리시키게 되고, 세포는 생을 마감한다. 이 기전은 앞에서 이미 설명했다. 이게 방사선 항암치료의 원리이다. 이때 간질에 적체한 과잉 전자는 체액을 따라서 전신을 순환하게 되고, 간질에 있는 콜라겐으로 중화된다. 그러면 간질의 콜라겐 단백질에 뿌리를 박고 있는 모발은 자동으로 빠지게 된다. 그래서 방사선 항암치료를 받으면 머리카락이 모두 빠질 수밖에 없다. 레이더 기지에서 아이디어를 얻어서 만든 가전제품이 전자레인지이다. 전자레인지의 원리는 음식물에 전자파를 쏘이는 것이다. 그러면 전자파 에너지를 받은 물이 초고속으로 회전하게 된다. 그러면 음식물에 있는 물이 항암치료에서처럼 깨진다. 이 물이 깨지는 과정에서 전자가 음식물로 흘러나오게 되고, 이 과정에서 전자를 건드리므로 당연히 열이 발생한다. 그리고 이때 물에서 빠져나온 전자는 음식물이라는 알칼리를 환원한다. 그러면 이때 전자레인지 안에 있는 음식물은 산성 음식물로 변한다. 그리고 이 음식물을 섭취하면 체액은 당연히 산성화된다. 그다음 수순은 독자 여러분의 상상에 맡긴다. 이 전자레인지 문제도 말들이 많은 부분이다. 그러나 단백질 생리학으로 이 기전을 풀면 무해하다는 답변이 나온다. 한 마디로 최첨단 현대의학의 단백질 생리학으로는, 이 기전의 규명이 불가하다. 이런 이유로 원래 전자레인지가 구 소련에서는 사용 금지 품목이었다. 그러나 러시아가 서구 문화로 개방되면서 금지가 풀리게 된다. 과연 전자레인지는 최첨단 현대의학이 말하는 것처럼 무해한 가전제품일까요? 판단은 독자 여러분의 몫으로 남긴다. 그래서 모든 전자파 문제는 이런 기전으로 인체를 간섭하게 된다. 그래서 하늘에서 자연적으로 주는 전자파 외에는 되도록 피하는 것이 좋다. 인체의 에너지인 전자를 자극해서 문제를 만들기 때문이다. 여기에는 고압 송전선 문제, 전파 기지국 문제, 전파 중계소 문제, 방사선실 근무 문제, 엑스레이 기사들 문제, 휴대폰의 과다 사용 문제, 전기장판 문제 등등 많은 문제가 도사리고 있다. 이번에는 DNA의 돌연변이에 관해서 알아보자. 이 문제를 풀려면 DNA 자체가 뭔지부터 알아야만 한다. 이 문제는 양자역학을 연구하면서 생명이 무엇인지 연구하는 사람들의 초미의 관심사이다. 그러나 여기서 재미있는 현상을 볼 수가 있다. 양자역학은 분명히 전자라는 존재를 세밀하게 다룬다. 그리고 생명체에 방사선을 쪼이면 DNA에 돌연변이가 발생하는 것도 아주 잘 안다. 그런데, 이 현상을 보고 신기해한다. 그리고 이 문제를 끝내 풀지 못하고 만다. 양자역학을 배우면 방사선이라는 빛도 동시에 아주 세밀히 연구한다.

즉, 빛과 전자를 아주 세밀히 연구한다. 이것이 양자전기역학(QED)
이다. 그리고 이들은 원자를 가지고 노는 것도 전자라는 사실도 아
주 잘 안다. 그러면 방사선이라는 빛을 쬐였을 때 DNA가 돌연변이
를 일으킨다는 사실은 빛과 전자 문제라는 추론이 즉시 가능하게
된다. 또, 이것이 양자전기역학(QED)이다. 그런데 이 추론을 하지
못하고 만다. 그러면 문제는 어디에 있을까? 바로 최첨단 현대의학
에 있다. 이들은 양자역학을 공부하면서 생명은 무엇인가라는 주제
로 접근할 때, 이 문제를 양자역학으로 접근하는 것이 아니라 최첨
단 현대의학으로 접근한다. 즉, 최첨단 현대의학의 두 가지 모순을
이미 가지고 시작하는 셈이다. 즉, 인체의 에너지는 전자가 아니라
ATP라는 모순과 인체를 조절하는 것은 체액이 아니라 단백질이라
는 두 가지 모순적 전제를 가지고 출발한다. 그 결과 당연히 생명의
본질에 대한 접근은 막히고 만다. 이번에는 방향을 바꾸어서 그 유
명한 DNA(deoxyribonucleic acid)를 보자. DNA는 아데닌
(Adenine, A), 구아닌(Guanine, G), 사이토신(Cytosine, C), 타이
민(Thymine, T)의 네 가지 물질로 구성된다. 그리고 이 간단한 네
가지는 유전정보로 사용하기에는 너무 간단하다. 인체의 정보란 엄
청나게 복잡한데, 이 네 가지로 지독하게 복잡한 인체의 정보를 표
현한다는 것은 처음부터 모순을 전제로 출발하고 있다. 그러나 이것
이 기묘하게도 최첨단 현대의학의 단백질 생리학하고 정확히 맞아
떨어진다. 단백질은 20가지의 아미노산의 다양한 조합으로 복잡한
유전 현상을 설명하기에 적합했기 때문이다. 즉, 이것들을 가지고
유전 현상을 정확히 설명할 수 있는 것이 아니라 설명하기에 적합

했다는 뜻이다. 그리고 이것이 끝내 생명현상을 파악하는데 장애물이 되고 만다. 이 네 가지 물질을 염기라고 부르고, 이 조합을 염기서열(Nucleic Sequence:鹽基序列)이라고 부른다. 그리고 DNA는 이 염기서열로 정해진다. 여기서 우리가 주목해야 할 단어는 염기(Alkali:鹽基:Base)이다. 즉, 이 네 가지 물질은 모두 공통 특징이 염기인 알칼리라는 사실이다. 즉, 염기는 전자를 흡수하고 내놓는 것이 전문인 알칼리(Alkali)라는 사실이다. 인체를 가지고 노는 전자가 많을 때는 이를 흡수하고, 적을 때는 이를 내놓는 것이 알칼리의 특징이다. 즉, 이 네 가지 물질은 전자 완충장치인 셈이다. 즉, DNA는 전자 완충장치인 것이다. 즉, 전자로 만들어지는 인체 정보를 소통시키는 장치가 DNA이다. 그래서 DNA는 유전정보를 소통할 수 있게 된다. 여기서 DNA가 수용할 수 있는 이상으로 전자가 과잉되면 이제 DNA를 구성하고 있는 염기서열이 변동을 일으킨다. 이 염기서열은 전자가 핵심인 전기적 힘으로 연결되어있으므로 너무나 당연한 일이다. 이것을 우리는 DNA의 돌연변이라고 부른다. 그런데 여기서 최첨단 현대의학은 이 DNA에 생긴 돌연변이의 정규적 패턴을 찾으려고 한다. 물론 그 결과는 참담하다. 왜? 돌연변이의 원인인 전자를 실어나르는 존재는 체액이다. 그리고 이 체액은 염기서열로 구성된 DNA를 적셔주고 있다. 즉, 생체의 DNA는 항상 체액에 잠겨있다. 그러면 체액이 나르는 전자는 어떤 염기서열을 변화시켜서 돌연변이로 만들지 미리 규칙성을 가질 수가 없다. 즉, 이때 체액이 가져다주는 전자가 무작위로 염기서열의 전자 포화도를 바꾸는 것이다. 그러니 염기서열에서 생기는 돌연변이가 규칙성을 갖는다는 것은 애당초부터 불가능하다. 그러나 최첨단 현대의학은 여전히 이 규칙성을 찾으려고 전전긍긍하고 있다. 전자를 기준으로 보면, 이 노력은 이미 실패가 정해져 있다. 이때 제일 많이 제기되는 돌연변이가 암세포(Cancer Cell) 돌연변이다. 그 이유는 체액에 있다. 보통 암세포의 체액 환경은 pH5.5이다. 이 체액의 산도는 식물의 산도와 같다. 그래서 암은 식물처럼 계속 성장만 하는 것이다. 그래서 암을 식물성이라고 부르는 이유이다. 이미 앞에서 살펴보았지만, 산성 환경은 자동으로 전자가 과잉인 환경이다. 그리고 이 전자는 성장인자이다. 식물이 왜 성장을 계속해야 하는지 이미 앞에서 설명했다. 아니면 죽기 때문이다. 그리고 식물 세포나 동물 세포나 전자라는 측면에서 보면, 둘 다 똑같다. 즉, 식물 세포나 암세포는 과잉 전자를 물로 중화해가는 에스터 과정을 통해서 성장하지 않으면, 이 과잉 전자가 작동시키는 MMP에 의해 분해되어서 죽고 만다. 즉, 암세포는 살아남기 위해서 열심히 안쓰러운 발버둥을 치고 있는 존재이다. 그래서 최첨단 현대의학의 연구원들이 암세포의 산성 체액을 알칼리 체액으로 바꿔주면 암세포는 기적처럼 정상 세포로 되돌아온다. 그러면 이 현상을 보고 기적이라고 치부하고 만다. 즉, 더는 연구하지 않고 만다. 즉, 체액이 암세포를 만들기도 하고, 정상 세포로 만들기도 한다는 사실을 최첨단 현대의학은 이미 알고 있다는 뜻이다. 여기서 암시는 황금만능주의가 우선이지 생명이 우선이 아니라는 추론이다. 체액을 바꿔주는 것은, 너무나도 쉽고 비용도 극도로 적게 든다는 사실이다. 그리고 이 체액을 조절해서 바꿔주는 모든 방법을 제시해주는 의학이 바로 한의학이나 동양의학이다. 그리고 그 근본에는 황제내경이 자리하고 있다. 문제는 이 사실을 한의학계나 동양의학계에서 모른다는 데 있다. 그 이유는 지금까지 황제내경을 연구하면서 양자역학을 연구하는 사람들처럼 최첨단 현대의학의 기반인 단백질 생리학을 기반으로 황제내경을 해석했기 때문이다. 황제내경의 생리학 기반은 전자를 중심으로 하는 전자생리학이다. 즉, 단백질 생리학과 전자생리학은 전혀 다른 생리학이다. 그러니 황제내경의 해석이 엉망이 되는 것은, 이미 정해져 있었던 결과이다. 이런 내용을 종합해보면, 암도 쉽게 정복이 가능하다는 결론에 다다른다. 단, 암 정복을 위해서는 단백질 생리학에서 전자생리학으로 전환이 필요하다. 물론 단백질 생리학이 무용하다는 뜻은 아니다. 세상은 여러 조각의 부분들이 모여서 만들어지는 퍼즐 판과 같아서 모두가 다 필요하기 때문이다. 실제로 최첨단 현대의학은 말 그대로 단백질 분야에서만은 최첨단이라고 자부해도 좋다. 결국에 이런 식으로 전자를 중심으로 인체를 바라보면, 양자역학을 공부했던 사람들이 찾고 있었던, 생명의 문제는 쉽게 풀린다. 그들이 찾는 최대의 문제는 인체에 흐르는 정보의 소통이었다. 그런데 전자를 집중적으로 연구하는 양자역학 학자들이 정보의 도구인 전자를 모르다니 참으로 아이러니하다. 앞에서 인용했던 노벨상 수상자이면서 양자전기역학(QED)의 대가인 리처드 파인만(Richard Feynman)의 글을 다시 한번 보면, 이 아이러니는 더 심하게 다가온다. 파인만은 분명히 "우리에게 친숙한 대부분의 자연현상은 '끔찍하게' 많은 수의 전자들이 서로 얽혀서 일어나는 현상이다"라고 말하고 있다. 이미 답을 말하고 있으면서도 답을 모르고 있

다. 즉, 최첨단 현대의학이 쌓아둔 장벽이 얼마나 큰지 새삼 느끼게
한다. 일반인들도 최첨단 현대의학의 노예가 된지 이미 오래되었고,
최첨단 현대의학은 아예 종교가 되어버렸다. 무슨 말을 더하겠는가!
이번에는 대사증후군(metabolic syndrome)을 인체의 에너지인 전
자로 풀어보자. 대사증후군은 호르몬(Hormone) 증후군이라고 말해
야 옳다. 모든 대사에는 반드시 호르몬 작용이 따르기 때문이다. 그
래서 대사증후군에는 반드시 과도한 호르몬이 만들어내는 내분비독
성학(Endocrine Toxicology)이 등장한다. 호르몬의 분비는 내분비
문제이고, 이 호르몬은 산성이고, 과도한 산성은 인체에 독성으로
작용하기 때문이다. 결국에 대사증후군은 호르몬의 종류만큼이나 많
은 병을 만들어낸다. 실제로는 대부분 병은 호르몬 때문에 만들어진
다. 호르몬은 전자를 수송하는 주요 도구이므로 당연한 사실이다.
그래서 대부분 만성 질환은 대사증후군에 해당한다. 하나씩 보자.
먼저, 만병의 근원이라는 당뇨 문제를 보자. 당뇨는 당이 소변으로
나오는 경우이다. 왜 당이 소변으로 나올까? 이 문제를 알려면 인체
가 전자를 취급하는 원리를 알아야 한다. 당뇨에서 문제가 되는 포
도당(glucose)은 산(酸)인 알콜기를 5개나 보유하고 있다. 한마디로
포도당은 전자를 쓸어 담아 가지고 온 존재이다. 즉, 한마디로 포도
당은 강산이다. 여기서 핵심 단어는 당(糖:Sugar)이다. 그런데 최첨
단 현대의학은 인체의 현상을 모두 단백질로만 풀려고 하다 보니
당 문제는 당연히 풀지 못하게 된다. 당은 종류가 엄청나게 많다.
우리가 일상에서 자주 사용하는 화장지나 종이도 당의 한 종류이다.
그리고 집을 지을 때 사용하는 목재도 당의 한 종류이다. 그리고 우

리가 매일 먹는 식물의 줄기도 당의 한 종류이다. 이렇게 열거하다 보면 수많은 당이 끌려 나오게 된다. 그러나 당뇨병에서 문제가 되는 당을 기준으로 당을 분류해보면, 당은 단 2가지로 구분된다. 즉, 전자가 모자라서 에스터(Ester)로 공유결합을 보유하고 있는 당과 이 에스터를 환원해서 전자를 잔뜩 끌어안고 있는 당으로 구분된다. 즉, 전자를 끌어안고 있는 산성 물질의 당과 전자가 부족한 에스터 상태의 알칼리 물질의 당으로 구분된다. 다시 말하면, 산성 당과 알칼리 당으로 구분된다. 이것이 전자를 기준으로 분류한 당이다. 그리고 인체 안에서 당뇨병 때 나타나는 포도당은 산성 당이고, 우리가 식사 때 먹는 밥은 전분으로서 알칼리 당이다. 전분은 에스터 상태라는 사실을 상기해보자. 당연히 전분은 알칼리가 된다. 그런데 최첨단 현대의학은 이 둘을 하나로 취급한다. 단백질을 중심으로 물질을 바라보니 당연한 결과이다. 그러나 전자를 중심으로 물질을 바라보면, 이 두 가지 당은 하늘과 땅만큼이나 차이가 나는 다른 물질이 된다. 그래서 전자생리학으로 보면, 모든 탄수화물을 하나로 취급하는 최첨단 현대의학의 태도에 놀라게 되는 것은 당연하다. 즉, 산성 물질과 알칼리 물질을 하나로 보는 태도에 놀란다는 뜻이다. 단백질에 미쳐있는 최첨단 현대의학은 산과 알칼리를 구분할 필요가 없으므로 어찌 보면 당연한 결과일 것이다. 이렇게 당을 두 가지로 구분하게 되면, 자연스럽게 설탕과 쌀밥이 구분된다. 그리고 설탕의 재료인 사탕수수를 통째로 먹으면 약이 되고, 설탕으로 먹으면 독이 되는지도 자연스럽게 밝혀진다. 설탕은 정제해서 분리해내는 과정이 필요하다. 여기서 분리라는 단어가 중요하다. 태양계 아래에 존재하는 모든 물체는 예외 없이 공유결합을 통해서 조립되어있다. 그래서 이 조립을 풀려면 반드시 전자를 추가해줘야 한다. 그러면 물질은 분리되어서 나오게 된다. 그 결과로 분리되어서 나온 물질은 자동으로 자유전자를 보유하게 되고, 자동으로 산성 물질로 변한다. 그래서 사탕수수에서 분리되어서 나온 설탕은 상대적으로 산성 물질이 될 수밖에 없다. 당연히 사탕수수에 에스터로 붙어있는 당은 알칼리 당이 된다. 그래서 사탕수수를 그대로 먹으면 알칼리를 먹게 되므로, 건강에 좋게 되지만, 설탕은 상대적으로 산성 식품이므로 당연히 건강에 문제를 일으킨다. 쌀도 마찬가지이다. 쌀밥은 알칼리 음식이지만, 이를 빻아서 시루떡으로 만들게 되면, 당연히 상대적으로 산성 물질로 변하게 된다. 그래서 설탕과 쌀밥은 당연히 서로 같은 탄수화물이 아니게 된다. 즉, 건강을 말할 때 쌀밥과 설탕을 같은 탄수화물로 취급하지 말라는 이야기이다. 이 둘을 같은 탄수화물로 취급하는 것은 무식해도 너무 무식한 처사이다. 이제 그럼 인체는 왜 유독 포도당을 통해서 전자를 수거해서 당뇨병을 만들어낼까? 이유는 간단하다. 단백질이나 지방은 전자를 수거할 능력이 포도당과 비교해서 현저히 떨어진다. 자유전자를 수거하면 알콜기 종류가 만들어지는데, 포도당은 이 알콜기를 5개나 보유할 수 있다. 즉, 포도당은 과잉 전자를 수거하는데 최적의 조건을 가지고 있다. 인체는 이 능력을 이용하고 있을 뿐이다. 한마디로 당뇨병에서 포도당은 과잉 전자라는 불을 끄는 소방수이지 인체에 병이라는 불을 낸 방화범이 아니다. 방화범은 과잉 전자이다. 그런데 최첨단 현대의학은 방화범은 쳐다보지도 않고 불을 끄는 소방수의 인원을 줄이기 위해서 열심히 노력하고 있다. 그 결과로 탄수화물 중독이라는 단어까지 만들어내고 있다. 인체는 인체 안에 과잉 전자가 적체하게 되면, 어떻게 해서든지 이 과잉 전자를 인체 밖으로 내보내서 인체의 pH7.45를 맞춰줘야 한다. 아니면 과잉 전자는 MMP를 동원해서 인체의 공유결합을 풀어서 인체를 해체할 테니까! 그러면 인체는 이때 과잉 전자를 처리하는데 아주 좋은 도구인 당을 요구하게 된다. 말 그대로 탄수화물 중독에 빠지게 만든다. 즉, 인체는 살아남기 위해서 과잉 전자를 처리할 최고의 도구인 탄수화물을 찾는 것이다. 그러나 이때 설탕을 먹으면 설탕은 에스터가 하나밖에 없으므로 부작용이 일어난다. 즉, 산을 추가하는 결과로 이어진다. 그러면 인체는 설상가상의 상황에 빠지게 된다. 그러면 인체는 또 탄수화물을 찾게 된다. 한마디로 이런 상황에서 인체는 악순환에 빠지게 된다. 이것을 탄수화물 중독이라고 부른다. 이때 에스터를 보유한 알칼리인 쌀밥을 먹으면 간단히 해결된다. 그런데 최첨단 현대의학이 쌀밥과 설탕을 같은 탄수화물로 규정하면서 문제는 해결되지 못하고 악순환에 빠지고 만다. 이것이 최첨단 현대의학이 당뇨에 대해서 처방하고 있는 민낯이다. 그래서 당뇨병을 해결하려면 인체 안에 적체하고 있는 과잉 전자를 해결하면 된다. 그리고 이 과잉 전자를 누가 만들어내는지 알면 문제는 쉽게 풀린다. 답은 바로 호르몬이다. 즉, 당뇨병을 해결하려면 호르몬의 조절을 잘하라는 뜻이다. 그래서 당뇨병이 대사증후군에 속한다. 그리고 쌀밥을 먹었을 때 개인마다 혈당이 다르게 나타나는데, 인체 안에 적체한 전자의 과잉 정도가 심하면 쌀밥의 에스터가 전자를 더 많이 수거해서 높은 혈당이 나타나고, 심하지 않으면 낮은 혈당이 나타난다. 그래서 혈당은 인체 체액의 산성도를 나타낸다. 즉, 몸의 체액이 산성으로 많이 기운 사람은 혈당이 높게 나타나고, 덜 기운 사람은 상대적으로 혈당이 낮게 나타난다. 이때 말하는 체액은 혈액을 말하는 것이 아니다. 혈액은 언제나 알칼리로 유지된다. 만일에 혈액이 산성으로 기울면 혈액이 응고되면서 패혈증으로 인해서 혈액 순환이 막히게 되고 인체는 곧바로 죽게 된다. 그리고 인체 체액 중에서 혈액이 차지하는 비중은 5%에 불과하다. 이렇게 전자를 수거한 포도당은 이제 세포 안으로 자동으로 들어가서 미토콘드리아의 전자전달계로 들어가고 여기서 자기가 가지고 온 전자를 산소로 중화해서 물을 만들어내고 동시에 강알칼리인 ATP를 만들어낸다. 그리고 이때 세포 밖에서 전자를 수거한 포도당의 양이 너무 많아서 세포 안으로 들어가지 못한 포도당은 별수 없이 신장으로 배출된다. 이때 포도당의 형태는 염(鹽)의 형태를 띤다. 즉, 이때 포도당은 염의 형태를 띠기 때문에, 염을 전문으로 처리하는 신장이 포도당을 처리한다. 그리고 이 포도당은 소변으로 나오게 되고, 우리는 이 상태를 당뇨라고 부른다. 그리고 전자는 전해질을 만들어서 삼투압 기질이 되므로, 포도당에 붙은 전자는 포도당을 삼투압 기질로 만들어서 수분을 계속 끌어당긴다. 그래서 당뇨가 심한 사람의 인체는 계속 물을 요구하게 되고, 당뇨 환자는 말 그대로 수도꼭지가 된다. 그래서 당뇨가 있다는 말은 인체 안에 병의 근원인 전자가 많다는 뜻이므로, 이 과잉 전자는 어떤 병을 추가로 일으킬지 예측할 수가 없게 만든다. 결국에 당뇨가 만병의 근원이 아니라 과잉 전자가 만병의 근원이다. 즉, 당뇨가 만병의 근원이라는 말은 틀렸다는 뜻이다. 그래서 당뇨가 있게 되면 자동으로 여러 가지 병증이 합병증 형태로 나타날 수밖에 없다. 즉, 이때 나타나는 합병증은 당뇨 합병증이 아니라는 뜻이다. 즉, 당뇨 합병증이 아니라 과잉 전자 합병증이 옳은 표현이다. 그래서 당뇨병이 나타나면 다른 대사증후군이 한꺼번에 들이닥치는 것이다. 당뇨 문제는 다음에 침과 경락을 논할 때 다시 추가할 것이다. 여기서 잠깐 탄수화물 중독을 넘어서 음식 중독에 관해서 조금만 알아보고 가자. 왜 음식 중독에 걸릴까? 물론 근본 원인은 과잉 전자가 제공한다. 그런데, 이 과잉 전자는 인체 안에서만 만들어질까? 아니다. 우리가 일상에서 먹는 음식에도 많은 전자가 포함된 경우가 많다. 그래서 식습관이 엄청나게 중요하다. 즉, 약식동원(藥食同源)이라는 뜻이다. 여기서 최고로 문제가 되는 경우는 가공식품과 식품 첨가물 그리고 육식이다. 가공식품에는 의례 식품 첨가물이 첨가된다. 그 이유는 혀를 속이는 맛과 유통기한 연장에 있다. 식품 첨가물은 가공식품의 마법사로 통한다. 그런데, 이 식품 첨가물은 산성 물질이 대부분이다. 즉, 이들은 전자를 많이 포함하고 있는 물질이 대부분이다. 그런데 이때, 인체 안에 전자가 과잉이어서, 이 과잉 전자를 중화하기 위해서 인체가 계속해서 알칼리를 요구하는 신호를 보낼 때, 이 신호를 정확히 해독하지 못하게 되면, 사람들은 무조건 음식을 찾게 된다. 그런데 이때, 이 음식을 전자가 많이 포함된 가공식품으로 대체하게 되면, 문제는 더 심각해진다. 그러면 아무리 많이 먹어도 돌아서면 곧바로 또 음식을 찾게 되는 악순환에 빠지고 만다. 즉, 전자가 많은 가공식품을 먹었으니 당연한 반응이다. 인체는 과잉 산 때문에, 이를 중화하기 위해서 알칼리 음식을 달라고 했는데, 거꾸로 전자가 잔뜩 들어있는 가공식품을 주니 인체는 환장할 노릇이고, 과잉 전자는 더 쌓여만 간다. 그러니 먹고 나면 곧바로 또 음식을 요구하는 것은 이미 필연이다. 악순환은 반복되고 인체는 이 과잉 전자를 중성지방으로 만들어서 처리한다. 즉, 비만이 찾아온다. 이번에는 여기에 육식을 추가하면 주는 대로 받아서 먹을 수밖에 없는 인체는 말도 하지 못하고 미쳐버린다. 그러면 육식의 문제는 뭘까? 물론 육식도 모두 나쁜 것만은 아니다. 일본의 오키나와의 예를 보면 된다. 오키나와는 지금은 아니지만, 세계적인 장수촌이었다. 이곳의 특징은 돼지고기를 무척 사랑한다는 점이다. 이곳은 세계를 통틀어서 돼지고기를 제일 많이 먹기로 유명하다. 이렇게 육류를 사랑함에도 불구하고 오키나와는 세계적인 장수촌이었다. 그러나 미군기지가 들어서면서 패스트푸드가 넘쳐났고, 결국에 오키나와는 일본에서조차도 평균 수명은 꼴찌를 면하지 못하고 있다. 물론 이 패스트 푸드에는 육류가 많았다. 그러면 육류에 무슨 문제가 있었단 말인가? 오키나와 사람들은 옛날부터 마을 공동체가 아주 잘 발달해있었다. 물론 일본이 이곳을 식민지로 삼더니만 결국에는 합병하기 전까지는 말이다. 그래서 날씨가 따뜻한 오키나와의 공동체는 돼지를 공동으로 길렀는데, 노지에 울타리를 치고 길렀고, 기르는 방식이 특이했다. 즉, 마을 사람들이 오가면서 돼지에게 풀을 던져 주었다. 그런데 이 풀이 약초였다. 그래서 돼지는 마을 사람들이 던져준 약초만 먹고 자라게 된다. 생체는 먹는 것이 그 자신이 된다는 사실을 상기해보자. 그리고 이들은 이 돼지에서 나온 돼지고기를

엄청나게 사랑했다. 그래서 이들은 돼지고기라는 육류를 세계에서
제일 많이 먹었지만 장수할 수 있었다. 즉, 이들은 약이 되는 돼지
고기를 먹은 것이다. 당연히 장수할 수밖에 없었을 것이다. 그런데
이곳에 미군기지가 건설되면서, 고기가 듬뿍 든 패스트 푸드에 빠지
게 된다. 그리고 그 결과로 평균 수명이 일본 내에서조차 꼴찌를 면
하지 못하게 되었다. 미국은 축산 대국이다. 그리고 미국의 축산은
공장식 축산으로 유명하다. 공장식 축산의 문제는 가축에게 과도한
에너지를 주입한다는 점이다. 그래서 가축은 농장주가 원하는 대로
빨리 자란다. 대신에 생체는 과잉 에너지 즉, 과잉 전자로 가득해진
다. 한마디로 산성 식품이 생산되는 것이다. 게다가 사육환경이 지
독해서 가축이 극도의 스트레스를 받는다. 당연히 가축의 체액은 산
성으로 변하면서 여기서 나온 육류도 산성이 되고 만다. 원래도 너
무 많은 에너지를 주입시켜서 키운 가축에 스트레스까지 겹치면서
체액이 극도로 산성화되고 여기서 나온 고기는 산성 덩어리가 되고
만다. 당연한 결과로 여기에서 따르는 부작용은 가축의 여러 가지
질병이다. 그리고 이때 나타난 지독한 질병의 대표가 세계를 떠들썩
하게 만든 광우병(狂牛病:bovine spongiform encephalopathy)이
다. 즉, 광우병은 인간이 만들어낸 참극이다. 즉, 에너지 과잉의 참
극이 광우병이다. 그러면 광우병 소의 고기는 완벽한 산성 식품이
된다. 그래서 광우병 소고기를 먹으면 사람도 광우병과 비슷한 증상
이 나타나게 된다. 그 이유는 광우병 증상을 보면 알 수 있게 된다.
광우병 증상을 보면, 소가 근육이 소실되어서 일어나지를 못한다.
즉, 과잉 전자가 근육을 구성하고 있는 알칼리 콜라겐을 분해해서

중화되면서 근육이 상한 것이다. 그 결과로 소는 당연히 제대로 서 있지 못하게 된다. 그리고 광우병의 증상 중에서 하나가 뇌의 해면질(spongiform)이다. 뇌가 이렇게 된 이유는 뇌를 구성하고 있는 물질이 알칼리 콜라겐이기 때문이다. 즉, 과잉 전자가 신경을 통해서 뇌로 전해지면서, 이 과잉 전자는 뇌를 구성하고 있는 알칼리 콜라겐을 이용해서 중화된 것이다. 그리고 이 결과가 뇌의 해면질 현상으로 나타난 것이다. 그러나 이 광우병도 최첨단 현대의학의 기반인 단백질로 풀면 당연히 안 풀린다. 그리고 여기에는 이익단체의 먹이사슬까지 가세하면서, 광우병 문제의 규명은 꼬일 대로 꼬이게 되었고, 결국에는 흐지부지되고 말았다. 물론 지금도 광우병의 근원은 오리무중이다. 이런 질병 환경을 극복하기 위해서 축산 업계는 가축에게 산성인 항생제를 잔뜩 먹이게 된다. 이제 공장식 축산에서 생산된 육류는 완벽한 고에너지 식품 즉, 완벽한 산성 식품이 되고 만다. 그리고 오키나와 사람들은 이 고기가 잔뜩 든 패스트 푸드를 즐겨 먹었다. 그 결과로 장수촌의 명성은 사라지고 말았다. 그리고 공장식 축산의 문제는 전 세계로 퍼져나가서 이제는 표준이 되었다. 이것이 지금 우리가 먹고 있는 육류의 실상이다. 다시 음식 중독으로 가보자. 그래서 과잉 산 때문에 음식 중독에 걸려서 인체가 알칼리 음식을 원할 때 거꾸로 완벽한 산성 식품인 고기를 잔뜩 먹으면, 인체에 과잉 전자는 더 추가되고 만다. 그러면 인체는 계속해서 알칼리 음식을 달라고 외쳐댄다. 결국에 산성인 고기도 모자라서 가공 식품인 라면을 몇 개 더 먹는다. 결국은 이들 모두는 비만으로 가고 만다. 이제 몸은 과잉 전자로 가득 찬다. 그러면 의사는 비만이 만병의 근원이라고 거룩하고 위엄있게 말하면서 살을 빼라고 한다. 이제 운동하러 헬스장에 간다. 그러나 이 무거운 몸으로 헬스를 하면 스트레스가 엄청나다. 살을 빼려고 한 헬스의 결과는 몸을 더 산성화시키고 만다. 그러면 당연히 살은 안 빠진다. 그러면 이번에는 굶는 다이어트를 한다. 이 역시도 스트레스가 엄청나다. 그러면 결국에 인체 안 구석구석에 과잉 전자는 쌓이고 또 쌓인다. 결국에 너무 참지 못해서 다시 밥을 먹으면, 이전에 쌓아두었던 과잉 전자가 쏟아져 나오면서 다시 살이 찌기 시작하는데, 굶는 다이어트 동안에 인체 안에 너무나 많은 전자를 축적해 놓았으므로, 요요를 넘어서 이전보다 더 많은 살이 찌고 만다. 전자는 성장인자라는 사실을 다시 한번 또 상기해보자. 이제 다이어트는 포기한다. 이것이 작금의 다이어트 현실이다. 그래서 이 악순환의 고리에 한 번 빠지게 되면 도저히 헤어나올 수가 없게 된다. 이런 경우는 음식 자체가 스트레스 요인으로 작용해서 호르몬 분비를 촉진하게 된다. 호르몬 분비는 산에 붙은 전자가 자극한다는 사실을 상기해보자. 즉, 전자가 없다면 호르몬도 없다. 즉, "No Electron, No Hormone"이다. 이 원리를 알면 간단히 해결될 문제인데, 누구도 이 원리를 모르니 이런 악순환의 고리에서 빠져나오지 못하고 만다. 그리고 지금 우리 시대의 가공식품은 필요악이 되고 말았다. 우리 시대의 대중은 시간도 빠듯하고 돈도 여유가 없으므로, 자동으로 편하고 값도 싼 가공식품으로 자신도 모르게 손이 가고 만다. 여기에 스트레스는 덤으로 얹혀진다. 그래서 이 시대를 살아가는 대중은 대사증후군이 안 생기면 그게 더 이상할 것이다. 지금까지 탄수화물 중독과 음식 중독에 관해서 간략하게 알아보았다. 그러면 대사증후군의 원인인 호르몬은 어떻게 조절할 수 있을까? 이 문제는 대사증후군 전체에 해당하는 문제이므로 상당히 중요하다. 앞에서 이미 살펴보았듯이 호르몬의 분비는 과잉 전자의 적체가 필수이다. 먼저 전자는 혈액이 가져다주는 산소를 이용해서 물로 중화된다. 그런데 혈액이 공급해주는 산소는 양이 한정되어있다. 그래서 전자를 수거한 호르몬을 최대한 필요한 양만큼만 분비하게 만들어야 한다. 호르몬 분비의 최대 자극제는 스트레스이다. 이 스트레스는 교감신경을 자극하게 되고, 그러면 교감신경은 신경 전달 물질이라는 호르몬을 몽땅 분비하게 만든다. 그러면 한정된 산소로 한정된 양만큼만 호르몬에 붙은 전자를 물로 중화할 수 있게 된다. 그러면 호르몬에 붙은 나머지 전자는 이제 병의 근원이 되고 만다. 즉, 대사증후군을 일으키는 것이다. 그래서 결국에 호르몬의 분비를 줄인다는 말은 교감신경을 최대한 적게 자극하라는 뜻이다. 방법은 뭘까? 해답은 신경계에 있다. 즉, 교감신경과 부교감신경의 길항 관계를 이용하는 것이다. 여기서 길항 관계란 하나가 작동하면 상대편은 작동하지 못하는 관계이다. 즉, 교감신경이 작동하면 부교감신경은 작동을 멈춘다. 그리고 부교감신경에는 아주 중요한 미주 신경이 있다. 이 미주 신경은 항산화 효과를 발휘하기로 유명한 신경이다. 즉, 미주 신경은 과잉 전자를 잘 중화하기로 유명한 신경이다. 부교감신경은 아세틸콜린이라는 신경 전달 물질을 분비한다. 그런데 이 아세틸콜린(acetylcholine)은 콜린을 이용해서 전자를 수거하고 이를 콜라겐을 생성해서 중화한다. 인체 안에서 무엇을 만든다는 말은 전자를 중화하는 에스터 과정임을 상기해보자. 그래서 미주 신경의 항산화 능력을 이용하기 위해서 미주 신경 자극 장치를 인체 안에 심기도 한다. 그럼 호르몬 분비를 최소화하기 위해서는 교감신경의 자극을 줄이고 미주 신경의 자극을 유도하라는 결론에 다다른다. 방법은 뭘까? 이 문제는 교감신경 문제이다. 일단 교감신경의 작동을 멈추게 하려면 교감신경이 자극되는 원리를 알면 된다. 마음에 걱정이 있으면 한 가지 일에 집중하기가 어렵다. 이게 답이다. 그러면 정신이 혼란스럽게 된다. 이때 정확히 교감신경이 작동한다. 즉, 한 가지 일에 집중하라는 것이다. 그러면 교감신경은 멈추고 미주 신경이 작동하게 된다. 어떻게? 방법은 아주 많다. 그리고 원리는 하나이다. 집중이다. 하나씩 보자. 제일 쉽고 많이 할 수 있고 장소나 시간에 구애받지 않고 누구나 잘 할 수 있는 방법은 명상(meditation:瞑想)이다. 그러나 수련이 될 때까지는 결코, 쉽지만은 않다. 그 이유는 명상할 때 하나의 생각에만 집중해야 하는데, 마음이 심란하면 집중이 어렵기 때문이다. 이때 의외로 쉽게 할 수 있고 재미있는 방법이 다도(teaism:茶道)이다. 이 다도의 핵심은 느림의 미학과 집중의 미학이다. 차를 따르는 사람의 손이 차가 담긴 주전자까지 가는데, 아주 느리게 천천히 간다. 그리고 천천히 가는 손을 느끼는 것이다. 그러면 차를 따르는 사람의 마음은 다른 생각은 하지 못하게 되고 마음이 천천히 움직이는 손에 집중된다. 이 과정은 차를 따르고 마시고 음미하고 넘김을 느끼고 이어서 찻잔을 내려놓는 모든 과정에 적용된다. 그러면 교감신경은 자동으로 멈추고 미주 신경이 작동하면서 항산화 효과를 발휘해서 인체 안에 적체한 과잉 전자를 중화해준다. 그래서 다도를 정확히

했다면, 기분은 아주 좋아지게 되고 몸도 가벼워지게 된다. 그리고 태극권 같은 운동도 같은 원리가 적용된다. 즉, 신체의 동작 하나하나를 아주 천천히 하면서 집중하고 느끼는 것이다. 그래서 태극권을 하는 사람들을 보면 동작이 유난히 느리다. 이 원리는 자기가 아주 좋아하는 취미 생활에도 적용된다. 이때는 아무 생각 없이 오직 취미 생활에 집중하게 된다. 즉, 시간이 가는 줄도 모르고 취미에 빠지는 것이다. 그리고 여성들이 자주 하는 수다가 있다. 여성들이 전화기를 붙잡고 몇 시간씩 시간이 가는 줄도 모르고 수다를 떨다 보면, 어느새 많은 시간이 가버린다. 이때 집중이 극에 달한다. 이게 힐링(Healing)이다. 힐링은 그 원리를 알면 어려운 게 아니다. 여기서 핵심은 마음의 근심을 잊어버리는 것이다. 그래서 세상사를 벗어나서 마음을 집중할 수 있으면 이게 최고의 보약이 된다. 그래서 호르몬 분비를 줄이는 방법은 아주 많기도 하고, 또 원리를 알면 자기 자신이 다양하게 개발할 수도 있다. 최근에는 멍 때리기가 유행이다. 이 방법도 아무 생각 없이 있는 상태이므로 일종의 집중에 해당한다. 이런 식으로 해서 정신적 스트레스로 인한 호르몬 분비를 줄이면 된다. 여기에 하나를 더 추가한다면, 마음을 내려놓고 사는 방법을 배워야 한다. 그러면 정신적 스트레스가 절반은 준다. 물론 마음을 내려놓고 산다는 것은 말처럼 쉽지만은 않다. 마음을 내려놓고 사는 법을 터득하기 위해서는 인문학에 관련된 책을 꾸준히 읽어서 세상이 돌아가는 원리를 먼저 터득해야 진정으로 마음을 내려놓는 방법을 터득할 수 있다. 그래야 내면에서 나온 힘을 통해서 진정으로 마음을 내려놓게 된다. 겉으로 아무리 마음을 내려놓았다고 외쳐

봤자 내면에서 우러나오는 욕구는 막을 수가 없다. 그러면 억지로 마음을 내려놓으려는 행동은 거꾸로 스트레스로 다가오고 만다. 모든 세상사의 마음 문제는 욕심에서 생기고, 상대방과 비교에서 생긴다. 이 두 가지는 철저히 마음의 문제이다. 즉, 이들은 내가 스스로 다스릴 수 있는 문제이다. 그런데 재미있는 것은, 마음을 내려놓는 방법을 터득하게 되면, 희한하게도 권력과 부가 뭔지도 터득하게 된다. 마음을 내려놓기 전에는 그렇게 맹렬하게 좇았던 권력과 부의 원리가 빤히 보인다. 그래서 권력과 부를 좇기 전에 먼저 마음을 내려놓는 방법을 터득하면, 더 쉽게 권력과 부를 얻을 수도 있다. 그러나 이때쯤 되면 권력과 부가 아무런 의미가 없어지고, 세상을 즐기는 법을 배우게 된다. 차라리 권력과 부를 좇느니 인생을 풍요롭게 즐기는 쪽을 선택한다. 물론 최소한 생존할 수 있는 식량은 있어야 한다는 전제가 붙기는 한다. 그리고 물론 돌봐줘야 할 자식이 있고 가정이 있으면 많은 문제가 얽히고설킨다. 그래서 마음을 내려놓는다는 말도 쉽지만은 않다. 단지 최소한 억지로 살려고 발버둥을 치지는 말라는 뜻이다. 그리고 또 하나의 호르몬 분비 요인은 산성 식습관이다. 이때는 식습관을 알칼리로 바꾸면 된다. 산(酸)은 전자를 실어나르는 도구이므로 호르몬 분비를 자극한다는 사실을 상기해보자. 여기에서는 반드시 식품 첨가물을 배제해야 한다. 그러려면, 될 수 있는 대로 가공식품을 피하고 육류도 가려서 섭취해야 한다. 아무튼, 육류는 될 수 있는 대로 절제해야 한다. 특히 공장식 축산에서 나온 육류는 철저히 피하는 것이 상책이다. 그리고 과음과 과식 그리고 과로도 피하는 것이 필수이다. 여기서 과로는 누구나다 아는 문제이니까 설명을 제외하고, 과음과 과식의 원리를 알아보자. 과연 무엇이 과음이고 과식이며, 그 원리는 뭘까? 이 문제도 최첨단 현대의학으로 풀면 시원스럽게 풀리지 않는다. 이 문제를 전자생리학으로 풀면 과음과 과식은 같은 말이 된다. 그리고 우리는 일생에서 술을 제일 많이 먹는다. 왜? 우리가 먹는 음식은 대부분이 에스터를 가진 알칼리 성분이다. 이 알칼리는 위산을 환원받아서 분해된다. 즉, 위산에서 나온 전자가 음식의 알칼리 에스터를 환원하는 것이다. 그러면 음식은 분해되고, 우리는 이것을 소화라고 부른다. 그래서 위산이 없으면 소화가 안 된다. 그리고 지용성 에스터 알칼리는 담즙산의 환원을 받아서 분해되고 소화된다. 그래서 위산과 담즙은 소화에서 아주 중요한 역할을 한다. 이때 환원된 형태가 바로 알콜기가 붙은 음식물이다. 음식에 알콜기가 만들어지지 않으면 흡수가 안 된다. 즉, 물질은 알칼리 형태로는 흡수가 안 된다. 반드시 알콜 형태를 띠고 있어야 장에서 흡수된다. 그리고 이들 알콜기에 붙은 전자는 간과 림프에서 산소를 이용해서 중화되고 일부는 그대로 인체로 흡수되어서 에너지로 쓰인다. 이때 중화된 음식물은 당연히 알칼리로 변한다. 그리고 이 알칼리는 인체 안에서 만들어지는 산에 붙은 전자를 받아서 중화한다. 그런데 소화된 음식물에 붙은 알콜기를 간과 림프에서 중화하는데, 간과 림프의 용량적 한계가 있게 된다. 즉, 개개인의 간과 림프가 소화된 음식물에 붙은 전자를 떼어내서 물로 중화하는 데 한계가 있다는 뜻이다. 문제는 이 한계를 넘어서면서 생긴다. 우리가 밥을 먹는 주된 이유는 전자라는 에너지 공급과 알칼리 공급이라는 두 가지를 위해서이다. 그리고,

그 에너지는 위산과 담즙이 환원되어서 제공한다. 그리고 알칼리 공급은 이들이 산소로 중화되면서 된다. 그래서 간과 림프가 알콜기가 붙은 이들을 중화하지 못하면, 이들은 그대로 인체 안으로 들어간다. 즉, 전자가 붙은 알콜기가 그대로 인체 안으로 들어간다. 그러면 몸은 전자가 붙은 알콜기를 많이 흡수했으므로 당연히 산성화된다. 이것이 과식이 나쁜 이유이다. 여기서 과식의 기전을 이해하려면 위산과 담즙이 인체 안으로 재흡수되어서 에너지원으로 사용된다는 사실을 먼저 알아야 한다. 그러나 최첨단 현대의학의 기반인 단백질 생리학으로 풀면, 이 기전은 오리무중이 된다. 그러나 전자 생리학으로 풀면 아주 쉬운 기전이 된다. 인체의 산성화는 만병의 근원이 되므로, 과식으로 인해서 인체를 산성화시키면, 병은 자동으로 생긴다. 그래서 과식이 건강에 해롭다는 것이다. 이때 생기는 문제는 자유전자를 보유한 알콜기의 문제이므로, 과식과 과음은 같은 말이 된다. 술은 알콜기 자체라는 사실을 상기해보자. 그래서 술을 많이 마시게 되면, 간이 이들을 해독할 때 한계를 가지게 되고 전자를 듬뿍 끌어안은 알콜은 인체를 곧바로 산성화시킨다. 그래서 과음은 인체에 나쁘게 작용한다. 그리고 음식물은 반드시 소화 과정에서 알콜기를 만들어서 흡수되므로, 인간은 일생에 걸쳐서 술을 제일 많이 마시는 셈이 된다. 이제 술에 관해서 알아보자. 옛말에 술은 백약(百藥)이자 백독(百毒)이라고 했다. 백독이 되는 이유는 앞에서 본 것처럼 과음했을 때이다. 즉, 과음은 인체를 산성화시켜서 독으로 작용하게 된다. 그러면 백약은 언제일까? 답은 쉽다. 인체가 부담을 갖지 않을 만큼만 술을 마시면 된다. 물론 개개인에 따라서 인체의 특성이 있으므로 술의 적당량은 개개인이 스스로 판단할 수밖에 없다. 그리고 이것도 날마다 신체 상태에 따라서 바뀔 수밖에 없다. 이런 종류의 음주는 대략 3가지 형태로 인체에 이로움을 준다. 하나는 알콜은 알콜기가 아주 많이 붙어있으므로 인해서, 흡수가 아주 잘 된다는 데 있다. 그래서 이들이 간질로 흡수가 되어서 간질에서 자기가 가진 자유전자를 풀어놓게 되면, 이 자유전자는 간질에 있는 모세 체액관에 활동전위를 만들어내게 된다. 이 활동전위가 모세 동맥혈관에서 만들어지면 모세 동맥혈관의 투과성이 증가하면서 알칼리인 산소를 가진 동맥혈이 간질로 쏟아지게 만들어서 간질에 적체되어있는 과잉 전자를 모조리 중화시켜준다. 그래서 이때 혈압을 재면 고혈압이 나온다. 즉, 술을 먹고 혈압을 재면 고혈압이 나오는 이유이다. 이 기전은 나중에 고혈압을 설명할 때 자세히 설명할 것이다. 아무튼, 술은 이렇게 알칼리 동맥혈을 이용해서 간질에 있는 과잉 전자를 모조리 없애주는 역할을 한다. 그리고 이때 피부 특히 얼굴을 보면 얼굴이 간질로 추가 공급된 혈액으로 인해서 붉게 된다. 그래서 술 취한 사람들은 얼굴이 붉다. 이것이 술이 약이 되는 첫 번째 원리이다. 둘째로 술이 약이 되는 원리는 알콜기가 붙은 술은 간으로 흡수되어서 더 정확히 말하자면, 간 문맥으로 흡수되어서 중화되면, 아세트알데히드(Acetaldehyde)라는 알칼리 물질로 변한다. 그리고 이 알칼리는 인체의 과잉 전자를 수거해서 미토콘드리아를 통해서 중화해준다. 이것이 술이 약이 되는 두 번째 원리이다. 나머지 하나는 면역을 자극하는 것이다. 술은 자유전자를 가진 알콜기를 보유하고 있는데, 이 알콜기에 붙은 자유전자가 면역을 자극하게 된다. 이 기전은 면역을 설명하면서 다시 자세히 설명할 것이다. 이것이 술이 약이 되는 세 번째 원리이다. 그래서 적당한 음주는 약이 된다고 하는 것이다. 그리고 프랑스 식단에서 보면, 식사 전후로 포도주라는 술을 한 잔씩 마시는 경우가 있는데, 이는 아주 좋은 식습관이다. 그 이유는 술은 위산처럼 자유전자를 공급하기 때문이다. 그래서 육식을 하는 사람들은 항상 위산이 부족하게 되는데, 이를 술이 보충해준다. 즉, 이때 술은 소화제가 된다. 그래서 술을 마시게 되면 밥을 많이 먹게 되는 이유가 되어서 또 과식을 해버리는 경우가 생기기도 한다. 그러면 이때는 술이 우회적으로 독이 되고만다. 음식은 소화로 끝나는 것이 아니라 간과 림프에서 다시 한번 중화 과정을 거쳐야 한다는 사실을 상기해보자. 그래서 한의학이나 동양의학에서 술은 종종 약으로 사용하기도 하는 이유가 된다. 그리고 반주 한 잔은 약이 된다고 하는 이유이기도 하다. 이 전통은 서양 전통의학에서도 많이 사용되었던 방법이기도 하다. 역사를 거슬러 올라가 보면, 2000년 전에 아랍에서도 술을 약으로 사용했었다. 이런 기전으로 인해서 술은 백독이 되기도 하고 백약이 되기도 한다. 그래서 어떤 경우에든 간에 약과 독은 운영의 묘미에 달려있지, 물질 자체에 있는 것은 아니다. 이번에는 호르몬의 분비를 줄이는 운동에 대해서 알아보자. 운동에서 핵심은 근육이다. 그리고 운동의 핵심도 과잉 전자의 중화에 있다. 살은 보통 지방질과 근육질로 구성된다. 그런데 지방질을 구성하고 있는 세포와 근육을 구성하고 있는 세포의 특징이 다르다. 지방질을 구성하고 있는 지방세포의 미토콘드리아는 활동이 아주 저조하다. 그래서 지방세포는 과잉 전자를 중화하는 능력이 자동으로 떨어지게 된다. 그러나 근육질을 구성하고 있는 근육 세포의 미토콘드리아는 활동이 아주 활발하다. 그래서 근육 세포는 과잉 전자를 중화하는 능력이 탁월하다. 그러나 근육질은 단점이 하나가 있다. 간질에 과잉 전자가 적체하면, 이 과잉 전자는 근육질을 파괴해서 중화된다. 그 결과로 지방질이 만들어진다. 그래서 근육이 파괴되면 자동으로 중성지방이 늘어난다. 즉, 보통은 살이 찐다고 하는데, 이 과정을 말한다. 즉, 근력이 약화되는 것이다. 그러면 악순환이 시작된다. 즉, 과잉 전자를 잘 중화하는 근육 세포는 줄고, 과잉 전자를 잘 중화하지 못하는 지방세포는 늘어나게 된다. 그러면 자동으로 과잉 전자가 인체를 괴롭히게 된다. 그래서 살이 찌면 아픈 데가 많을 수밖에 없다. 즉, 살이 찌면 자동으로 과잉 전자를 중화하는 능력이 떨어지는 것이다. 그래서 헬스장에 가면 제일 먼저 인체의 근육량과 지방량을 측정한다. 그러나 운동을 꾸준히 해서 과잉 전자를 줄여주게 되면, 근육은 유지된다. 이때 운동은 근력 운동을 말한다. 즉, 근육을 움직이는 운동을 말한다. 근육에 압력을 가하게 되면, 인체에서는 압전기 현상이 발생하게 된다. 압전기(piezoelectricity:壓電氣) 현상이란 전자가 충전되어있는 물체에 압력을 가하면 전자가 튀어나오는 현상을 말한다. 그리고 이렇게 튀어나온 전자는 세포 안으로 들어가서 세포를 수축시킨다. 이 과정이 반복되면, 세포는 수축과 이완하면서 파동을 만들어낸다. 이것이 심장이 전기로 뛰는 현상이다. 전기는 전자의 흐름이라는 사실을 상기해보자. 그리고 심장을 일생을 거쳐서 계속해서 작동시키는 이 전자는 우 심장의 동방결절(sinoauricular node/SA node:洞房結節)

에서 수거되어서 심장에 공급된다. 그러면 심장이 만든 이 파동은 공진(共振:Resonance)을 만들어서 혈관에 파동을 만들어낸다. 우리는 이것을 맥박(脈搏:pulse)이라고 말한다. 물론 이 과정에서 심장은 전자를 계속 중화한다. 그래서 심장이 뛰는 현상은 전자를 계속해서 중화하는 과정이 된다. 그래서 인체 안에 과잉 전자가 존재하면, 심장은 더 많은 전자를 중화해야 하므로 더 빨리 뛰어야 한다. 그러면 자동으로 공진이 만들어지면서 맥박도 빨리 뛰게 된다. 우리는 이 상태를 고혈압이라고 말한다. 고혈압 기전은 따로 논의할 것이다. 아무튼, 압전기 현상은 이렇게 작동한다. 그러면 근육이 움직일 때 압전기를 만들어내는 전자는 어디에 있을까? 이미 앞에서 말했지만, 인체의 물에 잠겨있는 단백질은 반도체의 성질을 보유하고 있다. 즉, 물에 잠겨있는 인체의 단백질은 전자를 충전할 수 있는 반도체이다. 그래서 전자는 인체 여러 곳에 자리하고 있는 단백질에 충전되어있다가 운동으로 인해서 압력이 가해지면, 간질로 튀어나오게 된다. 그러면 이때 튀어나온 전자는 간질에 있는 산소와 반응해서 물로 중화된다. 그래서 운동하고 나면 몸이 개운해지는 이유이다. 반대로 몸이 찌뿌둥한 이유는 단백질 반도체에 전자가 가득 차 있기 때문이다. 이때 운동하면, 이 단백질 반도체에 압력이 가해지면서 압전기 원리에 따라서 전자가 간질로 나오게 되고 이어서 산소로 중화된다. 그래서 운동을 적당히 하면 병의 근원인 과잉 전자를 소모해서 병의 근원을 제거하게 된다. 그러면 근육도 보존된다. 그래서 운동 현상을 이해할 때도 인간도 지극히 자연의 일부라는 사실을 인정해야 인체에서 일어나는 압전기와 공진 등등을 인정하게 되고 운동이 만들어내는 현상을 정확히 이해할 수 있게 된다. 물론 최첨단 현대의학은 인정하지 않는다. 그 결과로 당연히 운동과 건강의 기전을 정확히 밝히지 못하고 복잡한 분자생물학을 내밀어서 대충 얼버무리고 만다. 상식적으로 봐도, 전자가 만들어내는 현상을 전자를 싣고 다니는 단백질로 설명하기는 불가능하다. 전자는 단백질이라는 반도체에 충전되어있다는 사실을 상기해보자. 그러니 아무리 단백질을 연구해봤자 이 기전은 끝내 풀지 못한다. 그래서 꾸준히 근육 운동을 하면 근육 세포가 보존되면서 더 많은 전자를 중화할 수가 있으므로 건강을 유지할 수가 있으나, 반대로 운동하지 않으면 근육 세포는 파괴되고 이어서 과잉 전자는 쌓여가는 악순환이 계속되고, 결국에 인체는 병을 얻게 된다. 그래서 적당한 운동은 건강을 위해서 필수 품목이다. 그러나 반대로 과도한 운동은 과로(過勞:overwork)에 해당해서 거꾸로 인체가 망가진다. 즉, 운동이 중노동이 되어버린다. 이때 운동은 독이다. 그래서 종합해보면, 호르몬 분비를 줄이기 위해서는 정신적인 스트레스를 줄이는 방법으로서 집중하는 능력과 음식 조절, 운동 등등은 필수가 된다. 그리고 이들이 어떤 기전으로 작동하며 어떤 방법으로 실행해야 하는지를 알게 되면 다양한 응용도 가능해진다. 즉, 구구단을 알면 아무리 어려운 사칙연산도 쉽게 풀 수 있는 원리와 똑같다. 지금까지 수많은 다이어트 방법이 나왔지만, 이들은 모두 최첨단 현대의학의 단백질 의학을 가지고 설명하고 있다. 당연히 답은 오리무중이 되고, 이 분야는 무주공산이 되면서 백가쟁명하는 시대가 되고 말았다. 해답을 누구도 정확히 모르니 너도나도 해답이라고 외치는 것은 당연하다.

이들 모두는 인체를 다스리는 것은 전자라는 사실을 모르기 때문에 일어난 결과물들이다. 이번에는 음식에 관한 재미있는 일화 하나를 소개해보자. 즉, 적게 먹으면 장수한다는 신화를 소개해보자. 과연 적게 먹으면 장수할까? 2009년 미국 위스콘신 대학교 메디슨 연구소의 영장류 연구 센터에서 76마리의 원숭이를 대상으로 무려 20년 넘게 관찰하는 동물 실험을 진행해서 결과를 발표했는데, 실험군 원숭이들에게 대조군에 비교해서 칼로리를 30% 적게 먹이는 실험이었다. 결과는 마음껏 먹고 자란 원숭이들이 노화가 빠르게 진행되었고 평균 수명도 짧았다. 그러나 칼로리를 제한해서 섭취한 비교군의 원숭이들이 노화도 더디게 왔고 더 장수했다. 그리고 이 실험 기사는 전세계의 언론에 대서특필하게 되었고 또 하나의 신화가 탄생한다. 즉, 인간은 적게 먹으면 장수한다는 것이다. 그런데 뒤이어서 다른 실험 결과가 발표된다. 이 실험이 발표되고 난 3년 후에 미국 노화 연구소는 121마리의 원숭이를 대상으로 25년이라는 긴 시간 동안 앞의 연구와 비슷한 방식으로 실험한 연구 결과를 발표한다. 이번에는 정반대의 결과가 나오게 된다. 즉, 두 그룹의 수명 차이가 없었다. 이유는 뭘까? 먹거리의 차이였다. 위스콘신 대학의 실험에서는 산성 식품으로 취급되는 설탕의 함량과 식품 첨가물이 많은 가공식품을 먹여서 원숭이를 실험했고, 노화 연구소에서는 영양소가 풍부한 천연 재료로 만든 사료를 먹였던 것이다. 즉, 적게 먹어서 오래 산 것이 아니라, 무엇을 먹는가가 핵심이었던 것이다. 즉, 이는 약식동원의 문제였던 것이다. 그러나 적게 먹으면 오래 산다는 신화는 지금도 여전히 학계에서는 통용되고 있다. 앞의 위스콘신 대학의 연구는 전자생리학으로 보면, 실험하기 전에 음식의 산-알칼리 측정은 기본이 된다. 그러나 최첨단 현대의학으로 염색된 대학은 단백질 기준으로만 모든 인체 현상을 바라보니 노화의 문제가 풀리면 그게 더 이상할 것이다. 그리고 노화 연구소의 결과도 최첨단 현대의학으로는 설명이 안 된다. 결국에 노화 연구소의 실험도 그 원인이 무엇인지 밝히지 못하고 흐지부지되고 말았다. 전자생리학으로 풀면 아주 간단한 문제인데도 말이다. 우리는 지금도 이 단백질을 기준으로 다이어트를 하고 있다. 즉, 답은 이미 실패라고 정해져 있게 된다. 물론 다이어트 업계는 이 진실이 밝혀지지 않기를 바랄지도 모른다. 그래야 자기들의 상술이 먹히니까? 즉, 아무도 다이어트의 정답을 모르니 너도나도 정답이라고 외칠 수 있고, 이것도 저것도 다이어트에 좋다고 외칠 수 있기 때문이다. 그러나 장수의 기준은 알칼리이다.

이번에는 고혈압을 알아보자. 고혈압의 기전은 뭘까? 여기에는 압력이라는 단어가 들어간다. 그러면 에너지가 있어야 압력이 가해지므로, 고혈압 문제는 당연히 에너지 문제로 간다. 인체의 모든 에너지는 전자이므로 고혈압도 결국은 과잉 전자 문제로 귀결된다. 먼저 고혈압의 핵심은 혈관의 투과성(透過性:permeability)이다. 여기서 말하는 혈관의 투과성이란 혈관의 구멍이 커져서 간질로 혈액이 많이 나오는 현상을 말한다. 혈관은 수십만 개의 세포로 이루어져 있다. 그래서 혈관의 투과성이 높아지려면, 이 세포들이 수축해서 부피가 작아져야만 혈관에 구멍이 커지면서 혈관의 투과성이 높아지게 된다. 즉, 혈관을 투과해서 간질로 쏟아지는 혈액의 양이 많아지게 된다. 그러면 정교한 인체는 왜 이런 기전을 만들어낼까? 답은 간단하다. 간질은 모든 노폐물이 쌓이는 곳이다. 이 노폐물의 대부분은 당연히 산성이다. 그리고 이들은 동맥혈이 공급하는 알칼리 산소로 중화된다. 그래서 인체가 혈관의 투과성을 높이는 이유는 간질에 산성 물질이 가득하다는 뜻이다. 이것은 침(鍼)의 원리를 설명할 때 다시 나오게 된다. 그래서 간질에 산성 노폐물이 쌓이게 되면, 여기에 붙어있는 전자가 간질로 떨어져나오게 되고, 이 전자는 간질에 있는 동맥 모세혈관의 세포에 활동전위를 만들게 된다. 그러면 세포는 이 활동전위 때문에 수축한다. 그러면 혈관을 이루고 있는 세포의 부피는 자동으로 작아지게 되고, 이어서 혈관의 구멍은 커지게 되고 이어서 이전보다 더 많은 알칼리 동맥혈이 간질로 쏟아지면서 간질에 있는 과잉 전자는 동맥혈이 공급한 산소로 중화된다. 그러면 고혈압 증세는 사라진다. 이때 고혈압이 나타나는 이유는 간질에 있는 과잉 전자가 혈관 세포에 활동전위를 만들면서 혈관 세포가 수축했기 때문이다. 즉, 혈관 안에 혈액의 양은 정해져 있는데, 여기에 혈관 세포가 수축하게 되면 당연히 혈액의 압력이 증가한다. 이때 나타나는 현상이 고혈압이다. 이때 전자로 인해서 활동전위가 만들어지는데, 이때 전자는 혼자 다닐 수가 없으므로, 전자를 날라주는 담체를 요구하게 된다. 그 담체는 나트륨(Na^+)과 칼슘(Ca^{2+})이다. 즉, 나트륨과 칼슘을 차단하면, 활동전위가 만들어지지 않게 되고, 혈관을 이루고 있는 세포는 수축하지 못하게 되고, 이어서 고혈압이 나타나지 않게 된다. 이것이 최첨단 현대의학이 자주 사용하고 있는 고혈압약인 칼슘채널차단제(Calcium Channel Blockers)의 원리이다. 이때 문제는 이제 간질에 있는 과잉 전자는 그럼 누가 처리해야 하나이다. 아니면 이 과잉 전자는 MMP를 동원해서 인체를 해체 시켜버릴 텐데! 그래서 당연히 고혈압약의 부작용이 나타나게 된다. 이제 간질에 있는 중화되지 않는 과잉 전자는 다양한 방법으로 인체를 괴롭히기 시작한다. 그래서 고혈압약의 부작용도 다양하게 나타날 수밖에 없게 된다. 간질에 있는 과잉 전자를 제거해주면 간단히 끝날 일을 가지고 문제를 더 키우고 있다. 칼슘채널차단제는 너무나 강한 독(毒)이다. 이것이 최첨단 현대의학의 민낯이다. 당연히 추가 약제가 필요하게 된다. 돈을 버는 데는 최상의 구조이다. 그리고 뒤에서 기술하겠지만 침술(鍼術)은 이 고혈압을 거꾸로 이용한다. 즉, 최첨단 현대의학과 한의학은 서로 다를 수밖에 없는 구조이다. 지금까지 고혈압의 기전을 간단히 알아보았다. 고혈압은 결국에 간질 체액에 정체하고 있는 과잉 산의 문제이므로, 인체의 체액을 알칼리로 유지하면 간단히 끝나게 된다. 그리고 그 방법은 바로 앞에서 이미 설명했다. 즉, 과도한 호르몬의 분비 문제가 간질의 문제이므로, 호르몬 문제 해결법은 고혈압에도 그대로 적용된다. 그래서 고혈압도 대사증후군에 속한다.

이번에는 지질 문제에 대해서 알아보자. 인체에서 지질 문제는 지방간, 고지혈증, 콜레스테롤 혈증 등이 주요 증상이다. 지질 문제를 보기 위해서는 먼저 간(肝)부터 알아봐야 한다. 간은 인체에서 최대의 해독기관이다. 그 이유는 간은 담즙이 실어온 산성 물질들을 중화해야 하고, 소화관의 산성 정맥혈을 간문맥을 통해서 받아서 중화 처리해야 한다. 그래서 간은 항상 부담을 많이 지는 장기이다. 최첨단 현대의학은 간의 상태를 보기 위해서 GOT 같은 간(肝) 수치를 측정한다. 이들 수치가 의미하는 것은 뭘까? 간 수치의 종류는 대충 다음과 같다. AST, ALT, ALP, GGT. 이들의 공통점은 뭘까? ALP를 제외하면 바로 단백질을 분해서 나온 아미노산에서 아민기를 떼어냈다는 증거들이다. 그리고 이 아민기는 암모니아가 되어서 배출된다. 이때 암모니아는 전자를 잔뜩 실은 형태이다. 간은 이렇게 단백질을 분해해서 아민기를 만들고 이어서 암모니아를 만들어서 과잉 전자를 처리한다. 그리고 아미노산에서 아민기를 떼어내면, 그 뒤에 남은 부분은 단쇄지방산의 재료가 되어서 간이 중성지방을 합성할 때 사용된다. 그리고 간은 이때 중성지방을 만들면서 3탄당이라는 당이 필요하다. 그래서 간은 글리코겐(glycogen)이라는 당 에스터를 보유한다. 즉, 간은 중성지방을 만들어서 과잉 전자를 중화하므로 당연히 당(糖)이 필요하다. 그리고 간은 이 중성지방을 만들기 위해서 단백질을 분해해서 아미노산을 만들고 아민기를 떼어내서 단쇄지방산의 재료를 확보한다. 그러면 이때 필요한 단백질은 어떻게 확보하며, 간은 왜 단백질을 처리하는 장소가 되었을까? 답은 간이 처리하는 담즙이다. 담즙의 뼈대는 콜레스테롤인데, 이 콜레스테롤에 만들어진 알콜기가 단백질이나 아미노산들을 수거해서 간으로 가져온다. 그런데 이때 수거해온 단백질이나 아미노산은 반드시 질소를 보유하게 되는데, 이 질소에 전자가 실려있게 된다. 간은 이 질소에 붙은 전자를 반드시 중화 처리해야 하는

데, 이때 나타나는 결과가 암모니아(ammonia)이다. 이렇게 하고서
도 남은 과잉 전자는 단백질이나 아미노산에서 암모니아를 만들고
남은 부분을 이용한다. 이때 남은 부분은 주로 케톤(Ketone) 형태
가 된다. 잘 알다시피 케톤은 알칼리로서 과잉 전자를 수거할 수
있게 된다. 그러면 이 케톤은 전자를 수거해서 알콜기를 만들게 되
고, 이어서 3탄당의 알콜기와 반응해서 에스터를 만들면서 물이 나
오고 과잉 전자는 중화되는데, 마지막으로 나온 물질이 중성지방이
된다. 그래서 간은 담즙을 처리하므로 필연적으로 중성지방과 암모
니아를 만들 수밖에 없는 운명을 가지게 된다. 그래서 간이 문제가
되면 간이 암모니아를 처리하지 못하게 되고, 이어서 암모니아성
혼수상태가 유발된다. 그리고 간이 이렇게 만든 중성지방을 림프로
처리하지 못하게 되면, 지방간이 된다. 그래서 간의 대사는 4가지로
요약된다. 즉, 단백질대사, 당 대사, 지방 대사, 암모니아 대사이다.
그런데 간이 실제로 원하는 대사는 중성지방 대사이다. 즉, 이 중성
지방 대사를 위해서 나머지 대사들이 일어난다. 그래서 간은 지방
대사에 아주 민감해질 수밖에 없다. 그리고 간은 이렇게 중성지방
을 만들어서 림프로 보낸다. 이런 이유로 간은 많은 중성지방을 만
들어내므로, 간에는 림프 통로가 3개나 존재한다. 즉, 간은 이만큼
많은 중성지방을 만들어낸다. 인체 안에서 무엇을 만든다는 것은
에스터(Ester) 과정이므로 반드시 전자를 중화하게 된다. 그래서 간
에 이 중성지방을 처리하는 통로가 3개나 존재한다는 말은 간은 엄
청난 양의 과잉 전자를 중화한다는 뜻이다. 즉, 간은 인체의 최대
해독기관인 것이다. 그 결과로 간은 림프라는 기관의 눈치를 항상

봐야 한다. 그래서 림프가 막히면 간은 자기가 만든 중성지방을 처리하지 못하고 만다. 그 결과로 생긴 것이 간에 중성지방이 쌓여서 문제를 발생시키는 지방간(脂肪肝:fatty liver)이다. 최첨단 현대의학은 이 지방간을 알콜성 지방간과 비알콜성 지방간으로 나누는데, 의미가 없다. 그 이유는 중성지방이 만들어지기 위해서는 반드시 에스터 과정이 필요하고, 이 에스터 과정은 알콜기와 알콜기가 서로 반응해서 만들어지기 때문이다. 그래서 실제로는 모두 알콜성 지방간이다. 지방간을 이렇게 알콜성과 비알콜성으로 나누는 이유는 음주 때문이다. 즉, 과음하면 당연히 지방간이 만들어지기 때문이다. 술은 알콜기 자체이므로 당연히 과음하면 지방간이 만들어질 수밖에 없다. 알콜기는 잘 알다시피 자유전자를 보유하고 있기 때문이다. 그리고 최첨단 현대의학은 아직도 비알콜성 지방간이 왜 만들어지는지 모르고 있다. 인체 안에서 전자가 과잉되면, 이 전자는 호르몬으로 분비된다. 즉, 호르몬은 당연히 알콜기를 자동으로 보유하게 된다. 그리고 이 호르몬이 간에 도달하면 술과 똑같은 효과를 내면서 중성지방이 만들어진다. 그래서 전자생리학으로 이 현상을 바라보면, 지방간을 알콜성과 비알콜성으로 구분하는 것은 무의미해진다. 그리고 간은 호르몬들의 최종 종착지가 된다. 왜 그럴까? 이 해답은 콜레스테롤에 있다. 콜레스테롤은 스테로이드 호르몬이 뼈대이다. 그리고 콜레스테롤은 담즙의 뼈대이다. 그러면 콜레스테롤은 스테로이드에서 만들어진다는 추론이 나온다. 그러면 이 스테로이드의 공급은 누가 할까? 바로 부신이다. 우리가 일에 너무 지쳐서 녹초가 되면 번아웃 증후군(burnout syndrome)이 생긴다.

이것을 우리 말로 고치면 탈진증후군(脫盡症候群)이 된다. 이 정도가 되면 인체의 호르몬 분비는 최고치가 된다. 한마디로 인체가 산성화되는 것이다. 그러면 이 호르몬을 누군가가 수거한 다음에 간(肝)으로 가져가야 한다. 그 역할을 하는 물질이 바로 콜레스테롤이다. 그리고 이 콜레스테롤은 부신이 분비하는 스테로이드인 코르티코이드(corticoid)이다. 그래서 번아웃 증후군이 발생하면 곧바로 부신피로(Adrenal fatigue)가 동시에 발생한다. 그 이유는 번아웃이 생길 때 분비된 그 많은 호르몬을 수거하기 위해서는 콜레스테롤이 필요하고, 그 콜레스테롤의 재료를 부신이 제공하기 때문이다. 그러면 콜레스테롤은 어떤 이유로 산성인 호르몬들을 수거할 수 있을까? 이는 콜레스테롤의 구조에 그 비밀이 숨겨져 있다. 콜레스테롤은 전자가 부족한 이중결합(double bond:二重結合)을 보유하고 있으므로, 자유전자를 잘 받아들일 수 있는 구조를 보유하고 있다. 그 결과로 자유전자를 받아들이면서 자동으로 알콜기가 만들어진다. 그리고 호르몬도 당연히 알콜기가 만들어진다. 그러면 콜레스테롤의 알콜기와 호르몬의 알콜기가 서로 반응하게 되고, 이 둘은 에스터를 형성해서 한 몸이 된다. 우리는 이것을 담즙(膽汁:bile)이라고 부른다. 그리고 담즙은 간으로 향하게 된다. 그리고 이 담즙은 쓸개를 거쳐서 췌장으로 가고 십이지장을 거쳐서 대장에서 최종 처리된다. 그리고 대장에서 콜레스테롤의 뼈대는 다시 재흡수되어서 재활용된다. 그래서 대장은, 이 지용성 물질을 흡수함으로 림프가 잘 발달해 있다. 그래서 콜레스테롤은 우리 몸에서 엄청나게 중요한 인자이다. 즉, 콜레스테롤은 인체 곳곳에 적체한 산성인 호르몬을 수거해다

주는 청소부이다. 또, 이 청소부를 처음 공급한 부신(Adrenal)도 엄청나게 중요한 기관이다. 그래서 최첨단 현대의학의 연구원들이 부신을 절제하고 동물 실험을 해보면, 산성인 호르몬 분비가 적은 스트레스가 없는 환경에서는 이 동물들이 잘 살아간다. 그러나 스트레스가 가해지면, 이 동물은 즉사하고 만다. 즉, 산성인 호르몬을 수거한 다음에 간에서 중화시켜줘야 하는데, 그 도구를 공급하는 부신이 없으니, 산성인 호르몬은 간질에 머물면서 전자를 공급하게 되고, 이 전자는 MMP를 불러서 인체를 분해시켜버린다. 당연히 인체는 죽을 수밖에 없다. 이만큼 부신과 콜레스테롤은 중요하다. 그리고 간은 이들의 도움을 받아서 담즙을 처리한다. 그리고 이 과정에서 콜레스테롤이 수거해온 산성 물질에서 전자를 떼어내서 많은 중성지방을 만들어낸다. 그리고 이 중성지방을 림프를 통해서 버린다. 그런데 호르몬 분비는 과다하고 간이 과부하에 걸려있으면, 산성인 호르몬을 수거한 콜레스테롤은 혈액에 정체할 수밖에 없게 된다. 이때 콜레스테롤은 산성인 호르몬을 싣고 있는 상태이므로, 당연히 독성이 있게 된다. 그래서 최첨단 현대의학은, 이 현상을 보고, 콜레스테롤이 독성이 있으니, 콜레스테롤을 없애야 한다면서, 콜레스테롤 수치를 재는 것은 일상이 되어버렸다. 심지어는 콜레스테롤을 함유한 음식까지 먹지 말라고 한다. 섭취한 콜레스테롤은 혈액에 떠 있는 콜레스테롤하고 전혀 관련이 없는데도 불구하고 말이다. 콜레스테롤이 과다하면 급기야는 콜레스테롤 저하제를 복용시킨다. 이 약제는 콜레스테롤이 만들어지는 것을 막아버린다. 그러면 당연히 혈액에 콜레스테롤은 적어진다. 그러면 최첨단 현대의학의 의사는 아주 성공적인 치료라고 자화자찬하면서 환자에서 축하한다고 말을 건넨다. 과연 인체 최고의 쓰레기 청소부를 해고시켰는데, 이게 칭찬할 일일까? 그러면 인체의 산성 쓰레기는 누가 치우라고? 이 결과는 부작용으로 나타나게 된다. 이 약으로 인해서 첫 번째로 나타나는 부작용은 발기부전(勃起不全:erectile dysfunction)이다. 왜? 답은 간에 있다. 간은 콜레스테롤을 이용해서 산성 쓰레기를 처리한다. 그런데 콜레스테롤을 만들지 못하게 만들어버렸다. 이제 간은 간으로 모여드는 과잉 전자를 처리할 수가 없게 되고, 간은 기능이 저하한다. 그러면 간문맥이 통제하는 하복부의 수많은 정맥총에 쌓인 과잉 전자들은 처리되지 못하고 인체를 괴롭히기 시작한다. 여기에 음부를 통제하는 정계정맥총이 있다. 이 정맥총이 성기를 조절한다. 그래서 간문맥에 문제가 생기면서, 이 정맥총이 문제가 되면 곧바로 발기부전이 생기고 만다. 그리고 이 약의 두 번째 부작용은 단기 기억력 상실이다. 이유를 보자. 간이 처리하는 담즙의 주요 성분이 타우린(taurine)인데, 이 타우린은 신경의 산도를 조절하는 단백질이다. 그런데 이 타우린을 수거해갈 콜레스테롤의 생성을 막아버렸으니, 산성이 된 타우린은 신경의 간질에 정체하고 만다. 그러면 이 산성 타우린에서 전자가 떨어져 나와서 신경에 붙은 알칼리 콜라겐 단백질을 환원해서 분해하고 중화된다. 즉, 기억을 담당하는 신경의 일부가 소실된다. 당연히 단기 기억 상실이 일어난다. 이렇게 콜레스테롤의 생성을 막는 것은 부신을 절제하는 효과에 버금가는 것이다. 산성 쓰레기를 치우는 청소부를 해고시켰으니, 이제 인체는 산성 쓰레기로 가득 차게 되고, 이제 인체는 죽겠다고 소리친다. 즉, 부작용이 너무 크다. 그러면 환상적인 이익 구조가 발동한다. 즉, 추가로 약을 먹으라는 것이다. 그런데 이 약은 참 재미있는 약이다. 이 약의 이름은 우리에게 아주 친숙해진 코엔자임 Q10(Coenzyme Q10)이다. 이 약은 전자전달계에서 전자를 수거해서 중계하는 유비퀴논(ubiquinone)의 다른 이름이다. 즉, 이 유비퀴논은 전자를 수거하므로 강알칼리이다. 인체를 산성화 시켜 놨으니 강알칼리를 먹으라고 하는 것은 당연한 일이다. 콜레스테롤의 과잉 문제는 과잉 전자의 문제이므로, 처음부터 콜레스테롤의 생성을 막지 말고, 강알칼리여서 과잉 전자를 잘 수거하는 코엔자임 Q10을 먹으라고 했으면 얼마나 좋았을까? 과연 어디부터 잘못된 것일까? 이것이 최첨단 현대의학의 민낯이다. 이 지질 문제는 간에서 끝나지 않는다. 심장은 에너지원의 80% 이상이 지방산이다. 그래서 심장이 과부하가 걸리면 많은 중성지방이 만들어진다. 그래서 고지혈증은 자동으로 심장에서도 문제를 일으키게 된다. 이런 이유로 심장도 자기가 만든 중성지방을 처리하기 위해서 항상 림프의 눈치를 봐야 한다. 그래서 고지혈증 문제는 간과 심장 그리고 림프의 합작품이다. 이런 이유로 고지혈증을 치료할 때는 어느 장기 하나만 치료해서는 치료 효과가 떨어지게 된다. 물론 그 근원은 과잉 전자이다.

이번에는 암(癌:Cancer)을 보자. 암은 일반인들에게 알려지기로는 엄청나게 어려운 공포의 질병이다. 그러나 전자생리학으로 보면, 고혈압이나 당뇨처럼 그냥 대사증후군(metabolic syndrome) 중에서 한 가지일 뿐이다. 다른 대사증후군과 다른 점이 있다면, 그것은 대사증후군 중에서 맨 나중에 나타난다는 점이 다르다. 즉, 대사증후군이 오래되면 암으로 발전한다. 왜 그럴까? 대사증후군의 특징은 노폐물과 영양분이 교환되는 간질에 과잉 전자가 쌓이는 것이다. 그런데 얼마 안 있어 간질 산성 체액에 붙은 전자가 산소로 중화되면 일반적인 대사증후군으로 끝난다. 그런데 이 전자가 끝내 처리되지 못하고 간질에 머물게 되면, 이 전자는 간질 콜라겐을 환원하고 분해해서 중화될 수밖에 없다. 그런데 간질의 콜라겐 연결 조직(Connective Tissue) 안에는 섬유아세포(fibroblast:纖維芽細胞)가 살고 있다. 이 섬유아세포는 간질 조직이 건강하면 간질 조직에 파묻혀서 보이지 않게 된다. 그런데 간질에 과잉 전자가 정체하고 있게 되면, 이 과잉 전자가 간질 조직을 구성하고 있는 콜라겐 단백질을 환원해서 분해하게 되고 드디어 섬유아세포가 모습을 드러내게 된다. 그러면 이 섬유아세포는 간질에 있는 과잉 전자를 자동으로 흡수하게 된다. 그런데 이 섬유아세포는 말 그대로 섬유소를 만들어낸다. 그래서 섬유아세포이다. 여기서 섬유소는 콜라겐을 말한다. 콜라겐을 보통은 콜라겐 섬유라고 부른다. 그래서 섬유아세포의 본래 목적은 간질 조직을 구성하고 있는 콜라겐이 이처럼 과잉 전자에 의해서 분해되어서 없어지면, 이를 채워주는 역할을 수행한다. 그런데 여기서 간질에 너무나 많은 과잉 전자가 정체하게 되면, 섬유아세포는 그만큼 많은 섬유소 즉, 콜라겐을 만들어낸다. 그러면 이 콜라겐은 간질의 흐름을 막아버린다. 그러면 간질에서 소통하는 산소는 공급이 거의 끊기다시피 한다. 이제 악순환이 시작된다. 세포는 살아있는 한 계속해서 호흡하면서 계속해서 산성 노폐물을 세포 밖으로 뱉어낸다. 그러면 이 산성 노폐물에 붙은 전자는 섬유아세포가 처리한다. 이어서 콜라겐은 더욱더 쌓여만 간다. 그런데, 간질에는 신경이 뿌리를 내리고 있다. 즉, 신경을 전달하는 시냅스(synapse)가 간질에 있다. 이 시냅스가 콜라겐에 의해서 파묻혀버린다. 그러면 간질에 정체하고 있는 과잉 전자는 신경에 의해서 다른 곳으로 분산되어서 중화되지 못하고 오직 현장에서만 처리되어야 한다. 신경은 전자를 원거리 수송하는 도구라는 사실을 상기해 보자. 그러면 현장에서 만들어지는 모든 과잉 전자는 오직 섬유아세포가 혼자서 처리해야만 한다. 즉, 그만큼 더 많은 콜라겐을 생산해서 과잉 전자를 중화해야 한다. 악순환은 계속해서 이어진다. 즉, 간질은 콜라겐으로 가득 차게 되고 체액의 흐름은 더욱더 느려진다. 그러면 간질에 공급되는 산소도 양이 더욱더 준다. 그런데 여기에 설상가상 구심신경과 원심신경에 문제가 발생한다. 구심신경은 간질에 있는 전자를 원거리로 내보내고, 원심신경은 전자를 원거리에서 간질로 가져온다. 그런데 간질에 자리하고 있는 구심신경의 시냅스는 콜라겐에 파묻혀서 이미 막힌 상태이다. 그래서 간질로 들어오는 전자는 있는데, 간질에서 빠져나가는 전자는 없게 된다. 이제 간질은 과잉 전자로 가득 차게 된다. 그리고 섬유아세포는 이들을 계속해서 먹어치우면서 콜라겐을 엄청나게 많이 만들어낸다. 그래서 결국은 이들이 암 조직이 된다. 암 수술을 하면서 떼어낸 암 조직을 보면, 하얗게 된 뭉치를 볼 수 있다. 이것이 바로 콜라겐 덩어리이다. 그리고 암 조직에서 세포는 3% 정도이고, 나머지 97%

는 이 콜라겐 덩어리이다. 그래서 암 조직은 당연히 산성 체액으로 가득하게 된다. 즉, 암 조직의 환경은 산성 환경으로서 pH5.5이다. 이 체액의 산도는 식물 체액의 산도(酸度)이다. 그래서 이 산도에서는 계속 성장해야만 세포가 살아남을 수 있게 된다. 그래서 식물은 계속 성장한다. 그리고 암을 보고 식물성이라고 부른다. 정확히 맞는 말이다. 이 원리는 태양계 우주 모두에서 공통원리이다. 그래서 이 상태의 산도에서는 섬유아세포가 자동으로 암세포가 되고 만다. 암세포는 다름이 아니라 섬유소라는 콜라겐을 계속해서 만들어내는 세포이다. 우리는 이렇게 콜라겐이 계속해서 만들어지는 현상을 보고 암 조직이 성장만 한다고 말한다. 그래서 암을 암 신생물이라고 말하기도 한다. 즉, 계속 증식한다는 뜻이다. 그리고 이 환경은 산성 환경이므로 자동으로 면역 세포가 달려온다. 그러나 산소를 이용해서 암 조직의 과잉 전자를 중화하는 면역 세포는 산소가 부족한 환경에서는 아무짝에도 쓸모가 없어진다. 면역 세포가 산성인 암 환경에 도착하면, 두 가지 형태로 반응한다. 하나는 암 환경의 과잉 전자에 치여서 죽든지, 하나는 섬유아세포처럼 콜라겐을 만들어서 생존하든지 한다. 그래서 암 조직에서 면역 세포를 보면 죽어있든지 아니면 암세포로 변해있게 된다. 즉, 면역 세포도 살기 위해서 암세포로 변한 것이다. 아니면 과잉 전자에 의해서 죽게 되니까! 여기서 재미있는 것은 최첨단 현대의학의 행동이다. 즉, 최첨단 현대의학은 면역을 이용해서 암을 치료할 수 있다고 하면서, 면역요법을 시행한다. 그러나 도대체 답이 안 나온다. 한마디로 답답해서 미친다. 그도 그럴 것이 면역 세포가 원래 대로 작동하지 못하는 이유를 모르기 때문에, 이런 어처구니가 없는 행동을 하게 된다. 즉, pH5.5라는 아주 중요한 인자를 고려하지 않은 것이다. 그리고 이런 산성 환경에서 면역을 살리겠다고 전전긍긍한다. 안됐지만, 참으로 안쓰럽기 그지없다. 안쓰러운 행동은 또 있다. 암은 혈액이 주는 영양분을 먹기 때문에 영양분을 차단하기 위해서 혈관을 자라지 못하게 막아버린다. 참으로 어처구니가 없다. 암은 혈관을 통해서 산소를 공급받지 못해서 일어난 결과물이다. 그런데 산소를 공급하는 혈관을 막겠다고? 미안하지만 암은 더 잘 자라게 된다. 즉, 이 방법은 이미 실패가 정해져 있다. 즉, 혈관의 소통을 막아서 산소 공급을 막으면 산소 부족으로 인해서 암 조직은 더 잘 성장한다. 이번에는 무서운 암의 전이(metastasis:轉移)를 보자. 암의 전이가 무서운 이유는 암은 전이가 안 되면 인체를 죽이지는 못한다. 세계적인 암 권위자인 로버트 앨런 와인버그(Robert Allan Weinberg)가 말하고 있듯이, 암은 전이만 안 되면 평생 달고 살아도 큰 문제가 없으나 전이가 되면 답이 없다는 것이다. 암의 전이는 체액 때문에 일어난다. 예를 들면 간이 문제가 되어서 암이 만들어지면, 대장에 암이 발생할 확률이 커진다. 그 이유는 간은 간문맥을 통해서 대장의 직장정맥총을 통제하기 때문이다. 그래서 간이 문제가 되어서 산성 체액으로 가득한 직장정맥총의 과잉 전자를 처리하지 못하게 되면, 대장은 이를 홀로 중화하면서 당연히 암에 걸리게 된다. 그리고 간이 문제가 되면 산성 담즙을 제대로 중화하지 못하게 되고, 이 산성 담즙을 최종 처리하는 대장은 곧바로 영향을 받게 된다. 그래서 대장암은 담즙과 긴밀히 연계된다. 그리고 암에 걸리면 곧바로 림프로 전이가 된다. 이 이유는 간단하다. 먼저 암 문제는 콜라겐 문제이다. 그런데 암 조직에서 만들어진 콜라겐의 일부는 떨어져서 림프로 들어가게 된다. 콜라겐은 분자 크기가 커서 정맥 혈관으로 못 들어가고 자연스레 림프로 들어가게 된다. 그러면 림프는 콜라겐으로 가득하게 된다. 이것을 암의 림프 전이라고 부른다. 그리고 이 기전은 하나가 더 있다. 림프절에는 면역 세포가 상주하고 있다. 그리고 암 조직의 산성 체액은 자동으로 근처에 있는 림프로 흘러들게 된다. 그러면 림프도 자동으로 산성 환경이 조성된다. 그리고 이 산성 체액에서 전자를 떼어내서 처리하는 당사자가 바로 면역 세포이다. 당연히 면역 세포는 자기도 살기 위해서 콜라겐을 만들어서 이를 중화하게 되고 림프는 콜라겐으로 가득 차게 된다. 우리는 이것을 보고 암이 림프까지 전이되었다고 말한다. 결국에 암이 전이가 한 번 일어나게 되면, 오장육부는 모두 체액으로 얽히고설킨 관계이므로, 인체 전체로 전이가 되고, 결국에 모든 체액 순환이 막히면서 인체는 죽게 된다. 그러면 암도 대사질환이므로 다른 대사증후군하고 똑같이 예방하면 된다. 그 방법은 앞에서 이미 설명했다. 암은 결국에 지독한 호르몬 과다분비가 있어야 만들어진다. 이 말은 암이 발병하기 위해서는 지독히 고통스러운 생활 환경이 반드시 한 때는 있어야 한다는 뜻이다. 그래서 암에 걸린 사람들은 반드시 한 번은 지독한 고통 속에서 산 경험이 있게 된다. 여기에 음식 문화는 그 속도를 더 높여준다. 암의 제일 큰 문제는 예방은 가능한데, 말기가 되면 답이 없다는 사실이다. 즉, 간질을 채우고 있는 콜라겐 덩어리를 처리하기가 쉽지 않다는 뜻이다. 수술을 택하기도 하지만, 수술은 흉터를 만들기 때문에, 이 흉터 때문에 간질의 체액 소통이 또 막히면서 암은 다시 시작된다. 또, 신경의 연속성이 끊기면서 전자를 원거리로 보내서 처리하지 못하게 되고 암은 다시 시작된다. 수술 의사들은 이 현상을 보고 암이 전이되었다고 말한다. 또는 재발했다고 말한다.

3. 우주 에너지와 인체의 대화.

하늘이 준 선물 해독인자 CRY, 인체 안의 발전기 CRY

이번에는 양자역학에서 아주 중요한 주제인 빛을 보자. 물론 지금 논하려고 하는 빛은 그냥 평범한 햇빛이다. 이 햇빛도 대부분은 전자의 작용으로 인해서 내뿜어진다. 그런데 태양계 아래 존재하는 모든 생명체는 햇빛이 없으면 죽게 된다. 왜? 햇빛은 일종의 에너지이다. 그리고 이 에너지는 전자의 활동을 자극한다. 생체는 전자라는 도구를 이용해서 정보의 지속적인 흐름을 유지할 수가 있게 되고, 생명체로서 기능할 수 있게 된다. 앞에서 이미 말했지만, 생명체는 정보의 소통이 막히면, 그 순간부터 생명체가 아니다. 그래서 전자의 활동을 유도하는 햇빛은 아주 중요한 존재가 된다. 하지만 최첨단 현대의학은 단백질 연구만 하는 바람에 햇빛의 중요성을 많이 간과하고 있다. 최첨단 현대의학도 햇빛을 본떠서 청색광을 이용하는 일광욕과 비슷한 헬리오테라피(Heliotherapy)를 시행하고 있기는 하다. 그리고 이 햇빛은 중력과 협력해서 작동한다. 햇빛이 주는 에너지는 먼저 인체를 물리적으로 자극한다. 그러면 인체 안에 있는 전자가 자극되고, 이 전자는 호르몬을 통해서 분비된다. 그리고 이 호르몬에 붙은 전자는 산소와 반응해서 물로 제거된다. 그래서 인체 안에 과잉으로 적체한 전자를 제거하려면, 햇빛을 적당히 쪼이면 된다. 그러면 헬리로테라피에서는 왜 청색광을 이용할까? 이 문제를 풀려면 먼저 CRY(Cryptochrome:CRY)를 알아야 한다.

이 CRY는 해독 인자인 사이토크롬(Cytochrome)의 한 종류이다. 즉, CRY는 해독 인자의 일종이라는 뜻이다. 인체에서 독(毒)은 과잉 전자이므로 이를 중화해서 물로 제거하는 것이 해독이다. 이 해독 인자인 CRY는 세 부분으로 구성된다. 하나는 염기성 아미노산인 트립토판(tryptophan:Trp)이고, 하나는 비타민B나 비타민A이고, 나머지 하나는 전자전달계에서 활동하는 플라빈(Flavin) 단백질이다. 트립토판은 염기성이므로 알칼리여서 전자를 잘 수거한다. 그리고 비타민은 태양이 주는 청색광에 아주 잘 반응한다. 그리고 플라빈 단백질은 전자를 받으면 전자전달계를 통해서 물로 중화해버린다. 그런데 CRY에서 이 세 인자의 순서가 아주 중요하다. 먼저 염기인 알칼리 아미노산 트립토판이 전자를 수거해다가 주면, 그다음에 비타민이 이를 받아서 플라빈으로 중계해준다. 그러면 플라빈은 이 전자를 전자전달계를 통해서 물로 중화해버린다. 그러면 인체를 괴롭히던 과잉 전자는 깨끗이 정리된다. 그리고 이 CRY는 피부 갈색지방에 많이 상주하고 있다. 그래서 CRY는 햇빛과 잘 소통할 수 있게 된다. 그런데 이렇게 전자가, 이 세 구성 요소를 소통하는데, 한 가지 아주 중요한 요소가 하나 더 추가되어야 해독 인자인 CRY가 제대로 작동하게 된다. 바로 지구를 비롯한 전체(天體)가 주는 중력(gravity:重力)이다. 이 관계를 이해하려면 인체도 평범한 자연의 일부라는 사실을 먼저 인지할 수 있어야 한다. 즉, 인간은 만물의 영장이라는 헛소리를 하게 되면, 이 부분은 용납이 안 되고 만다. 즉, 어떻게 인간이 자연의 일부란 말인가! 그러나 태양계 아래 모든 물체를 놀이터로 삼는 전자를 기준으로 보면, 인체도 그냥 지극히 평범한 물체에 불과하다. 그리고 우주라는 관점에서 보면, 인간은 아주 미세한 티끌만큼도 안 된다. 이런 인간이 만물의 영장이라고 하면, 인간을 놀이터로 삼는 전자는 하도 기가 막혀서 웃음도 안 나올 것이다. 이렇게 너줄하게 서두를 기술한 이유는 발전기에서 생성되어서 나오는 유도전류(誘導電流:induced current)를 말하려고 하기 때문이다. 이때 발전기는 수력발전기나 자전거에 달린 꼬마 발전기를 말하고 있다. 즉, CRY가 이 발전기 역할을 한다. 즉, 인체 안에는 CRY라는 발전기가 내장되어있다. 이 사실은 현대 서양철학에 염색된 사람들은 대단히 불편한 이야기가 될 것이다. 그러나 전자를 기준으로 보면 엄연히 맞는 이야기이다. 그런데 발전기가 전류를 만들어내기 위해서는 자기장과 전기장이 동시에 존재해야 하고, 추가로 이 둘 중에서 하나가 회전해줘야 한다. 이것이 발전기의 원리이다. 그래서 자전거의 꼬마 발전기는 자전거의 바퀴가 굴러갈 때만 전기를 생산해서 불을 켜지게 할 수 있다. 그래서 자전거가 멈추면 이 꼬마 발전기는 전기를 생산할 수가 없게 되고 자전거에 붙은 전구에서 불은 꺼지게 된다. 수력발전소에서도 수력이 팬을 돌려서 이 효과를 만들어낸다. 그러면 이 원리를 CRY에 적용해보자. CRY라는 발전기에서 자기장은 중력이 만들어주고, 전기장은 햇빛이 만들어준다. 그래서 CRY는 햇빛과 중력이라는 두 요소가 합쳐져야 작동하게 된다. 이제 발전기에서처럼 어느 하나가 회전을 해줘야 유도전류가 만들어진다. 이 회전은 중력을 가진 지구가 해준다. 지구는 자전과 공전을 동시에 한다는 사실을 상기해보자. 그러면 CRY는 완벽한 발전기가 되고, 그 유도전류는 전선 역할을 하는 플라빈 단백질로 전해진다. 전기는 전자의 흐름이라는 사실을 상기해보자. 그러면 플라빈 단백질은 이 전자를 미토콘드리아의 전자전달계로 보내서 산소와 반응시키고 물로 만들어서 제거한다. 한의학과 동양의학의 기반이 되는 황제내경은 이 현상을 보고 우주의 에너지와 인체의 에너지가 교감한다고 말한다. 즉, 하늘과 인간이 에너지를 통해서 서로 교감하는 것이다. 이것이 인내천(人乃天) 사상이다. 그래서 중력의 변화는 CRY 활동의 변화를 유도한다. 즉, 중력과 햇빛의 강도에 따라서 CRY의 활동 정도가 정해진다. 이 문제는 다음에 기술할 면역(免疫:immunity)과 직결된다. 면역이 하는 역할이 과잉 전자를 중화하는 일이기 때문이다. 그래서 지금 기술하고 있는 CRY 문제는 결코 단순한 문제가 아니다. 그래서 인체는 우주의 에너지와 두 가지 방법으로 소통하게 된다. 즉, 인체는 우주와 호르몬 작용과 CRY라는 두 가지로 소통한다. 이 원리는 식물과 다른 생명체에서도 똑같이 적용되고 작동한다. 다시 말하면 CRY는 과잉 전자를 중화하는 해독 장치이다. 즉, CRY는 중력과 햇빛이 준 선물인 셈이다. 그리고 CRY의 역할은 하나가 더 있다. 바로 일주기 리듬(circadian rhythm:日週期)을 조절한다. 일주기 리듬은 둘로 구분되는데, 낮에는 CRY가 맡고, 밤에는 송과체(松果體)가 맡는다. 둘 다 모두 과잉 전자를 중화하는 도구이다. 낮에는 CRY가 과잉 전자를 수거해서 전자전달계에서 물로 중화하고, 밤에는 송과체(pineal gland)가 과잉 전자를 수거해서 멜라토닌으로 중화한다. 그래서 밤에 송과체가 작동하지 않아서 과잉 전자를 멜라토닌으로 중화해주지 못하면 과잉 산이 교감신경을 흥분시키면서 잠을 제대로 잘 수가 없게 된다. 그리고 송과체에는 빛을 감지하는 센서 단백질이 있어서, 이 단백질 센서가 빛을 감지하지 못하면 송과체가 작동한다. 그래서 빛이 있는 낮에 잠을 잘 때 안대를 끼는 이유이다. 그리고 낮에는 CRY가 과잉 전자를 제대로 중화해주지 못하면 졸리게 된다. 그래서 CRY는 각성 인자이고, 송과체는 수면 인자이다. 그래서 이 둘이 문제가 생기면 일주기 리듬에 대혼란이 온다. 즉, 시도 때도 없이 졸리고 밤에는 불면증에 시달리게 된다. 그리고 CRY와 송과체는 서로 연계되어있다. 즉, CRY가 제대로 작동하지 못하면, 송과체도 제대로 작동하지 못하게 되고, 송과체가 제대로 작동하지 못하게 되면, CRY도 제대로 작동하지 못하게 된다. 인체에서 잠의 역할은 엄청나게 중요하다. 인체가 잠이 들면, 두 가지 변화가 일어난다. 하나는 항산화 작용을 하는 미주 신경의 작동이다. 그래서 잠을 푹 자고 나면 몸이 개운해지면서 피로가 풀리는 이유이다. 하나는 성장호르몬의 분비이다. 성장이라는 것은 무엇을 만든다는 뜻이므로, 반드시 전자를 중화하는 에스터 작용이 수반된다. 그래서 잠은 이래저래 보약과 같은 존재이다. 그래서 옛말이 있다. 잘 먹고 잘 자고 잘 싸면 최고로 건강한 사람이다. 정확히 맞는 말이다. 이 부분은 침(鍼)에서 아주 아주 중요하다. 이 부분은 다음에 침과 경락을 논할 때 다시 거론할 것이다. 그리고 이 과학적 논리를 알고 나면 여러 가지 미신이 과학으로 재탄생한다. 그중에서 우리나라 전통을 하나 보자. 우리 전통에는 동짓날 팥죽을 먹는 전통이 있어서, 동짓날이 되면 팥죽을 파는 음식점 앞에 팥죽을 먹으려는 손님들이 줄을 서기도 한다. 그러나,

이 현상을 최첨단 현대과학을 학교에서 배운 사람들은 미신이라고 일축하고 만다. 누구 말이 미신인지 풀어보자. 우리가 학교에서 잘 못 배운 사실은 최첨단 현대과학은 모든 현상을 알고 있을 것이라는 착각이다. 그래서 최첨단 현대과학의 기준에 맞지 않으면, 곧바로 미신으로 취급해버린다. 그러나 이것은 현대과학이 현실에서 과학을 독점하기 위한 전략에 우리가 빠진 것에 불과하다. 음력으로 동짓날은 밤의 길이가 가장 긴 날이다. 즉, 햇빛이 주는 일조량이 가장 적은 날이다. 그리고 일조량이 적다는 말은 인체 안에 쌓여있는 전자가 햇빛이라는 열에너지의 자극을 적게 받는다는 뜻이다. 그러면 전자는 열에너지를 받아야 간질인 밖으로 살며시 나오는 성질 때문에, 겨울처럼 일조량이 적은 시기에는 인체 안에 자동으로 과잉 전자가 쌓이게 된다. 그리고 일조량이 늘면서 열에너지가 인체를 자극하면, 이때 인체 안에 쌓였던 전자가 슬며시 간질로 나오게 된다. 그러면, 이때 간질에 있는 산소는 이 전자를 보고 환장하고 달려들어서 낚아채서 물로 중화해버린다. 이때 바로 CRY가 개입한다. 자세한 기전은 본 연구소가 발행한 황제내경 소문을 보면 된다. 이렇게 일조량은 인체에서 자유전자가 쌓이는 것을 조절하는 인자가 된다. 그런데 동짓날은 바로 밤이 제일 긴 날이다. 즉, 인체를 괴롭히는 과잉 전자가 제일 많이 쌓이는 마지막 날이다. 즉, 동지 다음 날부터 일조량이 늘어난다는 뜻이다. 그러면 당연한 수순으로 동지 다음 날부터 전자가 열에너지를 추가로 받게 되면서, 인체 안에 쌓여있던 전자는 간질로 슬며시 빠져나오게 된다. 그런데 동짓날 부근은 여전히 춥다. 그래서 산소를 공급하는 통로인 간질

3. 우주 에너지와 인체의 대화

이 수축해있어서 산소 공급이 여의치 않게 된다. 그런데 이때 햇빛이라는 열에너지가 늘어나면, 이로 인해서 인체 안에 쌓여있던 전자가 간질로 나오게 되는데, 산소는 부족하게 된다. 그러면 이 과잉 전자를 제거할 도구가 필요해진다. 이 도구가 바로 팥이다. 어떻게? 팥은 원래 쓴맛이 난다. 이때 쓴맛은 사포닌(saponin) 성분이다. 그래서 팥죽을 끓일 때는 팥을 물에 불린 다음에 다시 삶아서 쓴맛을 제거한 다음에 사용한다. 그러면 사포닌 성분에 저장되어있던 전자가 제거되면서 사포닌은 쓴맛이 없어지고 전자를 흡수할 수 있는 알칼리로 변모한다. 여기서 중요한 것은 사포닌이 흡수하거나 보유하는 전자는 자유전자라는 사실이다. 그래서 동짓날 팥죽을 먹는 이유는 동지 다음 날부터 늘어난 일조량 덕분에 간질로 나오는 과잉 전자를 제거하기 위한 방법을 강구하려는 의도 때문이다. 그리고 녹말이 많이 있으면서 쓴맛이 나는 사포닌을 가진 곡물 중에서 제일 좋은 곡물이 팥이다. 과연 우리의 미풍양속이 미신일까? 최첨단 현대과학이 미신일까? 판단은 독자 여러분의 몫으로 남긴다. 이 원리는 한의학이나 동양의학에서 약초를 제조할 때도 통한다. 쓴맛은 심장에 좋다고 해서 심장에 문제가 있을 때 사용한다. 심장은 잘 알다시피 전기(자유전자)로 작동되는 대표적인 장기이다. 이 말에 이의를 제기할 사람은 한 명도 없을 것이다. 그리고 쓴맛인 사포닌은 심장이 사용하는 자유전자를 흡수해서 제거하는 대표적인 약초 성분이다. 그래서 자유전자가 과잉되어서 심장을 과부하로 몰고 가면, 곧바로 쓴맛을 먹이라고 한다. 이 부분도 최첨단 현대의학이 미신이라고 조롱하던 대표적인 부분이다. 과연 누가 미신일까?

판단은 독자 여러분의 몫으로 남긴다. 한마디로 완벽한 과학이다. 이것이 한의학의 품격이다. 단지, 지금까지 모르고 있었을 뿐이다. 이런 사례는 전자생리학으로 풀면, 세상천지에 널려있게 된다. 왜? 태양계 아래 존재하는 대부분 현상은 전자 작용 때문에 일어나기 때문이다. 노벨상 수상자 파인만의 말을 상기해보자. 하나만 더 보면, 봄의 입춘이 되면, 집안 곳곳에 입춘대길(立春大吉)이라고 대문 짝만하게 써 붙였다. 이것도 역시 미신이라고 치부된 대표적인 사례이다. 이 해답은 먹의 재료에 있다. 거두절미하고 해답을 보면, 먹 자체가 강알칼리이다. 즉, 강알칼리를 집안 곳곳에 칠하는 셈이다. 봄에 입춘이 되면, 일조량이 상당히 증가하면서, 우리가 살고 있는 공간 곳곳에 숨어있던 자유전자가 일조량이 주는 열에너지를 받게 되면서, 공기 중으로 나오게 된다. 그리고 이 전자는 병의 근원이 된다. 그리고 이 자유전자를 입춘대길 글자 안에 든 강알칼리인 먹이 먹어서 치운다. 즉, 입춘대길(立春大吉)이 병을 예방하는 효과를 가진다. 말 그대로 입춘대길(立春大吉)이다. 이 현상은 아마존 같은 무더운 정글에 사는 원주민들이 몸에 문신을 새기는 원리에도 그대로 적용된다. 물론 이때 문신의 재료가 강알칼리이다. 즉, 강한 무더위는 공기 중에 있는 전자를 강하게 활성화시키면서 인체를 괴롭히게 되는데, 이때 이 전자를 문신이 흡수해준다. 이들은 여기에다가 화장까지 진하게 한다. 물론 이 화장품 재료도 당연히 강알칼리이다. 이런 사실들을 전자생리학으로 살펴보면, 과연 우리가 학교에서 그토록 맹신하면서 배웠던 최첨단 현대과학의 실체는 뭔가라는 의문이 자동으로 들 수밖에 없다. 더 무서운 것은 학교에서 그리고 언론을 통해서 현대과학이 현대의학과 같은 의미로 과대 선전되면서, 병이 나면 무조건 병원에 가라고 한다. 이 말은 아예 자동으로 튀어나온다. 그러나 전자생리학으로 보면, 최첨단 현대의학은 응급의학에서는 타의 추종을 거부하는 최첨단이 맞지만, 나머지 부분에서는 아직 걸음마 수준도 못 된다. 다시 말하면, 최첨단이라고 목에 힘을 주는 최첨단 현대의학은 응급의학을 제외하면, 사상누각(沙上樓閣)에 불과하다는 뜻이다. 그리고 이 CRY는 코로나바이러스가 왜 겨울에 더 창궐하는지 설명도 해준다. 모든 바이러스의 증식 조건은 무조건 인체 체액의 산성화이다. 인체가 산성 환경으로 변하지 않으면 바이러스는 활동할 수가 없게 된다. 그래서 모든 바이러스에서 해방되고 싶으면 인체의 체액을 알칼리로 만들어주면 된다. 인체 체액의 알칼리화 방법 중에서 하나가 일광욕이다. 즉, CRY를 강하게 작동시켜서 인체 체액을 알칼리화시키는 것이다. 그래서 인체는 일조량이 적은 겨울에는 산에 들어있는 전자를 제대로 중화시키지 못하고 염(鹽)으로 저장하게 된다. 그리고 일조량이 많은 여름에는 CRY 활동이 최고조에 다다르면서 산에 들어있는 전자를 물로 중화시킨다. 그러면 전자가 주도하는 산성 환경이 만들어지지 않기 때문에 자동으로 바이러스의 활동은 정지된다. 겨울에 전자가 염으로 저장되면 이 염은 문제를 일으킨다. 이유는 전자를 보관하고 있는 염(鹽)은 열에너지가 주어지면 언제라도 자기가 가진 전자를 인체 체액으로 방출시킨다. 그러면 이때 빠져나온 전자는 활성산소종(ROS)을 만들어내면서 만병의 근원이 된다. 즉, 인체 체액을 산성으로 만들어버린다. 이 문제를 동양의학은 한(寒)이라고 표현한다. 염(鹽)을 한(寒)이라고 부르는 이유는 염이 가진 전자 때문이다. 인체 안에서 열(熱)이 발생하려면 전자가 물로 중화되어야 한다. 그런데 염은 전자를 물로 중화시키는 것이 아니라, 염으로 전자를 격리하기 때문에 한이라고 부른다. 그러면 열의 원천인 전자를 격리했기 때문에 당연히 한(寒)이 뒤따른다. 여기서 동양의학의 상한론(傷寒論)이 탄생한다. 즉, 염인 한(寒)에서 전자가 빠져나와서 인체에 상해(傷)를 입히는 것이다. 이 상한론은 바이러스 치료에서 아주 중요한 요소이다. 그리고 코로나바이러스에 감염되고 나서 완치 후에 겪는 후유증이 바로 상한(傷寒)이다. 동양의학에서 상한론은 온병(溫病)이나 열병(熱病) 치료에서 아주 중요한 도구이다. 상한론이나 코로나바이러스 문제는 전자생리학을 모르면 접근 자체가 불가능하다. 상한론의 핵심은 전자를 보관하고 있는 염(鹽)이다. 이염을 체외로 버리게 하는 방법을 찾는 것이 상한론의 핵심이다. 그래서 상한론을 거론하면 반드시 삼음삼양이 등장한다. 인체는 전자를 염에 격리해서 체외로 버리는데 3가지 경로가 있다. 첫째는 방광을 통해서 주로 요산염이나 칼슘염 등등의 염을 체외로 버린다. 둘째는 위산이다. 위산도 염이다. 위장은 인체에서 보면 체외에 해당한다. 셋째는 담즙산염이다. 담즙은 체외인 소화관으로 버려진다. 그래서 상한론을 정확히 터득하려면 담즙을 만드는 간과 담즙을 버리는 쓸개를 알아야 하며, 위산을 만들어내는 비장과 위산을 분비하는 위장을 알아야 하며, 각종 염을 만들어내는 신장과 버리는 방광을 알아야 한다. 그래서 상한론은 반드시 삼음삼양이 등장하게 된다. 즉, 이 6개의 장기를 지칭해서 삼음삼양이라고 하기 때문이다. 그래서 상한론의 핵심은 열(熱)을 만들어내는 전자를 염에 격리해서 체외로 버리게 만드는 것이다. 열의 원천인 전자를 체외로 버렸으니 열이 없어지는 것은 당연한 결과이다. 이제 코로나 후유증과 상한론의 관계를 보자. 코로나바이러스가 되었건 다른 바이러스가 되었건 간에 바이러스는 증식하는 속도가 아주 빠르다. 이 과정에서 반드시 전자전달계를 이용하게 된다. 즉, 전자를 물로 중화하게 된다. 그런데 인체에서 전자를 물로 중화시키려면 반드시 산소를 요구한다. 여기서 문제가 발생한다. 인체가 적혈구를 통해서 산소를 운반하는 능력과 바이러스가 증식하면서 필요로 하는 산소의 양에 엇박자가 생긴다. 즉, 인체가 공급하는 산소의 양이 바이러스가 필요로 하는 산소의 양에 미치지 못하는 것이다. 그러면 이때 미토콘드리아에서 만들어지는 전자는 염으로 격리가 된다. 즉, 바이러스가 염을 대량으로 만들어낸다. 이 염은 열에너지가 주어지면 언제라도 전자를 방출하면서 인체를 괴롭히게 된다. 이것이 코로나바이러스 후유증의 메커니즘이다. 즉, 코로나바이러스의 후유증을 상한론으로 해결할 수 있다는 뜻이다. 즉, 상한론을 이용해서 인체를 괴롭히는 전자를 보관하고 있는 염을 체외로 버리면 된다. 그러면 코로나 후유증은 간단히 해결된다. 즉, 코로나 후유증은 전자생리학으로 풀면 간단히 해결된다. 추가로 기생충이나 병균에 감염되고 나서 겪는 후유증도 같은 원리이므로 상한론으로 해결하면 된다. 그리고 왜 로컬푸드가 좋은지도 설명해준다. 여기서 말하는 CRY는 한마디로 생체의 에너지 과잉을 조절해주는 인자이다. 그런데, 이 에너지는 지역의 특성을 그대로 반영한다. 즉, 지역마다 일조량이 다르고, 중력의 힘도 다르다. 그러면 중력과 일조량의 영향을 받는 CRY의 활동도 달라진다. 그런데, 이 현상은 식물과 동물에서 똑같이 작동한다. 그리고 식물은 이 에너지를 조절하는 인자를 만들어서 에너지 과잉에 대처한다. 즉, 식물은 과잉 에너지를 조절하는 물질을 만들어서 에너지 과잉에 대처한다. 그러면 인간은 식물이 만들어준, 이 물질을 먹어서 역시 에너지 과잉에 대처한다. 그래서 한 지역에서 공존하는 인간과 식물은 같은 에너지 과잉에 처하게 된다. 그리고 식물은 이 대처 물질을 만들고, 인간은 식물이 만든 이 대처 물질을 먹어서 과잉 에너지에 대처한다. 당연히 로컬푸드가 제일 잘 맞는 식품 재료가 될 수밖에 없다. 과연 이 원리를 알고 로컬푸드라는 자기 지역 농산물을 먹는 사람은 몇 명이나 될까? 지금은 겨우 애국심에 의존해서 인정에 호소하는 감성 마케팅으로 로컬푸드의 좋은 점을 홍보하고 있다. 그러나 CRY로 설명하면, 문제는 간단히 풀리고, 굳이 홍보할 필요도 없다. 자기 건강에 좋다는데 안 먹을 사람은 없다. 이외에도 CRY라는 도구로 식품 재료와 건강을 분석하고, 치료 방법을 찾으면 이들이 수도 없이 딸려 나오게 된다.

4. 면역과 에너지 그리고 생체 정보, 코로나19(COVID-19)

이제 면역을 보자. 면역도 면역 세포를 중심으로 보면 도대체가 안 풀린다. 그럼에도 불구하고 최첨단 현대의학은 면역을 면역 세포를 중심으로 기술한다. 면역 세포는 면역이 작동하고 나서 그다음에 나타나게 된다. 그래서 면역을 면역 세포 위주로 탐구하면, 면역의 근본을 놓치게 된다. 그 결과로 최첨단 현대의학은 면역이 어떻게 활성화되는지를 정확히 모르고 있다. 그런데 면역을 알려면 MMP를 먼저 알아야 한다. 그 이유는 면역 세포는 콜라겐 단백질에 붙잡혀있기 때문이다. 그래서 콜라겐 단백질 분해 전문 효소인 MMP가 작동해야 드디어 면역 세포가 풀려나서 활동하게 된다. 그리고 이 MMP는 자유전자가 작동시킨다. 결국에 면역의 시작은 반드시 자유전자를 요구한다. 이것은 침(鍼)의 원리에서 아주 중요하게 된다. 그 이유는 침이 자유전자를 공급하기 때문이다. 그래서 침은 자동으로 면역을 활성화시키게 된다. 이렇게 활성화된 면역 세포는 체액을 따라서 흘러다니면서 과잉 전자가 적체하고 있는 곳에 도달하면, 활동전위를 만들어내면서 과잉 전자를 흡수해서 전자전달계를 통해서 이들을 중화해버린다. 이것이 면역이다. 즉, 병의 근원인 과잉 전자를 흡수해서 미토콘드리아의 전자전달계를 통해서 과잉 전자를 중화하면 병은 사전에 방지되고 건강은 유지된다. 그래서 면역이 좋은 사람은 건강한 사람이 된다. 그런데 간질에 과잉 전자가 너무 많으면, 일단, 이 과잉 전자를 모두 흡수한 다음에 다시 밖으로 뱉어낸다. 이때 면역 세포가 과잉 전자를 뱉어낼 때 사용하는 도구가 사이토카인(cytokine)이다. 그래서 이 사이토카인에는 전자가 잔뜩 실려있게 된다. 즉, 사이토카인은 전자를 전달하는 도구이다. 전자가 너무 많아서 사이토카인의 숫자가 너무 많게 되면, 이를 사이토카인 폭풍(cytokine storm)이라고 부른다. 물론 이만큼 전자가 많으므로 후폭풍도 무섭게 뒤따라온다. 사이토카인 폭풍의 특징은 염증(inflammation:炎症)이다. 염증이란 간질에 있는 콜라겐 단백질이 풀리는 현상이다. 즉, 과잉 전자가 콜라겐 분해 효소인 MMP를 동원해서 간질의 콜라겐 단백질을 분해한 것이 염증이다. 그래서 염증은 과잉 전자를 흡수한 콜라겐 분해물이다. 그러면 면역의 근본이 보이기 시작한다. 바로, 과잉 전자를 없애는 것이다. 즉, 체액에서 과잉 전자를 제거해서 산성 체액을 알칼리 체액으로 바꿔주는 것이 면역의 근본 역할이다. 우리는 면역 세포가 아주 특별한 존재로 착각하고 있고, 최첨단 현대의학도 그렇게 기술하고 있다. 그러나 면역을 전자생리학으로 바라보면, 면역 세포도 일반 세포와 다를 바가 없다. 즉, 두 세포 모두 과잉 전자를 흡수해서 미토콘드리아의 전자전달계를 통해서 중화하는 것이다. 다른 점이 있다면, 일반 세포는 특정 조직에 붙잡혀있는데, 이에 반해 면역 세포는 자유로이 움직일 수 있다는 사실이다. 즉, 면역 세포는 파견 세포이다. 즉, 면역 세포는 전쟁터에서 지원병에 해당한다. 면역 세포도 간(肝) 세포처럼 전자가 과잉되면, 이를 중성지방으로 만들어서 중화한다. 특히 대식세포는 이를 전문으로 한다. 이 현상을 제일 잘 관찰할 수 있는 곳이 바로 죽상동맥경화증(arteriosclerosis:粥床動脈硬化症)에서 이다. 죽상(粥床)은 병증의 상태가 인간이 먹는 죽처

럼 생긴 데서 유래했다. 이 죽상의 실체가 바로 중성지방이다. 죽상
동맥경화에서 보면 대식세포가 거품처럼 생긴 중성지방을 물고 죽
어있다. 즉, 대식세포가 과잉 전자를 중성지방으로 만들어서 처리하
다가 과잉 전자에 의해서 파괴되어서 세포사를 당한 경우이다. 이
처럼 면역 세포는 인체 전체를 순환하면서 과잉 전자가 존재하면
흡수해서 중화 처리해준다. 이때 간질에 과잉 전자가 너무 많이 있
으면, 이 과잉 전자는 면역 세포의 전자전달계를 파괴해서 이들을
죽이고 만다. 그래서 과잉 전자의 적체가 너무 심하게 되면 면역
세포는 모두 죽게 되고 면역은 고갈되고 만다. 이 경우가 자주 나
타나는 곳이 암(Cancer)이다. 암 조직의 체액은 pH5.5로서 산성
환경이다. 당연히 면역 세포는 모두 죽게 되고 면역은 고갈된다. 그
리고 재미있는 것은, 이 산성 환경에서 살아남은 면역 세포는 암세
포로 변한다. 즉, 면역 세포가 갑자기 암세포가 되어서 암 조직을
만들어낸다. 왜 그럴까? 이유는 간단하다. 면역 세포가 살기 위해서
과잉 전자를 받아서 에스터(Ester) 작용을 거쳐서 어떤 물질이든 만
들어내야, 이 산성 환경을 극복할 수 있기 때문이다. 그 결과로 생
겨난 것이 암 조직이다. 즉, 암 조직은 세포가 살아남기 위해서 안
쓰러운 발버둥의 결과물이다. pH5.5의 산성 환경은 식물의 체액
환경이라는 사실을 상기해보자. 그리고 식물은 살기 위해서 계속해
서 성장할 수밖에 없다고 이미 앞에서 설명했다. 지금 면역 세포가
이 환경에 처한 것이다. 그래서 면역 세포가 암세포로 변한 것이다.
여기서 또 재미있는 것은 최첨단 현대의학은 이 상태에서 면역 세
포를 살리기 위해서 안간힘을 쓰고 있다. 즉, 면역 세포가 처한 산

성 환경은 신경도 안 쓰고 오직 면역 세포에만 집중하고 있다. 물론 실패는 이미 100% 예견된다. 이 암 조직에는 신경 문제가 걸려 있다. 신경은 전자를 전달하는 도구이기 때문이다. 그래서 암은 신경과 밀접한 관계를 맺을 수밖에 없다. 아무튼, 면역이 고갈되면서 산성 환경의 문제가 해결되지 않게 되면, 이제 과잉 전자는 MMP를 통해서 인체를 분해하면서 병을 만들어낸다. 그래서 면역이 고갈되면 병이 생기는 것이다. 결국에 면역은 되도록 덜 활성화하게 두어야 한다. 그래야 급할 때 이들을 불러내서 사용할 수 있게 된다. 면역 문제가 나왔으니, 백신(vaccine) 문제는 필수적으로 설명을 요구한다. 백신이 작동하는 원리도 앞에서 자유전자가 면역 세포를 자극하는 원리와 똑같다. 그 이유는 백신이라는 물질이 병원체이기 때문이다. 병원체란 반드시 병을 일으키는 자유전자를 보유하고 있다. 이 자유전자가 면역을 자극하게 된다. 그래서 백신은 건강할 때 접종해야지 아플 때 접종하면 당연히 안 된다. 만일에 아플 때 접종을 잘못하면 병의 원인을 추가하는 꼴이 되므로 기존의 병은 더 악화하고 만다. 이것이 백신 접종 사고이다. 간단히 종합하면 면역을 건강하게 유지하는 방법은 체액을 알칼리로 유지하는 것이다. 그 알칼리 체액의 표준이 pH7.45이다. 물론 부분적으로 다른 알칼리 체액이 유지되는 곳도 있지만 평균치는 pH7.45이다. 그래서 면역을 유지하는 것이 엄청나게 어려운 것처럼, 과대 포장되어서 과대 선전되고 있지만, 실상은 아주 간단한 원리에 의해서 작동한다. 이런 측면에서 작금의 의학을 보고 있노라면, 중세 암흑시대에 기독교가 성경을 오직 성직자만 볼 수 있도록 만든 상황을 떠

올리게 한다. 결국에 루터가 성경도 일반인들도 볼 수 있다는 사실을 까발리게 된다. 즉, 기독교의 허구가 드디어 만천하에 드러난다. 결국에 기존의 기독교는 개신교가 탄생하게 만들었다. 지금의 의학 특히 최첨단 현대의학은 의학을 오직 의사들만의 영역으로 만들어 놓았다. 그리고 이 분야는 일반인들이 감히 넘볼 수 없게 만들어 놓았다. 그러나 의학이라고 어려운 게 아니다. 조금만 공부하면 웬만한 사람들도 의학에 상당한 지식을 터득할 수 있다. 그리고 이렇게 의학을 공부하다 보면 최첨단 현대의학의 꼴 사나운 민낯도 자연스레 보게 된다. 결국에 의학을 깊게 공부하다 보면, 의학에 대한 믿음도 사라지게 되고, 내 건강은 내가 지킬 수밖에 없다는 사실도 알게 된다. 지금 맹위를 떨치고 있는 코로나를 보면, 이런 생각이 더더욱 뼈저리게 느껴진다. 태양계 아래 존재하는 모든 물체는 전자의 놀이터에 불과하므로, 결국에는 지금의 의학도 양자역학 더 정확히 말하자면 양자전기역학으로 회귀할 수밖에 없을 것이다. 단지 시간이 필요할 뿐이다. 다시 면역의 근본으로 가보자. 면역의 근본은 보시다시피 체액의 알칼리화이다. 체액이 알칼리화되었다는 말은 체액에 에너지인 전자가 없다는 뜻이다. 그러면 여기서 바이러스 문제의 해결책이 나온다. 즉, 지금 전세계를 괴롭히고 있는 코로나바이러스의 해결책이 나온다는 뜻이다. 앞에서 이미 말했듯이 바이러스는 어떤 종류든지 간에 반도체 성격을 띠고 있다. 그래서 이들은 에너지인 전자가 있어야 반드시 활동할 수 있게 된다. 즉, 체액이 알칼리화되어서 전자라는 에너지가 없는 환경에서는 절대로 활동할 수 없는 것이 바이러스라는 뜻이다. 그래서 바이러스를 예방하거나 치료하거나 결국은 체액의 알칼리화가 그 핵심이 된다. 체액의 알칼리화 방법은 앞에서 대사증후군 예방 때 설명했다. 백신은 해당 바이러스만 대상으로 하므로, 어떤 경우가 되었든지 간에 지금처럼 팬데믹(pandemic)이 되면, 이들을 모두 백신으로 막을 수는 없다. 그 이유는 바이러스도 생명체가 되면서 진화한다는 사실 때문이다. 그래서 결국은 해당 백신을 또 개발해야 한다는 번거로움과 시간이 필요해진다. 그러는 사이에 바이러스는 창궐하게 된다. 이 구조는 제약회사 입장으로 보면 환상적인 이익 구조에 해당하나, 대중은 그동안에 죽어나가게 된다. 결국에 백신은 원인 치료제가 아닌 대증 치료제이다. 즉, 증상만 치료하지 그 원인을 치료해서 근본을 다스리지 않는다는 뜻이다. 즉, 정원사(gardener:庭園師)와 똑같다. 정원의 풀을 관리해주는 전원사는 풀의 뿌리를 뽑아버리면, 다시는 자기의 일감이 없어져 버린다. 그러나 대증 치료처럼 뿌리는 놔두고 위쪽의 풀만 깎아주면 정기적으로 자기 수입이 얻어진다. 이 상황은 황금만능주의의 전형이다. 그러나 면역의 근본을 생각해서 체액을 알칼리로 유지해주면, 바이러스가 필요한 에너지인 전자가 없으므로 어떤 바이러스도 인체에서 활동할 수 없게 된다. 이때 설사 바이러스가 인체에 침입해서 감염되었다고 할지라도 알칼리 환경의 면역이 강하게 버티고 있으므로, 인체를 감염시킨 바이러스는 대식세포에 의해서 곧바로 먹어서 치워진다. 이것이 진정한 면역이다. 제약회사 입장으로 보면, 이 방법은 전혀 돈이 안된다. 결국에 제약회사에 끌려다니면 애꿎은 대중만 죽어간다. 또, 백신은 대증 치료제이므로, 일정 기간이 지나면 백신의 효과는 없어져 버린다. 그러면 대중은 계속해서 백신을 또다시 맞아야 하고, 결국에는 백신의 노예가 되면서, 제약회사의 노예가 되고 만다. 백신의 약점은 백신이라는 병원체를 인체에 주입해서 면역 세포를 자극해서 면역을 활성화시킨다는 데 있다. 즉, 백신은 면역의 근본을 다스리는 것이 아니라 면역 세포의 활성화에 그친다 그러면 활성화된 면역 세포는 생존 기간이 정해져 있으므로, 일정 기간이 지나면 백신의 효과가 떨어지는 것은 당연해진다. 게다가 바이러스가 창궐해서 문제가 되면 백신으로 인해서 활성화된 면역 세포의 수명은 더 짧아진다. 지금, 그래서 2차 3차 4차 접종을 하고 있으면서도, 추가로 더 접종할 준비까지도 하고 있다. 이건 흡혈귀 작전이다. 체액을 알칼리로 만들면 간단히 해결될 문제를 돈만 벌 수 있는 구조로 만들고 있다. 원래 백신의 문제는 면역 세포 중에서 B-세포(B-Cell)를 겨냥한 것이 원칙이다. 이 세포는 수명이 아주 길다. 어떤 경우는 인간과 수명을 같이 한다고 알려져 있기도 하다. 그러나 지금처럼 팬데믹 상황이 오면, 이 세포도 과잉 바이러스에 의해서 죽고 만다. 결국에 접종은 몇 차까지 맞아야 하는지 알 수 없는 상황으로 가고 만다. 그리고 알아야 할 게 하나가 더 있다. 이 세포가 바이러스를 처리하는 방법이 알칼리 콜라겐을 만들어서 체액을 알칼리로 만들어서 면역의 근본을 조절하는 것이다. 결국에 바이러스를 잡는 방법은 체액의 알칼리화로 귀결된다. 그래서 바이러스는 박쥐처럼 체액의 산도가 pH8.5라는 강알칼리 환경에서는 잠만 자고 있을 수밖에 없다. 즉, 바이러스가 박쥐를 괴롭힐 수가 없게 된다. 이런 사실은 최첨단 현대의학도 이미 알고 있다. 그러나 돈이 안 된다. 그러면 정부가 나서면 되지 않느냐고 반문한다. 그러나 이 것은 애당초 불가능하게 되어있다. 바로 회전문 인사 때문이다. 즉, 제약회사와 이를 통제하는 정부 관료를 들락날락하면서 진행되는 회전문 인사가 있는 한 정부와 제약회사는 한통속이 되고 만다. 이 것이 최첨단 제약회사를 거느리고 있는 미국의 현실이다. 우리가 그렇게 신뢰하고 있는 그 유명한 공룡이자 미국의 감시병인 FDA (美國食品醫藥局:Food and Drug Administration)도 비용의 80% 를 제약회사들이 대고 있다. 이러니 의료 부분의 대부분은 제약회 사들이 좌지우지하고 있다고 해도 과언이 아닐 것이다. 이 가운데 서 죽어나는 것은 대중이다. 이제라도 생각을 바꿔야 한다. 이 가운 데에 한의학과 동양의학이 있다. 이 두 의학은 자체가 면역의학이 다. 뒤에서 기술하겠지만, 지금과 같은 팬데믹을 미리 예측하기도 하고 그 원인도 아주 정확히 파악할 수 있는 것이 이 두 의학이다. 그리고 필자가 황제내경의 주석을 집필한 이유도 여기에 있다. 만 일에 팬데믹 상황이 만들어지지 않았다면, 황제내경의 주석을 집필 한 생각은 처음부터 아예 못했을 것이다. 즉, 황제내경의 방법을 따 르면, 지금 같은 팬데믹 상황을 막을 수 있다는 뜻이다. 그러나 작 금의 의료 현실은 최첨단 현대의학은 이미 종교가 되었고 심지어는 한의학으로 밥을 먹고 사는 한의사들조차도 현대의학을 맹신하고 따르면서 한의학이 현대의학의 대체의학으로 기능하는 것을 묵묵히 따르고 있다. 물론 한의학계의 연구가 있다고는 하지만, 필자가 보 기에는 한의사들은 지독히 공부를 안 하는 사람들로만 비춰진다. 과연 지금 개업하고 있는 한의사 중에서 황제내경 소문과 영추의 전체를 읽어 본 사람이 몇 명이나 될까? 이것이 한의학계의 실상이다. 게다가 침을 놓으면서도 정확한 침법을 아는 사람이 얼마나 될까? 의심이 든다. 이제 양자역학 측면에서 면역을 보자. 양자역학은 에너지인 전자를 다룬다. 그리고 이 전자는 인체의 정보를 소통시키는 도구이다. 그리고 한의학에서는 이 에너지를 기(氣)라고 표현한다. 그리고 기(氣)가 소통하지 못하면 병이 생긴다고 말한다. 이것을 양자역학으로 표현하면, 정보가 소통하지 못하면 병이 생긴다고 말한다. 여기서 전자(Electron)는 인체에서 기(氣)이고 정보의 도구이고 에너지라는 사실을 상기해보자. 그러면 여기서 추론은 인체에서 에너지의 순환 즉, 정보의 소통이 막히면 병이 든다는 것이다. 그러면 전자라는 에너지는 어떻게 순환되며, 어떤 과정을 거쳐서 에너지가 되고 정보가 될까? 그리고 이 과정에서 면역은 어떻게 개입할까? 이 문제는 양자역학을 전공하면서 생명현상을 연구하는 사람들의 초미의 관심사이기도 하다. 물론 해답을 찾지 못하고 있다. 그 이유는 앞에서 이미 설명했다. 인체의 에너지는 전자라고 이미 설명했고, 이 에너지가 하는 역할은 세포의 수축과 이완을 통해서 인체를 작동시키는 것이라고 설명했다. 즉, 인체는 결국에 세포의 수축과 이완이라는 두 과정을 통해서 작동된다는 뜻이다. 그리고 이때 전자(Electron)가 활동전위(活動電位:action potential)를 만들어서 세포의 수축과 이완을 만들어낼 수 있으므로 인해서, 전자는 인체의 에너지가 될 수 있다. 먼저 여러 가지 이유로 인해서 세포 밖에 전자가 존재하게 되면, 세포는 일단 이들을 흡수한다. 물론 이때 세포가 전자를 흡수하는 방법은 담체를 이용한다. 제일 많이 이용하는 도구가 나트륨(Na^+)이다. 이렇게 세포 안으로 흡수된 전자는 일단 미토콘드리아로 들어간다. 이 과정에서 세포는 수축한다. 그리고 미토콘드리아로 들어간 전자는 전자전달계에서 일부가 산소를 통해서 물로 중화된다. 전자가 일부만 물로 중화되는 이유는 미토콘드리아 전자전달계가 전자를 수용할 수 있는 한계 때문이다. 그리고 나머지 전자는 세포 안에 자리하고 있는 소포체의 호르몬 전구체를 환원한다. 그러면 전자는 호르몬에 실려서 세포 밖으로 나오게 된다. 그러면 세포는 이완된다. 이제 이 호르몬에 붙은 전자는 세포 밖에서 일부는 간질에 있는 산소로 중화되거나, 아니면 다른 세포로 들어가거나, 일부는 신경을 통해서 다른 곳으로 전해진다. 이것이 전자의 한 사이클이다. 즉, 인체의 에너지가 순환하는 한 사이클이다. 이 과정은 인체가 살아있는 한 계속해서 일어난다. 이 과정이 멈추면 인체는 죽었다고 말한다. 그리고 이 과정이 생체의 정보 소통 방식이 된다. 한의학에서는 이 과정을 기(氣)의 소통이라고 한다. 즉, 정보의 소통 즉, 기(氣)의 소통 더 정확히 말하자면 전자의 소통이 생체의 정보 소통이다. 전자가 이렇게 소통하는 과정에서 인체의 모든 신진대사가 진행된다. 물론 예외는 없다. 그래서 결국에 인체는 전자의 놀이터가 될 수밖에 없다. 인체가 전자의 놀이터라는 사실은 양자역학을 연구하는 사람들도 잘 알고 있다. 그러나 인체의 정보 소통이 전자(Electron)로 이뤄진다는 사실까지는 모르고 있다. 물론 그 이유는 최첨단 현대의학 덕분이다. 그래서 간질에서 전자의 처리는 아주 중요한 문제가 된다. 그 이유는 간질은 산성 노폐물과 영양분이 교환되는 장소이기 때문이다.

만일에 간질에 전자를 실은 산성 체액이 정체하게 되면, 간질의 체액은 점성이 엄청나게 올라가게 되고, 간질의 체액 소통은 막히고 만다. 그러면 간질에 전자가 자동으로 쌓이게 되고, 이 전자는 MMP를 불러내서 인체를 괴롭히게 된다. 우리는 이것을 질병(疾病)이라고 말한다. 즉, 질병이란 결국에 인체의 정보 소통이 막힌 것이다. 한의학적으로 말하면, 기(氣)의 소통이 막힌 것이다. 양자역학적으로 말하면, 전자의 소통이 막힌 것이다. 이때 나타나는 구원투수가 바로 면역(免疫:immunity)이다. 정확히 말하면 이곳으로 면역 세포가 달려온다. 그리고 이들이 간질에 적체해있는 전자를 먹어치워서 물로 중화하면 간질의 체액은 알칼리화되고 간질은 소통되면서, 정보의 흐름은 정상으로 되돌아간다. 그래서 면역은 인체의 정보를 소통시키는 핵심이 된다. 그래서 면역은 인체의 정보 소통 측면에서 보면 아주 아주 중요한 존재이다. 생체의 정보 소통은 생체가 살아있게 하는 핵심이라는 사실을 상기해보자. 그래서 인체는 면역의 작동이 멈추는 순간 곧바로 죽게 될 수밖에 없다. 이만큼 면역이 중요하다. 참고로 한의학에서는 면역을 위기(衛氣)라고 부른다. 즉, 한의학에서 면역은 인체를 지키는(衛) 에너지(氣)라는 뜻이다. 정확히 맞는 말이다. 종합해보면, 인체 정보는 세 가지 과정을 통해서 이뤄진다. 즉, 세포의 전자 흡수, 호르몬 분비, 신경 전달이다. 다시 말해서 이 세 가지 과정이 순조로우면 건강하다는 뜻이다. 지금 기술한 이 과정이 양자역학을 전공한 유명한 거장들이 찾고자 했던 생체의 정보 소통이다. 그리고 그들이 그토록 알고자 했던, "생명이란 무엇인가?"에 대한 해답이다. 결국에 지금의 코로나 문제도 생체의 정보 소통의 문제이다. 간질에 과잉 전자가 쌓이게 되고, 정보의 소통이 막히게 되면, 이 정체한 에너지는 코로나의 자양분이 된다. 즉, 코로나 문제는 체액의 건전한 소통 문제로 귀결한다. 그리고 이 소통은 우리가 먹고 생각하는 문제에서 나온다. 즉, 먹거리와 스트레스가 문제라는 뜻이다. 이 개념은 한의학과 동양의학의 기반인 황제내경의 철학이기도 하다. 결론을 내보면, 모든 감염과 바이러스 문제는 무조건 간질에 산성 체액이 정체하면서, 과잉 전자가 공급되면서 일어나는 현상에 불과하다. 결국에 모든 감염 문제는 에너지의 공급이 필수이므로, 간질에 산성 체액이 정체하는 것만 막으면 간단히 해결된다. 즉, 간질에 산성 체액의 정체를 막으면, 당연한 순리로 과잉 전자는 만들어지지 않게 되고, 이어서 바이러스가 살아갈 자양분이 없어지면서, 결국에 바이러스 등의 감염 균들은 굶어서 죽게 된다. 이렇게 간질에 에너지를 없애서 감염 균들을 굶기게 되면, 즉, 간질 체액을 알칼리로 만들어주면, 바이러스 등의 감염 균들이 아무리 변이해서 진화를 해봤자 먹이가 없으니 어떤 균도 살아남을 수가 없게 된다. 그래서 본 연구소에서 나온 소책자의 이름이 "코로나를 굶겨 죽여라(치료는 상한론으로)"이었다. 에너지인 밥이 없어지면, 어떤 생명체도 굶어서 죽을 수밖에 없게 된다. 이 상황에서는 변이건 진화건 무조건 안 통한다. 결국에는 모두 굶어서 죽을 수밖에 없다. 그래서 간질 체액을 전자라는 에너지가 없는 알칼리 환경으로 만들어주면, 어떤 감염도 일어날 수가 없게 된다. 최근에는 항생제도 듣지 않는 슈퍼 박테리아가 나오고, 최첨단 현대의학이 손을 놓고 있는 다른 감염증들도 속속 나타나고 있는데, 이들 모두는 절대로 예외 없이 에너지가 없으면, 생존이 불가한 생체들이다. 우리는 언제까지 이들과 각개 전투를 벌일 것인가? 게다가 이들은 끝없이 진화하는데, 이들을 어떻게 일일이 쫓아가서 대응할 것인가? 이런 전략으로 이들을 다스리려고 하면 이들과 싸움에서 실패는 이미 정해지게 된다. 해답은 양자역학이고, 이 양자역학을 기반으로 만들어진 황제내경이다.

5. 양자역학이 바라보는 생명현상에 관한 기타 문제들. 생기(生氣), 음의 엔트로피, 복잡계, 환원론, 도킨스

양자역학이 바라보는 생명현상에 관한 기타 여러 가지 문제도 전자를 기준으로 풀면 간단히 풀린다. 하나씩 차곡차곡 풀어보자. 먼저 생기(生氣) 문제이다. 생기의 원천은 황제내경인데, 이 책의 소문 제2편 사기조신대론(四氣調神大論)에서 처음 등장해서 소문 제3편 생기통천론(生氣通天論)에서 정의하고 있다. 그리고 이 단어는 소문 전체를 통해서 아주 많이 등장한다. 그리고 이 단어의 정의는 지금까지 누구도 정확히 정의하지 못해왔다. 그도 그럴 것이 황제내경 자체가 어렵기로 소문난 양자역학을 기반으로 기술되어있기 때문이다. 그러다 보니까 이 단어의 정의는 구체적이지 못하고 관념적으로만 기술되어왔다. 그리고 서양의학이 현대의학을 주도하고 독점하면서 동양의학을 견제해왔다. 이 과정에서 생기(生氣)라는 단어는 현대의학을 전공하거나 심지어는 생명현상을 연구하는 학자들도 알러지(allergy) 반응의 원천으로 생각해왔다. 그래서 현대의학을 전공하는 학자들은 이 단어만 언급해도 알러지 반응을 보여왔다. 이만큼 이 단어에 대해서 거부감이 굉장히 심했었다. 아마도 동양의학에 대한 거부감도 포함되어있었을 것이다. 그러나 생기(生氣)라는 이 단어는 살아(生)있는 생체의 에너지(氣)라는 뜻이다. 생체(生)에는 분명히 에너지(氣)가 있다. 그러면 문제는 어디에서부터 잘못된 것일까? 답은 인체의 에너지를 ATP라고 잘못 정의한 데서부터 시작된다. 지금도 거의 모든 학자와 일반인들도 인체의 에너지를 ATP 라고 잘못 알고 있다. 다시 말하지만, ATP는 에너지를 조절해주는 보조인자이면서, 에너지를 싣고 다니는 담체에 불과하다. 즉, ATP 는 에너지가 아니다. 그 이유는 이미 앞에서 설명했다. 결국에 여기 서 생기(生氣)는 인체의 에너지로서 전자(Electron)를 말한다. 그리 고 이 생기는 동양의학에서 음양(陰陽)의 기준이 된다. 여기서 음 (陰)은 에너지 즉, 자유전자가 없는 상태를 말하고, 양(陽)은 에너지 즉, 자유전자가 있는 상태를 말한다. 이들에 관한 자세한 정의는 뒤 에 다시 다룰 것이다. 그래서 생기를 인정하지 않는다는 말은 인체 의 에너지는 전자가 아니라는 뜻이 된다. 이제 생명현상을 이해하 는데 일이 꼬이기 시작한다. 인체는 에너지로 작동하는 물체인데, 이 에너지를 혼동하고 있으니 생명현상이 제대로 풀리면 그게 더 이상할 것이다. 그래서 다음부터 나오는 생명현상에 대한 문제가 줄줄이 미제가 된다. 이러다 보니 양자역학에서는 생명을 엔트로피 로 풀려고 덤벼든다. 엔트로피는 인체가 에너지를 소통시키면서 나 타나는 부산물이다. 즉, 대부분 엔트로피는 열의 형태가 된다. 그러 면 이 엔트로피는 어떻게 만들어질까? 이 문제는 인체의 에너지가 전자라는 사실을 알면 간단히 풀린다. 그 이유는 인체의 에너지인 전자가 활동하면 자동으로 엔트로피가 만들어지기 때문이다. 그런데 무질서의 대표인 엔트로피로 생명현상을 풀려고 하면서 안 풀리니 까 이상한 단어를 도입한다. 그 이유는 인체에서 엔트로피가 무한 정 만들어지는 것이 아니라 평형점을 찾아가는 희한한 현상이 나타 나기 때문이다. 그래서 나온 구절이 "인체는 질서를 먹고 산다"와

"인체는 음의 엔트로피를 먹고 산다"이다. 그 이유는 간단하다. 앞에서 이미 설명했지만, 인체의 항상성은 산과 알칼리의 균형이다. 그리고 이 균형은 전자가 핵심이다. 즉, 체액의 산도 pH7.45가 산-알칼리 균형점이다. 그래서 이때 전자의 활동이 늘어나서 엔트로피가 늘어나면, 즉, 전자가 붙은 산(酸)의 작용이 늘어나면, 여기서 전자가 떨어져나와서 간질액의 산성도를 높이면, 인체는 곧바로 알칼리를 동원해서 이 전자를 중화해서 pH7.45를 맞춰 놓게 된다. 즉, 인체의 엔트로피가 평형을 찾는 것이다. 이 과정에서 음의 엔트로피가 만들어진다. 즉, 전자가 물로 중화되어서 전자의 활동이 멈춘 것이다. 당연히 엔트로피를 만들어내던 전자가 활동을 안 하니 자동으로 음의 엔트로피가 형성된다. 즉, 전자가 활동하면서 만들어내던 열이라는 엔트로피가 없어지는 것이다. 이 상태를 보고 인체의 엔트로피 평형이라고 말한다. 그런데 양자역학을 연구하는 거장들은 이 현상의 원리를 도무지 알지 못한다. 인체의 에너지는 분명히 ATP인데, 아무리 ATP를 닦달해보아도 ATP가 답을 주지 않는 것이다. 참으로 답답하고 환장할 노릇이다. 그러면 정상적인 지능을 가진 양자역학의 거장들이라면 ATP에 문제가 있다는 것쯤은 쉽게 알 수 있을 텐데, 끝까지 ATP를 넘어서지 못하고 만다. 그래서 생체가 어떻게 평형을 찾아가는지도 모르고 만다. 이제 거장으로서 체면이 있으니까 이를 묘한 단어로 얼버무리고 만다. 인체는 아주 복잡한 기계이므로, 복잡계 현상을 가지고 분석해야 한다고 한다. 즉, 인체는 너무 복잡해서 분석을 포기한다는 우회적인 말이다. 인체가 무슨 질서를 먹고 살고, 인체가 무슨 음의 엔트로피를 먹고 삽니까? 인체는 그냥 산-알칼리 평형을 맞추고 살 뿐이다. 그리고 이 평형을 맞추는 과정에서 열이 발생하면서 엔트로피가 만들어질 뿐이다. 여기서 소름이 끼칠 정도로 무서운 사실은 양자역학의 거장들이 풀지 못한 이 문제를 황제내경 저자들은 이미 몇천 년 전에 가지고 놀았다는 점이다. 과연 생기(生氣)가 알려지 반응의 단어일까? 인간의 최고 지혜 중에서 하나가 자신이 모르면 모른다고 하는 것이다. 생기를 모르면 그냥 모른다고 하면 될 것이지, 왜 알려지 반응을 보이냐는 말이다. 그리고 더 재미있는 것은 양자역학을 연구하면서 생명현상을 연구하는 학자들이 "식물은 태양 빛으로부터 가장 강력한 음의 엔트로피를 공급받는다"라고 말한다. 말도 안 되는 헛소리이다. 식물이나 인체나 전자를 기준으로 보면, 그냥 똑같은 자연의 일부에 불과하다. 그래서 식물도 태양 빛이라는 에너지를 받으면, 자동으로 식물 생체에 있는 전자가 자극을 받게 되고, 전자의 활동이 늘면서 자동으로 엔트로피는 증가한다. 이번에는 "인체는 에너지를 먹고 산다"라는 말은 터무니가 없는 소리라고 딱 잘라서 단정한다. 왜? 여기서 문제는 뭘까? 이것도 최첨단 현대의학이 쳐놓은 장벽 때문이다. 최첨단 현대의학은 인체를 가동하는 에너지를 다름 아닌 ATP로 규정하다 보니, 인체가 먹는 에너지는 칼로리(calorie)라는 개념으로 규정한다. 칼로리는 어떤 물체를 불로 태웠을 때 나오는 열을 기준으로 한다. 그래서 칼로리를 열량(熱量:calorie)이라고도 부른다. 이것은 인체를 돌리는 에너지가 자유전자라는 사실을 알면, 기절초풍할 노릇이다. 인체는 칼로리를 먹고 사는 것이 아니라, 자유전자가 붙은 산성 물질과 자유전자가 없는 알칼리 물질을 먹고 산다. 즉, 인체는 칼로리를 먹고 사는 것이 아니다. 우리가 먹는 먹거리 대부분은 알칼리이다. 이 알칼리는 위장으로 들어가서 자유전자를 가진 위산이 공급해주는 전자를 환원해서 인체의 에너지로 쓴다. 더불어 담즙산에 붙은 자유전자는 중성지방을 환원해서 인체로 흡수되고 에너지로 쓰인다. 그래서 인체는 정확히 에너지를 먹고 산다. 즉, 알칼리라는 담체를 이용해서 위산과 담즙산이 공급해주는 에너지인 자유전자를 환원받고 이것을 인체로 흡수해서 에너지로 사용하므로, 인체는 정확히 에너지를 먹고 산다. 즉, 최첨단 현대의학과 최첨단 현대과학인 양자역학은 아직도 인간이 음식을 왜 먹는지 그 이유를 모르고 있다. 그러면 칼로리 개념은 어디에서 잘못된 걸까? 또, 칼로리의 정확한 개념은 뭘까? 칼로리는 어떤 물체를 불로 태웠을 때 나오는 열량이라고 앞에서 말했다. 그러면 이 열은 도대체 어디에서 온 걸까? 답은 전자이다. 즉, 칼로리를 대표하는 열은 전자가 불에 산화되어서 공기 중으로 날아가면서 나타나는 현상이다. 그래서 물체를 불로 태우게 되면, 한 줌의 재만 남게 된다. 질량 대부분은 전자가 초고속으로 회전하면서 만들어내는 빈 공간(空)이라는 사실을 앞에서 불교를 예로 들어서 설명했다. 즉, 칼로리의 원천은 다름 아닌 전자이다. 그런데 여기서 말하는 전자는 의미가 다르다. 인체의 에너지를 말할 때 전자는 자유전자(Free Electron)이다. 즉, 자유전자가 인체를 돌리는 에너지이다. 그리고 열량을 말할 때 그리고 질량을 말할 때 에너지인 전자는 물체에 고정된 전자를 말한다. 즉, 화학에서 말하는 악텟 규칙(Octet Rule)에서 나오는 전자를 말한다. 그리고 이 고정된 전자(immovable Electron)는 인체의 에너지 대사에 전혀 관여하지 못한다. 물체에 잡혀서 움직일 수가 없으니 인체를 순환하는 에너지가 되지 못하는 것은 당연하다. 즉, 물체에 고정된 전자는 이에 잡혀서 꼼짝하지 못하므로, 인체에서 연속해서 흐르면서 인체의 정보 소통 도구가 못 된다. 인체의 에너지인 자유전자는 인체 정보 소통 도구라는 사실을 상기해보자. 그래서 칼로리를 인체의 에너지로 착각해서 우리가 먹는 음식을 칼로리로 계산하는 웃지 못할 촌극을 벌이고 있다. 그리고 이것을 가지고 과학이라고 사기를 치면서 다이어트에 참고하란다. 이것이 최첨단이라고 자랑하고 있는 최첨단 현대의학의 낯부끄러운 민망한 민낯이다. 그리고 이런 칼로리 개념을 가지고 다이어트를 하니 다이어트가 되겠는가? 소가 웃을 일이다. 요즘 대유행하고 있는 간헐적 단식 문제도 최첨단 현대의학은 정확히 설명하지 못하고 있다. 그러나 전자생리학으로 풀면 간단하다. 여기서 핵심은 밤(夜:Night)이다. 밤에 수면을 취하면, 미주 신경이 작동한다. 그리고 이 미주 신경은 항산화 작용을 한다. 즉, 과잉 산을 제거해준다. 더 정확히 말하자면, 과잉 산에 붙은 에너지인 자유전자를 빼내서 중화해준다. 이렇게 과잉 에너지가 제거되면 당연히 쌀이 안 찐다. 이때 짧은 시간 단식해서 밥이 인체 안으로 위산을 통해서 자유전자라는 에너지를 추가로 공급해주지 않으므로, 당연히 살은 찔 수가 없다. 그리고 이때 미주 신경이 사용하는 도구가 피부에 있는 갈색지방이다. 이 갈색지방은 과잉 자유전자를 중화하는 최고의 전문가이다. 이를 전문 용어를 빌려서 말하자면, Uncoupling이라고 말한다. 보통은 미토콘드리아의 전자전달계에서 자유전자가 산소를 통해서 물로 중화되면, 이와 동시에 짝(Coupling)을 맞춰서 ATP가 만들어진다. 그러나 Uncoupling은 여기서 엇박자(Uncoupling)가 나면서 ATP는 만들어지지 않고 오직 자유전자만 물로 중화한다. 그래서 Uncoupling이다. 그래서 갈색지방(Brown Fat)은 살이 찌는 과잉 에너지를 제거하는 전문가가 될 수 있다. 그리고 이 과정에서 전자가 물로 중화되었으므로, 당연히 열이 발생한다. 이를 보고, 최첨단 현대의학은 갈색지방이 에너지를 소비했다고 말한다. 간헐적 단식이 너무나 인기도 있고 유행하고 있으니까 조금만 더 보자. 여기서도 칼로리가 예외 없이 등장한다. 그런데 의사 처방이 아주 재미가 있다. 설탕과 쌀밥은 빼고 단백질의 보충을 위해서는 육식은 추가하란다. 한마디로 생쇼를 벌이고 있다. 즉, 설탕과 쌀밥을 도매금으로 싸잡아서 탄수화물로 묶어버리고 있다. 여기서 전자생리학으로 보면, 설탕은 산성 식품으로서 병의 근원이 되고, 쌀밥은 알칼리 식품으로서 병을 치료하는 도구가 된다. 그리고 이 쌀밥은 에스터인 전분이므로 인체에 들어가면, 병의 근원인 전자를 수거해서 포도당으로 변하고 이어서 미토콘드리아에서 산소를 이용해서 이들을 중화해주는 최고의 도구이다. 그런데 이런 과잉 전자 수거 도구인 쌀밥은 빼고, 공장식 축사에서 길러서 과잉 전자가 잔뜩 든 고기는 단백질 보충을 위해서 먹으란다. 한마디로 약은 빼고 독은 먹으란다. 도대체 의사의 이런 처방은 어디서 잘못된 것일까? 여기서 의사를 욕할 수도 없다. 그들은 학교에서 배운 그대로를 실천하고 있기 때문이다. 즉, 단백질 생리학을 그대로 실천하고 있을 뿐이다. 그러니 간헐적 단식의 효과가 들

쑥날쑥할 수밖에 없다. 그리고 더 큰 문제는 이 간헐적 단식의 부작용은 전혀 알리지 않는 채 시청률을 위해서 몇몇 좋은 사례만 취사 선택해서 방송하고 있다. 간헐적 단식의 핵심은 하루 24시간 중에서 그 절반인 12시간은 공복을 유지한다는 데 있다. 문제는 이 12시간의 공복 시간에 인체는 계속 신진대사를 하면서 산성 노폐물을 간질로 내보낸다. 즉, 공복인 12시간 동안 간질에 과잉 전자가 쌓이는 것이다. 그러면, 어떤 일이 일어날까? 문제는 심각해진다. 여기서 근본적인 문제는 밥이 하는 역할을 모르면서 간헐적 단식을 실행하고 있다는 데 있다. 밥은 일반적으로 알칼리를 먹어서, 이 알칼리가 인체가 신진대사를 하면서 만들어낸 전자를 수거해서 중화하는 역할이다. 그런데 우리는 가공식품과 공장식 축산의 육식을 즐겨 먹으면서, 밥이 알칼리가 아닌 산성으로 변해있다. 이 원리를 알면 12시간을 굶으면 안 된다. 그리고 더 심각한 것은, 12시간을 공복으로 유지하면서 알칼리인 쌀밥은 되도록 피하는 것이다. 그리고 산성인 고기는 먹는다. 그러니 다이어트가 제대로 되겠는가? 여기서 더 심각한 것은 식사의 양을 줄이는 것이다. 즉, 적게 먹으면 장수한다는 이상한 전설이 여전히 통하고 있다. 이 이론은 이미 폐기된 이론이다. 한마디로 간헐적 단식은 엉망진창인 다이어트 방법이다. 그러니 부작용이 심하게 나타날 수밖에 없다. 간헐적 단식 동안인 12시간 동안 쌓인 과잉 전자는 이제 MMP를 불러낸다. 그러면 이 MMP는 근육에 붙은 콜라겐 단백질을 분해해버린다. 그래서 간헐적 단식을 하다가 보면, 소변을 볼 때 피가 나온다. 즉, 방광에 과잉 전자가 적체하면서 방광 근육의 콜라겐을 MMP가 분해하면서 실핏줄이 터진 것이다. 이것을 보고 최첨단 현대의학은 횡문근 융해증(Rhabdomyolysis)이라고 말한다. 이것을 쉽게 말하면 근육 세포가 녹았다는 뜻이다. 더 쉽게 말하면 공복 시간 때 간질에 과잉 전자가 적체하면서 MMP를 동원해서 근육의 콜라겐 단백질을 분해한 것이다. 그러면 방광이 이 정도면 다른 장기는 말해서 뭐하겠는가? 당연히 근육량이 감소할 수밖에 없다. 그러면 더 재미있는 처방이 내려진다. 단백질로 구성된 근육이 줄었으니까 단백질을 먹어서 근육을 채워야 한다며, 과잉 전자가 잔뜩 든 고기를 먹으란다. 당연한 결과로 결국에 다이어트는 실패하게 된다. 먹지 말아야 할 음식을 먹었으니 다이어트가 제대로 될 리가 만무하다. 그러면 과잉 전자를 끌어안고 있는 인체는 간질의 콜라겐을 분해하고도 모자라면, 이제 알칼리의 보고인 뼈를 공격한다. 그 결과 간헐적 단식의 부작용으로 골다공증(osteoporosis:骨多孔症)이 생긴다. 그리고 이 과잉 전자는 면역 세포인 백혈구를 당연히 죽이고 만다. 즉, 과잉 전자에 의해서 백혈구가 희생당하는 것이다. 이때 백혈구 수치를 측정하면 당연한 결과로 백혈구 수치는 감소한 것으로 나타난다. 그리고 피부는 진피의 70% 이상이 콜라겐으로 구성되어있다. 그런데, 공복으로 인해서 간질에 과잉 전자가 쌓이면, 이 진피의 알칼리 콜라겐은 곧바로 MMP의 표적이 되면서, 분해되어서 소실되고 만다. 우리는 이것을 보고 피부에 노화가 왔다고 말한다. 즉, 간헐적 단식 때문에 피부 노화가 진행된 것이다. 이제 피부의 콜라겐에 뿌리를 박고 있는 모발도 뽑히고 만다. 우리는 이것을 탈모라고 말한다. 이외에도 부작용이 많을 수밖에 없는 이유가, 12시간 공복으로 인해서 간질에 쌓인 과잉 전자는 백병의 근원이기 때문이다. 이것이 전자생리학으로 바라본 간헐적 단식의 꼴 사나운 민낯이다. 이건 미친 짓이다. 인체는 24시간 끊임없이 호흡하면서 많은 산성 노폐물을 만들어내고, 여기에는 많은 전자가 붙어있다. 그리고 이 전자는 곧바로 중화되어야 하는데, 하루의 절반인 12시간을 공복으로 지내라고! 인체는 말도 하지 못하고 미치고 환장한다. 그러면 인체도 살아야 하니까 인체를 닥치는 대로 파괴해서 과잉 전자를 중화하게 되는데, 이것이 다이어트 부작용이다. 다이어트는 어려운 것이 아니다. 핵심은 호르몬(Hormone)이다. 호르몬 조절만 하면 다이어트는 끝이다.

에너지 문제가 나왔으니 최첨단 현대의학이 인류의 적으로 만들어버린 소금 문제를 짚고 가보자. 소금과 에너지는 무슨 관계일까? 눈치가 빠른 독자들은 이미 눈치챘을 것이다. 위산은 염산(HCl)이고, 소금은 염화나트륨($NaCl$)이다. 여기서 에너지인 전자를 달고 다니는 공통 인자는 염소(Cl^-)이다. 즉, 소금과 위산의 공통점은 에너지를 달고 다니는 염소를 보유하고 있다는 사실이다. 그리고 위산과 담즙산 일부는 대변이나 소변을 통해서 체외로 배출된다. 즉, 대변이나 소변을 통해서 염소 일부가 인체의 에너지인 자유전자를 보유한 채 체외로 버려지는 것이다. 그러면 인체는 이만큼 원래 보유하고 있던 에너지인 자유전자가 부족하게 된다. 이 부족한 에너지인 전자를 소금을 통해서 보충하는 것이다. 그래서 소금은 인체의 에너지 항상성을 위해서 아주 아주 중요한 인자이다. 그래서 동물들은 이런 기능을 보유한 소금을 얻기 위해서 수십 킬로를 강행군한다. 그런데 여기서 재미있는 것은 소금을 찾아서 강행군하는 동물 중에는 모두 초식동물들뿐이라는 사실이다. 왜? 답은 에너지의 섭취 방법에 있다. 초식동물들은 에너지가 거의 없는 풀을 먹고 산다. 그래서 초식동물들은 항상 에너지가 부족할 수밖에 없다. 여기서 에너지는 대부분 질소가 공급한다. 즉, 단백질에 붙은 질소가 에너지 공급 도구이다. 그런데 풀은 단백질을 아주 적게 보유하고 있다. 그래서 초식동물은 항상 에너지를 소금을 통해서 보충해줘야 한다. 그래서 아프리카 대평원의 초식동물들은 소금을 얻기 위해서 강행군을 한다. 그러나 육식하는 사자 같은 육식 동물은 항상 에너지가 풍부한 육식을 하므로 추가로 에너지를 보충하기 위해서 강행군을 할 필요가 없다. 즉, 육식 동물들은 육식에 풍부한 단백질이 에너지를 공급해주므로, 굳이 소금을 먹어서 에너지를 보충할 필요가 없다. 그리고 집에서 애완견을 키우면서 에너지가 부족한 사료만 먹이게 되면, 이 애완견은 가끔 흙을 먹는다. 그 이유는 부족한 에너지를 흙에 있는 염분을 통해서 보충하는 것이다. 흙에는 항상 일정량의 염분이 있다는 사실을 상기해보자. 그리고 이 현상은 인간에게서도 나타난다. 얼마 전 방송에서 나왔던 기사인데, 태평양 섬나라 아이티(Haiti)의 기근이 너무 심해서 극도로 굶주린 빈민들이 바다 진흙을 먹는 장면이 보도되었다. 이것도 앞에서 말한 개가 흙을 먹는 원리와 똑같다. 이 바다 진흙에는 에너지인 자유전자가 꽤 많이 들어있다. 바닷물에는 전자를 흡수하는 미네랄이 많다는 사실을 상기해보자. 이때 진흙이 에너지인 자유전자를 옮겨주는 도구가 된다. 그리고 부유한 사람들이 먹는 음식도 에너지인 자유전자를 옮겨주는 도구일 뿐이다. 그래서 이 두 부류 사람들의 차이는 에너지인 자유전자를 옮겨주는 도구가 다를 뿐이다. 하나는 흙이고, 하나는 밥이다. 그러면 이 가난한 사람들이 왜 진흙을 먹으며, 먹어도 큰 문제가 되지 않은지 이해가 갈 것이다. 그러면 왜 소금은 인류의 적이 되었을까? 답은 가공식품에 있고, 더 정확히는 가공식품을 제조할 때 필수 품목인 식품 첨가물에 있다. 이 식품 첨가물은 대부분이 산성이다. 즉, 자유전자가 많이 들어있는 재료가 식품 첨가물이다. 그래서 인류의 적은 소금이 아니라 식품 첨가물이다. 이것이 최첨단이라고 자랑하고 있는 최첨단 현대의학의 낯부끄러운 민망한 민낯이다. 이렇게 소금을 가지고 건강 문제를 말하니 건강이 제대로 유지되겠는가?

이번에는 DNA 문제를 조금만 보태보자. 이미 앞에서 설명했지만 조금만 더 보태보자. X-선을 생명체에 쏘이면, 이온화(ionization) 현상이 일어나고, 이어서 DNA에서 돌연변이가 일어나고, 특히 이온화의 정도에 따라서 돌연변이의 정도가 비례한다는 사실도 잘 알고 있다. 그런데 이때 DNA에 돌연변이가 왜 일어나는지를 아직도 모르고 있다. 참으로 환장할 노릇이다. 도대체 어디에서 잘못된 것일까? 문제는 이온화의 정의를 이해하는 데 있다. 즉, 이온화를 전자 문제로 보지 않는 것이다. 답답한 것은 분명히 이온화는 전자 문제인데 말이다. 이온화 문제를 정확히 이해하게 되면, X-선을 생명체에 쏘였을 때 DNA에 돌연변이가 일어나는 이유는 곧바로 전자 문제라는 사실을 아주 쉽게 알게 된다. 그러면 돌연변이가 일어날 때 왜 DNA일까? 그 이유는 간단하다. DNA는 강염기 즉, 강알칼리이므로, 전자를 최고로 잘 흡수하기 때문이다. 그래서 DNA는 원초적으로 자유전자에 아주 취약한 구조를 하고 있다. 그래서 이 때 방사선으로 에너지를 공급해서 이온화를 가속화시키면, 이때 생긴 전자가 자동으로 DNA의 전하를 바꾸게 되고, DNA는 자동으로 돌연변이를 일으키게 된다. 이렇게 간단한 문제를 아직도 수십 년씩 생명을 연구해온 학자들은 머리를 싸매고 한숨만 쉬고 있다. 참으로 안쓰럽기가 그지없다. 연구라는 것은, 기존의 가정을 가지고 실행하게 되는데, 만일에 연구할 때 문제가 안 풀리면, 기존의 가정을 의심해볼 만도 한데, 여전히 기존의 가정에 매달려있다. 당연히 문제는 안 풀린다. 이 문제는 황제내경을 연구하던 학자들도 마찬가지였다. 즉, 기존에 나와 있는 자료만 가지고 연구를 계속해나가니 황제내경이 제대로 풀릴 리가 만무하다. 그래서 생명현상을 제대로 탐구하고자 원한다면, 지금이라도 연구하는 자세를 바꿔야 한다. 즉, 고정관념에서 벗어나라는 뜻이다. 물론 연구를 수행하면서 연구자는 자유로이 자기 뜻대로 연구하지 못한다는 딱한 현실이 있기는 하다. 대부분은 연구 용역을 주는 쪽에서 시킨 대로 하게 된다. 즉, 연구가 능동적인 연구가 되는 것이 아니라 수동적인 연구가 되고 만다.

이번에는 생기론(生氣論)만큼이나 알러지 반응을 보이는 문구를 보자. 바로 환원론(reductionism:還元主義)이다. 서구 과학계나 일반 여론에서 환원론을 말하면, 거의 대부분은 알러지 반응을 보인다. 이유는 뭘까? 이 환원론을 거룩하고 만물의 영장인 인간에게 적용하는 것은 불경스럽다는 것이다. 그러나 여기에는 모순이 있고, 자기들의 악행을 감추기 위한 전략도 숨어있다. 아메리카 원주민을 몰살시키고, 세계 곳곳에 식민지를 개척해서 악행이라는 악행은 모두 다 저지른 사람들이 인간은 거룩하다고! 물론 자기 계통에 속하는 인간만 거룩하겠지만! 그리고 인간은 자연과 다른 특별한 존재로서 만물의 영장이니까 자연을 마구잡이로 파헤쳐도 된다고! 그래서 자연이나 기계는 환원론으로 설명해도 되지만, 거룩한 인간은 환원론으로 설명해서는 안 된다는 것이다. 이 사상이 얼마나 무섭게 작용하는지를 보려면 슈뢰딩거를 보면 안다. 슈뢰딩거는 남의 눈치 안 보기로 유명한 사람이다. 그런데 이 사람조차 환원론에서는 입을 닫는다. 그리고 환원론적인 원리가 나오면 교묘히 피해간다. 슈뢰딩거나 양자역학을 공부하는 학자들은 과학계에서 거두들이다. 한마디로 화학이나 물리학을 가지고 노는 사람들이다. 그러면 간단한 결론이 나온다. 태양계 아래 존재하는 모든 물체는 반드시 공유결합을 통해서 존재한다는 사실을 아주 아주 잘 안다. 그리고 이 공유결합이 풀리는 것이 환원(還元:reduction)이다. 이때 전자가 반드시 필요하다. 즉, 전자가 부족한 공유결합에 전자를 공급하면 환원되면서 물체는 분리된다. 이것이 환원이다. 인간도 죽으면 환원되어서 분리된다. 우리는 이것을 보고 썩는다고 표현할 뿐이다. 즉, 인간도 환원되는 것이다. 그래서 결국은 인간도 환원론에서 벗어날 수 없는 존재라는 사실은 세 살 먹은 아이도 알 수 있는 상식이다.

그럼에도 불구하고 아직도 서양에서는 이 환원론을 인간에게 적용하는 것은 거의 금기 사항이다. 이러고도 생명의 신비를 풀겠다고 야단법석을 떤다. 그리고 양자역학 학자들도 이 기류에서는 꼼짝도 하지 못하고 뒤로 숨는다. 그래야 학자로서 명성을 얻고 부를 얻어서 잘 먹고, 잘 살 수 있으니까 이해는 간다. 그러나 이런 양태는 진리를 탐구하는 학자의 태도는 아니다. 그러나 동양철학에서 인간은 지극히 자연의 일부에 불과하다. 그래서 인간의 소우주론이 나오고, 인내천 사상이 나온다. 즉, 자연과 인간은 똑같은 존재라는 뜻이다. 즉, 인간도 자연을 구성하는 일부이므로, 자연에서 통하는 원리는 인간에게도 똑같이 통한다는 뜻이다. 그래서 동양철학에서는 아예 환원론은 거론할 가치조차도 없는 단어이다. 이것이 동양철학을 그대로 담고 있는 황제내경의 철학이다. 그런데 이런 황제내경을 환원론에 갇혀있는 서양과학을 배운 사람들이 풀겠다고! 소가 웃을 일이다. 결국에 황제내경이 안 풀리니까 이 책은 미신이라고 치부하고 자기들의 무지와 오만을 덮기에 바쁘다. 인체는 끊임없이 공유결합을 통해서 물질을 만들고 환원을 통해서 물질을 분비하고 분해한다. 이것이 신진대사(新陳代謝)이다. 즉, 이것이 매 순간 인체 안에서 일어나는 물질대사(物質代謝:metabolism)이다. 여기에는 반드시 전자의 환원과 공유결합이 반드시 수반된다. 한마디로 전자를 주고받는 과정이 물질대사로서 신진대사이다. 그래서 대사를 말하는 단어인 메타볼리즘(metabolism)은 주고받는다는 뜻이다. 즉, 전자를 주고받는 과정이 대사로서 메타볼리즘이다. 그래야 인체 안에서 물질이 만들어지고 분해되기 때문이다. 그런데 환원론에 빠진 사람들은 인체 안에서 주고받을 것이 없다는 것이다. 그래서 이 대사라는 메타볼리즘도 싫어하는 단어 중에서 하나가 되고 만다. 이러고도 생명현상을 연구하겠다고 야단법석이다. 이 광경을 보고 있노라면 한마디로 안쓰럽기가 그지없다. 물론 학자로서 성공하려면 거대한 기득권의 눈치를 봐야 연구 기반이 마련되므로 이해는 간다. 아니면 연구비가 끊겨서 평범하고 끼니를 걱정하는 조그만 존재로 변하고 말 테니까! 생명체는 이 공유결합이 중심이 되어서 전자가 만들어내는 다른 힘들도 같이 작용하는데, 서양철학은 이 역시도 생명에서는 신비한 어떤 힘이 있어서 자연과 다르게 작동하므로 인정할 수 없다는 것이다. 즉, 공유결합을 중심으로 생명에서도 수소결합(水素結合:hydrogen bond), 반데르발스 힘(van der Waals' force) 그리고 정전기력(靜電氣力:electrostatic force)이 작용한다. 특히, 수소결합은 DNA에서 특히 잘 작동하고 있는 힘이다. 이 부분을 보고 있노라면, 인간의 생각이 과학을 우선한다. 즉, 과학은 과학의 논리로 풀어야 하는데, 과학을 인간의 아집(我執)과 오기(傲氣:汚氣)로 풀고 있다. 즉, 정치가 과학을 주도하고 있는 상황이다. 인간의 인체 안에 있는 단백질은 물에 잠겨있게 되면, 반도체(半導體:semiconductor)의 성질을 가진다는 사실은 무척 오래전에 이미 밝혀졌다. 그러나 철저히 무시되었다. 인간에게서 반도체라는 자연현상은 불경스러운 일이기 때문이다. 그리고 전기로 작동하는 심장은 압전기(piezoelectricity:壓電氣)로 움직인다는 사실도 잘 알려진 사실이고, 또, 이 원리를 이용해서 인공 심장까지도 만들어내서 특허까지 출원한 상태이다. 그러나 인체에서 이런 압전기 같은 현상은 말도 안 되는 소리라고 일축한다. 다시 말하자면, 생각(Fiction)이 사실(Fact)을 앞서는 것이다. 그러니 생명의 신비가 밝혀지겠는가? 그러다 보니 "생명이란 무엇인가?"라는 주제가 무주공산이 되어버렸고, 너도나도 한마디씩 해보겠다고 나서는 바람에 무수히 많은 책이 쏟아져나오게 된다. 이때 서구 기득권의 생각에 정확히 딱 들어맞는 책이 한 권 나왔다. 필자가 생각하기에는 이 주제를 논의하기에는 최악의 책이다. 즉, 생명현상을 말하기에는 최악의 책이, 이 책이다. 그러나 이 책은 서구 기득권의 광고 선전 공세에 힘입어서 세계적인 명성을 얻었고, 물론 한국에서도 베스트 셀러가 되었다. 저자는 당연히 명성과 부를 동시에 거머쥐게 되었다. 즉, 저자는 서구의 허무맹랑한 사상에 영합해서 인기를 얻은 것이다. 이 책은 장장 40년간이나 베스트 셀러가 되고 있다. 이 책의 이름은 그 유명한 "이기적 유전자(The Selfish Gene)"이다. 이 책의 저자는 리처드 도킨스(Clinton Richard Dawkins)이다. 도킨스는 이 책으로 인해서 상(賞)도 무수히 받았다. 물론 도킨스를 욕하는 것은 아니다. 어차피 도킨스도 자기가 사는 사회의 규범에서 벗어날 수는 없으니까! 유전자는 전자가 조종하는 대로 움직일 뿐이지 이기적이지도 않고 이타적이기도 않다. 유전자는 그냥 전자가 시키는 대로 움직일 뿐이다. 그러나 전 세계는 이 소설 같은 허구를 보고 40년간이나 열광하고 있다. 이 모습을 보고 있노라면 뒷맛이 씁쓸할 뿐이다. 지금도 대부분 분자생물학자는 무생물체에 대한 화학과 생물체에 대한 화학 사이에는 연속성이 있다고 말하고 있다. 즉, 무생물체에 흐르고 있는 원리나 생물체에 흐르고 있는 원리가 같다는 뜻이다. 그러나 이 말은 '주장'이라고 취급되고 있다. 즉, 이 사실은 원리가 아니라 일부 사람들의 '주장'에 불과하다는 것이다. 즉, 여전히 DNA에 집착하고 있다. DNA가 인체의 모든 것이라는 것이다. 그런데 이들에게는 미안한 말이 되겠지만, 사람 같은 생명체가 죽어도 DNA는 상당 기간을 멀쩡하게 살아있다. 이 사실도 너무나 잘 알려진 사실이다. 즉, DNA가 생명체를 좌지우지한다면, 생명체가 죽으면 DNA도 죽어야 마땅하다. DNA는 왜 안 죽을까? 생명체는 전자가 통제하는 정보의 흐름이 끊기면 죽게 된다. 이미 앞에서 설명했다. 즉, DNA가 죽으면 생명체가 죽는 것이 아니라, 정보가 죽으면 생명체가 죽게 된다. 다시 말하면, 전자의 흐름이 끊기면 생명도 끊기는 것이다. 이 이야기는 할 말이 너무 많아서 따로 책을 한 권 써도 모자란다. 그래서 이 문제는 여기서 줄일 수밖에 없다.

그래서 결국은 "생명이란 무엇인가?"를 탐구하려면 황제내경을 연구할 수밖에 없게 된다. 그러면 그 답은 아주 쉽게 나온다. 황제내경에서는 이 전자를 다르게 표현한다. 전자는 서양식 표현이다. 그리고 이 전자는 인간을 쥐락펴락하는 존재이다. 즉, 인체는 전자의 놀이터이고, 전자는 인체를 가지고 논다. 이런 의미에서 황제내경에서 전자(Electron)는 신(神)이다. 물론 여기서 신은 종교에서 말하는 신(神)은 아니다. 그래서 황제내경을 정확히 알려면 신(神)이라는 단어부터 정확히 알아야 한다. 즉, 황제내경에서는 신(神)이 인체를 가지고 놀기 때문에, 신(神)을 잘 다스리는 것이 인체의 건강을 지키는 지름길이 된다. 그러면 이열치열(以熱治熱)이라고 했듯이 즉,

열은 열로 다스리라고 했듯이. 신은 신으로 다스리는 이신치신(以神治神)의 원리가 나와야 한다. 그 도구가 바로 침(鍼)이다. 이때 침은 철(鐵:Fe)이다. 철은 전자에 아주 잘 반응한다. 즉, 철은 환원철(Fe^{2+})과 산화철(Fe^{3+})이라는 사이를 아주 잘 오간다. 즉, 자유전자를 아주 잘 주고받는다. 그러면 전자의 놀이터인 인체를 침으로 다스린다는 논리는 정확히 맞는 논리가 된다. 그래서 침으로 다스리지 못하는 병은 없다는 말도 정확히 맞는 말이 된다. 문제는 침을 놓는 방법을 얼마나 정확히 아느냐가 된다. 이제 침의 환상적인 세계로 여행을 떠나보자. 그리고 침과 실과 바늘의 관계인 경락도 같이 알아보자. 이 둘은 상부상조하는 관계이므로 둘 중에서 하나만 빠져도 이 둘은 곧바로 무용지물이 된다. 그래서 이 둘은 같이 공부해야 한다. 앞 첫 페이지에서 말했지만, 서양과학에 심하게 경도된 사람들은 이 책이 상당히 불편한 책이 될 것이다. 이때 제일 좋은 방법은 이 책을 곧바로 쓰레기통에 처박는 것이다. 괜히 읽어봤자 어차피 귀중한 시간만 낭비할 테니까 말이다. 그리고 전자는 인체의 정보를 소통하는 도구이므로, 침으로 전자를 조절한다는 말은 인체의 정보를 소통한다는 뜻이다. 즉, 침은 생체 정보를 소통시키는 도구라는 뜻이다. 그리고 그 생체 정보가 소통하는 길이 경락이다. 그래서 침은 생체 정보의 소통을 위해서 경락을 이용하게 된다. 그래서 이 둘은 환상적인 짝꿍이 된다. 이제 환상적인 새로운 세계로 여행을 떠나보자.

〈침, 경락 편〉

6. 음양(陰陽), 기(氣), 산, 알칼리, 전자(Electron), 신(神)

한의학과 동양의학에서 최고의 건강 조건은 기(氣)의 소통이다. 그러나 기(氣)라는 개념을 말하라고 하면, 말이 길어진다. 그 이유는 기(氣)의 개념을 관념적으로만 이해하고 있지 과학적으로 정확히 이해하고 있지 못하기 때문이다. 그리고 기(氣)의 개념을 정확히 알려면 양자역학(quantum mechanics:量子力學)의 개념을 도입해야 한다. 기(氣)는 보통은 에너지라고 말한다. 맞는 말이기는 하다. 그런데 양기(陽氣)가 있고 음기(陰氣)가 있다. 여기서 양기는 에너지를 가지고 있는 물체를 뜻하고, 음기는 에너지를 가지고 있지 않은 물체를 말한다. 그래서 기(氣)를 말할 때, 양자역학의 개념을 도입할 수밖에 없다. 양자역학에서 질량과 에너지는 같다($E=mc^2$). 여기서 말하는 에너지가 문제이다. 그리고 이 문제는 기(氣)의 정의와 연결된다. 우리가 일상에서 말하는 에너지는 자유전자(Free Electron)가 맞다. 그런데 이 에너지를 결정하는 전자는 두 가지가 있게 된다. 하나는 물체 안에 잡혀있는 전자가 있고, 하나는 물체를 자유자재로 들고날 수 있는 자유전자가 있다. 그리고 기(氣)는 에너지를 말하는데, 에너지의 전체 집합을 말한다. 즉, 물체에 잡혀있는 에너지와 물체를 자유자재로 들고날 수 있는 에너지 전체를 싸잡아서 기(氣)라고 부른다. 그러면 모든 물체에는 이에 잡혀서 고정되어있는 전자가 있으므로, 모든 물체에는 기(氣)라는 단어를 붙여도 된다. 그래서 우리는 일상에서 물기(氣), 습기(氣), 정기(氣), 오기(氣) 등등 수많은 물체에 기(氣)라는 글자를 붙일 수 있게 된다. 태양계 아래 존재하는 어떤 물체도 전자를 보유하지 않는 물체는 없기 때문이다. 그리고 자유전자라는 에너지를 가지고 음(陰)과 양(陽)을 나눈다. 즉, 자유전자를 가지고 있으면 양(陽)이 되고, 가지고 있지 않으면 음(陰)이 된다. 그래서 음기(陰氣)는 고정된 전자는 보유하고 있지만, 자유전자를 보유하지 않은 물질을 말하고, 양기(陽氣)는 고정된 전자도 보유하고 있고, 자유전자도 보유한 물질을 말한다. 그러면 기의 개념과 양기와 음기의 개념이 정확히 정의된다. 그리고 한의학이나 동양의학에서 건강의 최고봉은 기(氣)의 원활한 소통이다. 여기서 기의 원활한 소통이란 앞에서 이미 말한 정보의 소통을 말한다. 그리고 이때 정보는 전자가 주도한다. 그 방법은 세포의 전자 흡수, 호르몬 분비, 신경 전달로 대별된다. 즉, 인체는 이들 세 가지 과정을 통해서 정보가 소통하는 것이다. 그리고 이 소통이 하나라도 끊기게 되면, 병이 생기게 되고, 모두 끊기게 되면 생명도 끊기게 된다. 그래서 인체는 정보 소통을 잘하면 건강하게 된다. 즉, 전자의 소통이 간질 체액에서 막힘 없이 잘 되면, 건강하게 된다. 그리고 이 상태를 한의학이나 동양의학은 기(氣)의 소통이라고 말한다. 즉, 기의 소통은 정보의 소통이 된다. 그래서 이때 기(氣)라는 개념은 자유전자를 말한다. 그래서 기(氣)라는 개념을 이렇게 정의하면 쉽게 이해된다. 이것이 한의학이나 동양의학에 말하는 기(氣)의 정확한 정의이다. 이 정의를 가지고 한의학이나 동양의학을 이해하면, 정확하다. 그리고 에너지를 가지고 음과 양을 구별할 때, 자유전자를 가지고 구별하는데, 이 자유전자를 한의학이나 동양의학은 신(神)이라고 표현한다. 물론 여기서 신(神)은 종교적인 신(神)이 아니다. 그래서 음과 양을 결정하는 인자는 신(神)이 된다. 이것을 다시 현대과학에 적용해보면, 산(Acid)은 에너지인 자유전자를 가진 물질이 되고, 알칼리(Alkali)는 에너지인 자유전자를 가지지 않은 물질이 된다. 이 정의를 동서양 과학에서 합쳐보면, 산(Acid)은 양(陽)이 되고, 알칼리(Alkali)는 음(陰)이 된다. 그리고 에너지인 자유전자(Free Electron)는 신(神)이 된다. 그래서 한의학이나 동양의학에서 체액의 음과 양을 조절하는 것은 즉, 체액의 에너지 상태를 조절하는 것은 신(神)이 되고, 현대과학에서 체액의 에너지 상태를 조절하는 것은 자유전자가 된다. 그러면 자동으로 양은 산이 되고, 음은 알칼리가 된다. 이렇게 해서 동서양의 과학이 접점을 찾게 된다. 즉, 현대과학을 빌려서 황제내경을 설명할 수 있게 된다. 그래야 현대과학에 파묻혀있는 독자들을 황제내경으로 안내할 수 있게 된다. 다시 말하지만, 침과 경락을 이해할 때, 생체 정보 측면에서 이들을 보라는 것이다.

7. 오행(五行), 오성(五星), 오운육기(五運六氣), 코로나, 아마존

　그리고 음양에 항상 졸래졸래 따라서 다니는 존재가 오행(五行)이
다. 그래서 보통은 음양오행을 묶어서 말하기도 한다. 그런데 이 음
양오행도 정확한 정의를 묻게 되면 또, 말이 길어진다. 즉, 이 뜻을
관념적으로만 이해하고 있지 과학적으로 정확히 이해하고 있지 못
하기 때문이다. 이 음양오행을 알려면 먼저 오성(五星)을 알아야 한
다. 여기서 오성은 목성(木星), 화성(火星), 토성(土星), 금성(金星),
수성(水星)이다. 그래서 보통은 오행을 기술할 때 뒤에 성(星)을 빼
고 오행을 목화토금수(木火土金水)로 표현한다. 태양계 아래 존재하
는 모든 천체(天體)는 모두 에너지를 가지고 있다. 그래서 에너지로
움직이는 인체는 반드시 이들의 에너지에 의해서 영향을 받을 수밖
에 없게 된다. 그리고 이 에너지는 지구의 에너지도 당연히 간섭하
게 된다. 지구도 대기(大氣)라는 큰(大) 에너지(氣) 공간을 보유하고
있다는 사실을 상기해보자. 즉, 지구의 온난화를 생각하면 쉽게 이
해가 갈 것이다. 그래서 오성의 에너지는 인간이 거주하고 있는 지
구의 에너지를 간섭해서 인체의 에너지를 간섭하게 된다. 이때 오
성이 지구의 에너지를 간섭하면, 계절이 만들어진다. 우리는 일반적
으로 생각할 때 태양만이 계절에 영향을 미친다고 생각하는데, 이
는 아주 아주 큰 착각이다. 그래서 이때 오성이 만들어내는 계절은
따뜻한 에너지를 가진 목성이 만들어내는 따뜻한 봄, 무더운 화성
이 만들어내는 무더운 여름, 건조하고 쌀쌀한 금성이 만들어내는
건조하고 쌀쌀한 가을, 차가운 수성이 만들어내는 차가운 겨울이

된다. 그리고 토성은 아주 차가운 별이다. 그래서 토성은 장하(長夏)라는 여름의 끝자락인 장마철을 주도한다. 그 이유는 여름에 무더위가 하늘로 올려보낸 수증기를 토성의 차가운 에너지가 응결시켜서 비를 만들기 때문이다. 비는 수증기가 차가운 에너지를 만나서 응결된 물질이라는 사실을 상기해보자. 이렇게 해서 오성이 지구에 계절을 만들어내게 된다. 그리고 이 계절은 인체에 영향을 미쳐서 인체의 에너지를 간섭하게 된다. 결국에 계절은 오성이 인체의 에너지를 간섭하는 도구가 된다. 한의학이나 동양의학에서 이렇게 오성(五)이 운행(運行)하면서 만들어내는 에너지를 오행(五行)이라고도 하고, 오운(五運)이라고도 한다. 그래서 이 두 단어는 같은 뜻을 다르게 표현하고 있을 뿐이다. 즉, 둘 다 오성이 운행하면서 만들어내는 에너지를 말한다. 그리고 오성은 반드시 태양의 에너지를 받아서 운행한다. 그리고 태양은 지구의 대기 에너지도 간섭하게 된다. 그래서 인체의 에너지(氣)를 간섭하는 천체(天體)는 총 6개(六)가 된다. 그래서 이것을 육기(六氣)라고 표현한다. 종합적으로 보면, 이두 가지를 합쳐서 오운육기(五運六氣)가 나오게 된다. 결국에 오운육기는 신비한 무엇이 아니라 하늘에 존재하면서 지구의 에너지를 간섭해서 인체의 에너지를 간섭하는 6개의 천체 에너지를 말한다. 우리 인체는 에너지로 살아가므로, 인체의 에너지를 정상적으로 조절하기 위해서는 인체의 에너지를 간섭하는 인자를 반드시 이해하고 통제해야만 하는 숙명을 타고 태어났다. 지금까지 오운육기를 거의 미신으로 취급해왔다. 그러나 오운육기는 에너지라는 측면으로 보면 완벽한 과학이다. 특히 이 오운육기는 사주 관상을 볼 때 자주 듣게 되는데, 사주는 인간이 태어난 날짜와 관계하고, 관상은 에너지가 만들어낸 인체의 몸체와 관계한다. 전자가 만들어내는 에너지는 인체의 성장인자라는 사실을 상기해보자. 성장의 개념은 이미 앞에서 간단히 설명했다. 그리고 태어난 날짜는 계절을 말하므로 이것도 에너지와 관계한다. 그래서 사주 관상을 본다는 말은 인체의 에너지 관계를 보는 것에 불과하다. 인체를 통제하는 것은 에너지이므로 이는 당연한 일이 된다. 그래서 사주 관상은 미신이 아니라 정확히 완벽한 과학이 된다. 그리고 오행이나 오운은 농사에도 필요한 인자이다. 지금이야 곡식의 파종이나 수확 시기를 정확히 알고 있지만, 고대에는 이 사실을 어렵게 터득했다는 사실도 상기해보자. 오운육기가 더 중요한 것은, 이를 아주 잘 터득하게 되면, 연초에 해당 해의 날씨를 거의 정확히 예측할 수 있다는 사실이다. 아무리 최첨단 과학을 보유하고 있다고 자랑하는 최첨단 현대과학도 지구 곳곳에서 일어나는 천재지변에 손을 놓고 바라보고만 있는 현재 상황을 보면, 오운육기가 얼마나 대단한지 알 수 있을 것이다. 그리고 이 문제는 지금 전세계를 강타하고 있는 코로나와 같은 전염병도 정확히 예측할 수 있다는 데에 있다. 이에 관한 자세한 내용은 황제내경 소문 제71편 육원정기대론(六元正紀大論)에 자세히 나온다. 여기서는 치료하면서 유의 사항까지 제시한다. 그래서 이때 발생하는 전염병은 에너지 문제이므로, 지구의 에너지를 간섭해서 인체의 에너지를 간섭하는 오성에 따라서 전염병의 형태를 5가지로 나눈다. 즉, 오행이라는 에너지에 따라서, 목려(木厲), 화려(火厲), 토려(土厲), 금려(金厲), 수려(水厲)로 나뉜다. 한때 유럽을 강타했던 흑사병(黑死病)도 결국에는 열병으로서 지금의 코로나와 같은 전염병이다. 모든 질병은 에너지 문제이므로 당연히 열이 발생한다. 그래서 코로나나 흑사병은 모두 열병이 될 수밖에 없다. 즉, 모든 전염병은 무조건 열병이 된다는 뜻이다. 그리고 이때가 천체의 에너지 변화가 일어나서 만들어진 소빙하기였다는 사실이 나중에야 밝혀지게 된다. 즉, 현재 전 세계를 강타하고 있는 코로나는 천체의 에너지 변화가 큰 몫을 하고 있다는 암시를 준다는 뜻이다. 그리고 지금 전 세계를 강타하고 있는 이상기후 현상을 보면, 이게 무슨 뜻인지 이해가 갈 것이다. 즉, 지금 천체의 에너지 변화가 아주 심하게 나타나고 있다는 것이다. 그리고 당연한 수순으로 지금과 같은 전염병이 창궐하고 있다. 그리고 이 부분의 원리를 황제내경이 정확히 말해주고 있다. 그리고 전염병을 만들어내는 천체의 에너지에 따라서 전염병의 이름도 5가지로 명명하고 있다. 결국에 지금의 코로나 문제는 천체 에너지의 간섭을 받은 지구의 과잉 에너지가 인체의 에너지를 과잉 간섭해서 일어나는 문제이므로, 이 코로나 문제가 해결되려면, 지구 안에 적체하고 있는 과잉 에너지가 해소되어야만 해결된다는 결론에 다다른다. 이 문제를 제일 잘 해소하는 도구는 물론 식물이다. 즉, 식물은 산소를 만들어내서 대기 중에서 적체하고 있는 에너지인 전자를 흡수해서 결국에 물로 중화해서 이 과잉 에너지 문제를 해소한다. 아마존 열대 우림이 왜 중요한지 알게 되는 부분이다. 그래서 황제내경 소문 제68편 육미지대론(六微旨大論)에서는 이미 몇천 년 전에 아마존 문제를 말하고 있다. 한마디로 소름 돋는 책이 황제내경이다. 지금까지 최첨단 현대의학이 미신이라고 조롱하던 황제내경의 품격이 이 정도이다. 이런 사실들은 지금의 코로나 문제를 백신으로만 해결하려는 처사는 너무나 무지하고 무모한 처사라는 암시를 준다. 이 문제는 절대로 백신으로는 해결이 불가하다. 아마도 현대과학이 전부라고 착각하고 그렇게 각인된 지능을 가진 사람들은 이 말에 박장대소하면서 비웃을 것이다. 그러나 에너지가 모든 바이러스의 근원이라는 사실을 이해하는 순간 이런 행동은 곧바로 전율로 바뀌게 된다. 물론 필자도 황제내경을 모를 때는 똑같은 행동을 했으니까! 지금 우리는 지구의 에너지 문제를 즉, 지구의 온난화 문제를 지구 자체의 에너지 축적 문제로 취급하는데, 이는 너무나 무지한 생각이다. 지구의 에너지를 간섭하는 6개의 천체가 지진 에너지도 엄청나게 많은 변동을 일으킨다. 그리고 그 영향은 지구에서 천재지변을 만들어낸다. 황제내경은 이 천재지변의 원인을 오성의 상극(相克) 관계로 파악한다. 오성의 상극 관계란 오성끼리 서로 에너지를 간섭하는 것이다. 구체적으로 보자. 이 기전은 본 연구소가 발행한 소문에 실려있는 내용이다. 즉, 황제내경 소문 제4편 금궤진언론(金櫃眞言論)에 나오는 내용이다. 그 내용을 그대로 가져와 왔다.

봄이 장하를 이긴다(春勝長夏). 즉, 목(木)이 토(土)를 상극(克)하는 것이다. 다시 풀면 목성(木星)이 토성(土星)의 기운을 억눌러(克)버리는 것이다. 이게 무슨 말일까? 목성은 자기가 태양으로부터 받는 전자 에너지보다 더 많은 에너지를 태양계 우주로 내보낸다. 반면 토성은 차가운 별로써 에너지를 별로 발산하지 못한다. 당연한 순리로

써 목성의 에너지가 토성의 에너지를 억눌러버리는 것이다. 우리는 이것을 보고 상극(克)했다고 말한다. 다음에 나오는 오성의 상극 관계에서도 똑같은 원리가 적용된다. 장하가 겨울을 이긴다. 즉, 토(土)가 수(水)를 상극(克)한다. 다시 말하면 차가운 토성의 기운이, 열을 흡수해야만 에너지를 얻을 수 있는 수성의 기운을 차가움으로 억눌러 버린다(長夏勝冬). 겨울이 여름을 이긴다. 즉, 수(水)가 화(火)를 상극한다. 다시 말하면 수성과 화성은 둘 다 열을 흡수해야 자기 에너지를 가질 수가 있는데, 열을 흡수하는 힘에 있어서 수성이 화성보다 훨씬 더 세다. 즉, 수성의 기운이 화성의 기운을 억눌러버리는 것이다(冬勝夏). 여름이 가을을 이긴다. 즉, 화(火)가 금(金)을 상극한다. 다시 말하면 화성은 태양과 가까워서 태양 에너지를 제일 많이 흡수한다. 그런데 금성은 덥고 건조하기는 하지만 에너지를 받은 화성만큼 에너지를 발산하지 못한다. 결국에 화성의 더 센 기운이 금성의 기운을 억누를 수가 있다(夏勝秋). 가을이 봄을 이긴다. 즉, 금(金)이 목(木)을 상극한다. 다시 말하면 덥고 건조한 금성의 기운이 목성의 기운보다 더 세기 때문에 목성이 내보내는 에너지를 억눌러 버린다(秋勝春). 이것이 미신(迷信)이라고 말하는 상극(相克) 관계이다. 그러면 상극 관계는 왜 중요할까? 상극 관계도 결국은 전자의 문제 즉, 에너지의 문제로 귀착된다. 그런데 오성은 사계절을 주도한다. 즉, 상극 문제는 계절의 변화에 중대한 영향을 미치는 것이다. 인체는 에너지 덩어리이며, 기의 순환 즉, 에너지 순환이 잘 못되면 바로 죽는다. 즉, 생기 통천(生氣 通天)의 이론을 말하고 있다. 이렇게 생명체와 하늘은 기(氣)인 에너지(Energy)라는 관계를 맺고 서로 교감한다. 이 상극(勝) 관계를 사계절의 상극(勝) 관계라고 말한다(所謂四時之勝也). 이 부분은 지구의 사계절을 주도하는 오성이 가지고 있는 에너지를 정확히 알면 쉽게 풀린다. 결국에 상극 관계는 에너지 흐름의 관계에 불과하다. 에너지는 전자(電子)이기 때문에 당연히 끌리고 끌려서 서로 흐름을 만들어낼 수밖에 없게된다. 이것이 상극 개념이다. 상극 개념은 완벽한 천문 과학이지 미신이 아니다. 그래서 동양의학에 등장하는 상극 관계든 뭐든지 간에, 알면 과학이고 모르면 미신이 된다. 이때 에너지를 뺏어서 상극한 천체는 원래 자기가 가진 에너지보다 에너지를 과다 보유하게되는데, 이 상태를 태과(太過)라고 부른다. 즉, 원래의 자기 에너지보다 과한 에너지를 보유한다. 그리고 에너지를 뺏겨서 과소 보유하게 된 천체는 에너지를 원래 자기가 가진 에너지보다 적게 보유하게 되는데, 이 상태를 불급(不及)이라고 부른다. 즉, 원래 자기가 가진 에너지에도 미치지 못하는 것이다. 이 관계는 그대로 인체 에너지에도 영향을 미치게 된다. 원래 오행과 인체는 오장을 통해서 영향을 주고 받는다. 구체적으로 알아보자. 봄에 동쪽 하늘을 보면 높이 떠서 유난히 빛나는 별이 있는데, 이 별이 바로 목성이다. 그래서 봄(春)은 오행에서 목(木)에 해당한다. 그리고 이때 목성의 따뜻한 에너지가 인체를 자극해서 인체의 에너지 흐름을 간섭하게 된다. 봄은 목성의 따뜻한 에너지가 지배하지만, 여전히 춥다. 그래서 인체의 체액 유통의 핵심인 간질은 여전히 수축해있다. 그런데 이때 목성의 따뜻한 에너지가 인체를 자극하면, 인체 안에 저장된 전자가 자극을 받으면서, 호르몬이 되어서 간질로 분비된다. 그러나 간질이 수축해있으므로 인해서, 이 호르몬에 붙은 전자는 체액을 통해서 소통하지 못하고, 결국에 신경을 통해서 소통하게 된다. 그러면 간질에 자리하고 있는 구심신경이 이를 받아서 머리로 올려보낸다. 그러면 머리에 과잉 전자가 쌓이게 되고, 머리는 이를 담즙으로 만들어서 간(肝)으로 보내버린다. 그러면 간은 봄에 당연히 과부하가 걸리는 장기가 된다. 이런 기전을 통해서 간은 봄의 에너지와 교감한다. 그래서 봄은 간에 영향을 미치는 계절이 된다. 그래서 봄에는 간의 관리를 잘해야 건강을 잘 유지할 수 있게 된다. 여름은 남쪽 하늘에서 유난히 높이 떠서 반짝이는 화성의 무더운 에너지가 인체를 아주 심하게 자극한다. 그러면 인체 안에 있던 전자도 이 무더운 열에너지의 자극을 받아서 심하게 흥분한다. 그러면 이 과하게 흥분한 전자는 호르몬을 통해서 분비되고, 호르몬의 양도 아주 많아지게 된다. 그리고 이 호르몬은 당연히 산성이므로, 호르몬이 분비되는 간질은 순식간에 산성으로 변해버리고 만다. 그러면 간질의 이 산성 체액은 심장이 공급해주는 알칼리 산소를 보유한 동맥혈로 중화해주어야 한다. 이제 이 많은 간질의 산성 체액을 중화해야 하는 심장은 여름에 죽어난다. 그래서 여름의 무더운 화성 에너지는 심장에 과부하를 안겨준다. 그래서 여름에는 심장의 건강에 주의해야 한다. 그래서 여름은 심장에 영향을 미치는 계절이 된다. 여름의 끝자락인 장하는 하늘의 한가운데에서 높이 떠서 차가운 에너지를 발산하는 토성이 비장에 영향을 미치므로, 비장이 책임지는 계절이다. 비장은 림프를 통제하는데, 이 림프는 간질에서 체액을 받는다. 그런데 간질은 피부 호흡을 통해서 간질에 있는 수분을 불감증설(不感蒸

泄:insensible perspiration)을 통해서 인체 밖으로 버린다. 그리고 이 수분에는 반드시 전자가 포함되어있다. 즉, 용매화 전자를 보유하고 있게 된다. 그래서 피부 호흡할 때 수분이 배출된다는 말은 전자도 같이 배출된다는 뜻이 된다. 그래서 피부 호흡은 건강에서 아주 아주 중요한 존재이다. 그런데 차가운 에너지를 가진 토성이 만들어내는 장하라는 장마철이 되면, 공기 중에서 습기가 과도하게 체류하면서, 피부에 수분이 적체하게 되고 피부 호흡을 방해해버린다. 즉, 피부 호흡을 통해서 체외로 버려져야 할 전자가 간질에 머물게 된다. 그러면 림프를 통해서 간질에 있는 호르몬 잔해물을 처리하는 비장은 이제 과부하에 시달리게 된다. 전자를 보유하고 있는 호르몬 잔해물은 분자 크기가 크므로 림프를 통해서 소통한다는 사실을 상기해보자. 이런 이유로 인해서 장하는 비장이 과부하에 걸리는 계절이 된다. 그래서 장하는 비장에 영향을 미치는 계절이 된다. 그래서 장하 때는 비장의 건강에 유의해야 한다. 이제 가을이 되면, 쌀쌀하고 건조한 에너지를 내뿜는 금성이 지배하는 계절이 된다. 이 건조하고 쌀쌀한 금성의 에너지는 공기에 중에서 수분을 몽땅 수거해버리면서, 공기를 흡입하는 폐는 당연히 건조함 때문에 고생하게 된다. 그 이유는 공기를 들이마실 때 폐포가 아주 중요한데, 이 폐포는 항상 촉촉한 수분이 필수이기 때문이다. 그래서 공기가 건조해서 수분이 부족한 가을은 폐가 생고생을 하게 된다. 그래서 가을은 폐 건강에 유의해야 하는 계절이다. 이렇게 가을은 폐의 에너지 대사를 간섭하게 된다. 그리고 북쪽 하늘에 높이 떠서 유난히 빛나면서 매서운 한기를 내뿜어서 겨울을 만들어내는 수성은 겨울을 주도하게 되는데, 이때 체액의 흐름을 주도하는 간질은 꽉 막히게 되고, 신경 전달도 여의치가 않게 된다. 그러면 간질에 쌓인 전자는 별수 없이 염(鹽)에 저장된다. 그리고 이 염은 이를 전문으로 처리하는 신장으로 보내진다. 그러면 신장은 당연히 과다한 염에 의해서 과부하가 걸리게 된다. 그래서 겨울은 신장이 과부하가 걸리는 계절이다. 결국에 겨울은 신장의 건강에 유의해야 하는 계절이다. 지금까지 기술한 이런 기전을 통해서 오성이 만들어내는 오행은 인체의 에너지 대사를 간섭하게 되는데, 그 도구는 오장이 된다. 오장은 과잉 전자를 중화 처리하는 장기이기 때문이다. 에너지 문제는 전자의 문제라는 사실을 또다시 한번 상기해보자. 이렇게 오행과 오장의 관계를 풀어내면 이 관계는 미신이 아니라 완벽한 과학으로 재탄생하게 된다. 이것이 황제내경의 품격이다. 그래서 하늘의 천체끼리 에너지를 간섭하는 현상인 태과나 불급이 일어나면, 계절의 에너지가 심하게 변동하면서, 천재지변을 만들어내게 된다. 이때 인체의 에너지 대사도 당연히 심하게 간섭받게 되고, 인체의 에너지 대사는 심하게 교란되고, 인체의 건강도 심하게 문제를 일으킨다. 이때 일어나는 것이 전염병이다. 즉, 지금 우리가 심하게 당하고 있는 코로나 문제와 같은 전염병이 발생하게 된다. 코로나바이러스 문제는 에너지 문제라는 사실을 상기해보자. 여기서 에너지는 인체 안팎의 에너지를 말한다. 바이러스는 인체 안에서 만들어지는 과잉 전자에 의해서 인체에 기생하게 되지만, 전파는 인체 밖에 있는 공기 중의 에너지를 통해서 이루어지기 때문이다. 그래서 인체 안팎에 동시에 에너지가 과잉 존재해야 코로나 같은 전염병이 발생하게 된다. 지금 전세계에서

발생하는 홍수나 산불이나 가뭄 같은 천재지변을 보면 바로 이해가
갈 것이다. 그러나 최첨단 현대과학을 맹신하는 사람들은 코웃음을
칠 것이 뻔하다. 최첨단 현대과학이 과대 선전하는 것처럼 자연의
모든 현상을 파악할 수 있는 것은 아니라는 사실을 상기해보자. 그
러면 이런 천재지변을 미리 막았을 것이다. 즉, 우리는 최첨단 현대
과학을 많이 착각하고 있다는 것이다. 최첨단 현대과학이 과대선전
하는 것처럼 최첨단이었다면, 지금 코로나 같은 비극은 사전에 막을
수 있어야 한다. 그러나 예상과는 달리 우리는 속수무책으로 코로나
에 당하고 있다. 그리고, 이 해답은 황제내경이 완벽하게 제시하고
있다. 이것이 필자가 황제내경 주석을 집필하게 된 이유이다. 과연
지금 우리의 문명은 발전(發展)해가고 있는 것일까? 복원(復元:復原)
해가고 있는 것일까? 지금 일어나고 있는 재앙인 코로나 문제를 해
결하려면, 최첨단 현대과학이 기득권을 내려놓고 고민할 때만 가능
할 것이다. 종합해보면, 우주의 에너지는 인체의 에너지를 간섭하게
되는데, 주로 오장을 통해서 간섭하게 된다. 이 외에도 해독 인자인
CRY라는 변수도 포함된다. CRY의 기전은 이미 앞에서 설명했다.
이렇게 해서 우주와 인체가 에너지로 대화하는 상황을 대략 알아보
았다. 자세한 기전은 본 연구소가 발행한 황제내경을 탐독해야만 가
능하다. 자꾸 본 연구소가 발행한 책만 보라고 하는 느낌이 들 것이
다. 그러나 이유가 있다. 지금까지 전 세계에서 발행된 어떤 황제내
경도 본 연구소가 발행한 황제내경만큼 과학적으로 기술된 경우는
없기 때문이다. 본 연구소가 발행한 황제내경에는 10,000권 이상의
의학 관련 서적과 10,000권 이상의 과학 관련 서적과 30,000편 이

상의 논문이 응축되어있다. 10,000권의 책은 그냥 보기에는 아무것도 아닌 것처럼 생각될지 몰라도, 1만 권의 책의 의미는 아주 크다. 책을 하루에 한 권씩 읽는다고 가정해보면, 1년이면 365권을 읽을 수 있고, 10년이면 3,650권을 읽을 수 있고, 30년을 읽으면 겨우 1만 권을 읽을 수 있다. 그러면 2만 권의 책을 보려면 60년은 족히 걸린다. 여기에 3만 편의 논문을 첨가하면 가히 상상을 초월할 것이다. 물론 본 연구소가 발행한 황제내경은 처음으로 과학화를 시도했으므로 인해서, 오류도 많고 문제도 많을 것이다. 그러나 필자가 바라는 것은 이 책이 계기가 되어서 황제내경이 완벽한 과학화로 가는데 초석이 되었으면 하는 바람뿐이다. 물론 시간이 허용하고 연구비 문제가 허용하는 한까지 계속해서 이 책은 업데이트될 것이다. 즉, 이때 오류와 문제도 많이 다듬어질 것이다. 모든 일이 처음부터 완벽할 수는 없으니까 말이다!

그리고 지금 전 세계적으로 탄소배출 감축 운동을 벌이고 있는데, 이는 지구 온난화의 일부만 보는 무식한 행동이다. 지구의 온난화 주범은 탄소뿐만 아니라 에너지인 전자가 만들어내는 모든 에너지가 모두 포함된다. 한마디로 화석 연료만 문제가 되는 것이 아니라, 청정 연료라고 하는 모든 에너지도 결국에 전자 문제로 귀결하므로, 모든 에너지 문제가 지구 온난화 문제로 등장해야 옳다. 그러면 답은 없을까? 있다. 이 문제는 2000년 전제 황제내경이 이미 예측한 내용이기도 하다. 황제내경 소문 제68편 육미지대론(六微旨大論)에서 이미 아마존 열대 우림의 파괴를 경고하고 있다. 즉, 지금의 온난화를 줄이는 방법은 지구 대기 안에 있는 에너지의 원천인 전자를 줄이는 것이 핵심이라는 뜻이다. 이 전자는 성장인자이다. 그리고 식물은 이 전자를 이용해서 에스터 작용을 일으켜서 생체를 성장시키면서 물과 산소를 만들어낸다. 즉, 지구의 에너지 원천인 전자를 물로 중화시키는 존재가 식물이다. 즉, 지구가 정상으로 작동하기 위해서는 식물이 절대적으로 필요하다는 이야기이다. 우리가 일상에서 쓰고 있는 화석 연료나 청정 연료나 모두 나무에서 나온다는 사실을 상기해보자. 그만큼 식물은 전자를 중화하는데 탁월하다. 그런데 문제는 지금 전세계는 성장은 무조건 좋은 것이 되어버렸다. 성장에는 반드시 에너지의 소비가 뒤따른다. 결국에 문명이 발달하면 할수록 에너지의 소비는 더욱더 늘어나는 구조를 만들게 되고, 결국에 인류는 자기들이 발전시킨 문명에 치여서 멸망하게 될 것이다. 이것을 우리는 자업자득이라고 한다. 전세계가 성장 드라이브를 거는 이유는 부의 극심한 편중 때문이다. 즉, 성장 드라이브를 걸지 않으면, 가난한 대중이 먹고 살 수 있는 돈이 공급이 안 된다. 즉, 지금의 체제를 바꾸지 않으면, 성장 드라이브를 걸고 있는 부와 권력을 가진 사람들도 결국에는 공멸하게 된다. 이것이 지능을 가지고 만물의 영장이라고 헛소리하는 인간들의 작태이다. 다시 본론으로 가보자. 그래서 오운육기는 인류의 안전한 생존을 위해서 지금이라도 적극적으로 연구해야 하는 필수 과목이다. 이제 음양오행과 오운육기가 인체에 어떻게 영향을 미치는지 더 구체적으로 보자. 그리고 인체의 에너지는 어떻게 조절되고 공급되는지도 알아보자. 이 부분도 최첨단 현대과학으로 풀면 안 풀린다. 즉, 이 부분의 문제는 "생명이란 무엇인가?"의 주제가 된다. 지금까지 우리가 알고 있었던 생명이란 개념과 아주 다른 세계로 여행을 떠나보자.

8. 오장 고유 면역, 오장 고유 물질, 오장 고유 체액, 낙(絡), 면역과 경(經), 원혈과 스테로이드, 기경팔맥, 생체 정보

최첨단 현대의학은 단백질이 하느님이다. 그리고 한의학이나 동양의학의 기반인 황제내경은 전자(Electron)인 신(神)이 하느님이다. 그래서 건강을 조절하는 데 있어서 황제내경은 신(神)을 조절하는 것이 최대 관건이 된다. 즉, 황제내경에서 전자를 조절하는 것이 최대 관건이라는 말은 자유전자가 붙어있는 산(Acid:酸)을 조절하는 것이 최대 관건이라는 뜻이다. 그리고 이 산은 알칼리를 통해서 중화된다. 그래서 황제내경의 최대 관건은 산-알칼리의 균형을 맞추는 것이다. 이것을 한의학이나 동양의학으로 말하자면, 건강을 위해서는 음양의 균형을 맞추는 것이 최대 관건이다. 그리고 이 음양은 전자인 신이 결정한다. 그리고 신을 조절하는 도구가 침(鍼)이다. 침은 전자를 자유자재로 가지고 놀 수 있으므로 가능한 일이다. 그러면 다음 질문은 "어디에 침을 놓을까?"이다. 아무 데나 침을 놓을 수는 없다. 그래서 침을 놓는 장소가 정해져 있게 되는데, 이곳들을 경락(經絡)이라고 말한다. 경락은 경(經)과 낙(絡)으로 구분된다. 그리고 경(經)은 면역을 자극하는 림프절(Lymph Node)을 말하고, 낙(絡)은 체액을 조절하는 곳을 말한다. 그런데 인체에서 체액은 무조건 흐르는 것이 아니라 오장이 담당하는 체액이 따로 정해져 있다. 그리고 면역도 오장에서 모두 동일한 것이 아니라 서로 다르다. 여기서 오장은 간(肝), 심장(心), 비장(脾), 폐(肺), 신장(腎)이다. 그리고 이들이 처리하는 생체 물질도 모두 다르다. 하나씩 차곡차곡 풀어보자. 인체를 움직이는 핵심은 에너지이다. 인체는 에너지가 없으면 자동으로 무용지물이 된다. 그런데 인체를 가동하는 이 에너지는 과하면 이 또한 문제를 일으킨다. 그래서 인체를 가동하는 에너지는 항상 균형점을 찾아야 한다. 이 균형점이 맞춰진 상태를 건강이라고 말한다. 우리는 이 상태를 체액으로 나타내는데, pH7.45가 균형점이 된다. 그리고 인체에서 에너지는 전자이다. 그러면 인체에서 산성 물질에 붙은 에너지인 자유전자는 적으면 에너지 부족으로 문제를 일으키고, 많으면 병을 일으켜서 문제를 일으킨다. 그리고 이 균형을 찾아주는 물질이 알칼리이다. 즉, 알칼리는 전자를 잡아먹는 인자이다. 그리고 인체에서 최고의 알칼리는 자유전자만 보면 환장하고 달려들어 낚아서 채가는 산소(酸素:oxygen)이다. 그리고 산소는 이 전자를 잡아다가 물로 중화한다. 이때 전자 두 개가 물로 중화된다. 우리는 산소의 이 성질을 보고 산소는 전자친화성(電子親和度:electron affinity)이 아주 높다고 말한다. 여기서 전자친화성이란 전자를 얼마나 잘 낚아서 채가느냐이다. 그래서 이런 이유로 폐가 호흡해서 산소를 공급해주지 않게 되면, 인체 안에 있는 자유전자는 MMP를 동원해서 인체를 환원하고 분해해서 결국에 해체시키면 인체는 죽게 된다. 그래서 인체는 호흡이 멈추면 죽는 것이다. 그리고 이 산소를 공급해주는 혈액 순환이 막히면 자동으로 전자가 적체되면서 병이 생긴다. 그래서 한의학이나 동양의학에서 최고 건강 비결은 체액 순환이라고 말한다. 그리고 이 순환이 막히는 원인은 과잉 전자에 있게 된다. 만일에 전자가 간질에 적체되었을 때, 이 적체된 전자를 물로 중화하는 산소가 부족하게 되면, 인체는 무슨 수를 써서라도 이 전자를 중화해야만 이 무시무시한 자유전자가 인체를 해체하지 못하게 된다. 그래서 자유전자는 적체되어있는데, 이 자유전자를 중화할 산소가 부족하게 되면, 이제 인체는 다른 알칼리 물질을 동원하게 된다. 이때 맨 처음 찾는 물질이 알칼리 금속이다. 우리는 이 알칼리 금속을 미네랄(Mineral)이라고 부른다. 다른 말로는 무기 영양소(mineral nutrients)라고도 표현한다. 여기서 무기 영양소의 원소 조성은 약 20종으로 추정되며, 주된 것은 칼슘(Ca), 마그네슘(Mg), 인(P), 나트륨(Na), 칼륨(K), 염소(CI)로 이들이 전체의 수십 % 이상을 차지한다. 그 외에 미량만이 중요한 원소에는 구리(Cu), 아연(Zn), 망간(Mn), 코발트(Co) 등이 있다. 생체에는 이상의 것 외에도 많은 미네랄(F, Mo, Se, Cr, Si, V, Sn)이 필수 불가결한 인자이다. 그리고 이들은 모두 전자와 관계를 맺게 된다. 그다음에도 과잉 전자가 남아 있게 되면, 이번에는 생살을 분해해서 이들을 격리한다. 이때 제일 많이 쓰이는 도구가 알칼리 콜라겐 단백질이다. 이 알칼리 콜라겐 단백질이 많이 이용되는 이유는 산소와 전자가 만나는 장소인 간질의 구성 단백질이 바로 콜라겐 단백질이기 때문이다. 그래서 간질에 산소가 부족해서 과잉 전자가 적체하면 자동으로 콜라겐 단백질이 희생당하게 된다. 이때 콜라겐 단백질 전용 분해 효소인 MMP가 동원된다. 즉, MMP는 과잉 전자를 간질에서 받아서 콜라겐으로 전해주는 역할을 한다. 이것이 인체에서 작동하는 효소(enzyme:酵素)의 역할이다. 즉, 효소는 전자 중개자이다. 즉, MMP는 생살을 분해하는 핵심 인자이다. 이때 통증이 수반되면서 병이 나게 된다. 이 상태가 심해지면 염증으로 발전한다. 즉, 염증은 MMP가 과잉 전자를 콜라겐 단백질에 중개해서 생살을 분해한 결과물이다. 그래서 염증이 생긴 부분은 살이 분해되어서 움푹 파인다. 이때 당연히 통증이 수반된다. 우리는 이 상태를 병(病)이라고 표현한다. 이 대부분의 일이 산소와 전자가 만나서 중화되는 간질에서 일어난다. 간질은 세포가 호흡하면서 내뿜는 산성 노폐물과 적혈구 등이 공급하는 영양소가 교환되는 장소이다. 즉, 간질은 체액이 순환하는 장소이다. 그래서 병이 일어날 때 간질은 아주 중요한 장소가 된다. 즉, 대부분 병은 간질에서 일어난다고 보면 된다. 그리고 이 간질은 세포와 세포가 서로 만나는 장소이기도 하다. 즉, 간질을 가운데 두고 세포와 세포가 서로 소통한다. 그래서 세포가 분비하는 호르몬(Hormone)도 이 간질로 쏟아지게 된다. 그리고 에너지 전달의 핵심인 신경의 뿌리도 이 간질에 있게 된다. 즉, 간질에 신경 전달의 핵심인 시냅스(synapse)가 자리하고 있다. 한마디로 간질은 인체 중에서 아주 아주 중요한 장소이다. 즉, 인체의 모든 대사활동의 중계 장소가 간질이다. 그래서 간질은 인체의 정보가 교환되는 장소가 된다. 인체의 정보 교환은 세포의 전자 흡수, 호르몬 분비, 신경 전달이라는 과정을 통해서 된다는 사실을 상기해보자. 이들 세 가지 과정이 연속해서 일어나는 것이 인체의 정보 소통이다. 그리고 이 정보의 소통이 끊기면 인체는 죽게 된다. 이건 생각해볼 필요도 없는, 그냥 상식일 것이다. 물론 생체인 식물도 똑같은 과정을 통해서 생체 정보를 소통한다. 이 기전은 앞에서 이미 설명했다. 그리고 이들 모든 과정 가운

데 모든 원인과 결과를 만들어내는 전자가 떡하니 버티고 있다. 이제 우리의 목표는 어떻게 해서든지 선악(善惡)의 이중 가면을 쓰고 있는 자유전자를 잘 통제하는 것이다. 아니면 이놈이 우리를 분해해서 죽일 테니까! 그리고 이 간질은 전자가 신경을 통해서 통제하는 근육도 자리하고 있다. 그리고 근육의 표면에 신경 전달 통로인 시냅스가 붙어있다. 그래서 인체의 모든 과정은 간질에서 일어나며, 그래서 문제도 간질에서 일어난다. 이 과정을 이렇게 너줄하게 설명하는 이유는 바로 경락을 설명하기 위해서이다. 바로 경락이 이 간질에 자리하고 있다. 그러면 경락은 침을 놓는 장소이므로, 침을 놓는 장소는 자동으로 간질이 된다. 그리고 간질은 자유전자가 활동하는 주요 무대이므로, 여기에 전자를 다루는 침을 놓는 것이 합당하게 된다. 그래서 전자가 활동하는 공간인 간질에서 침으로 전자를 조절하게 되면, 인체의 많은 현상이 조절된다. 즉, 세포의 전자 흡수 정도가 변하게 되고, 호르몬의 분비 정도가 변하게 되고, 신경 전달의 정도가 변하게 되고, 근육의 수축과 이완 정도가 변하게 된다. 이들 모두는 전자가 주도한다는 사실을 상기해보자. 그리고 침은 이 전자를 조절한다는 사실을 다시 한번 상기해보자. 이렇게 풀어보면 침(鍼)은 완벽한 과학(science:科學)이 된다. 그러면 침이 조절하는 경락(經絡)도 완벽한 과학(science:科學)이 된다. 결국에 침과 경락은 완벽한 과학이 된다. 이것이 경락(經絡)의 실체이다. 지금까지 경락은 말들이 많았던 부분이다. 그러나 정확히 알고 풀면 이렇게 시원스럽게 풀린다. 그리고 경락은 자동으로 완벽한 과학의 모습으로 나타나게 된다. 이제 경락의 첫 번째 걸음을 떼었다.

지금 기술한 것은 경락의 한 지점을 기술한 것에 불과하다. 이제 경락의 두 번째 걸음을 떼어보자. 앞에서 경은 림프절이라고 말했다. 그리고 림프절은 면역 세포가 상주하는 곳이다. 그래서 이곳에 침을 놓게 되면 면역이 활성화된다. 어떻게? 침은 잘 알다시피 전자를 공급한다. 철(Fe)로서 침(鍼)은 평소에 상온에 방치하면, 공기 중에는 전자가 있으므로 인해서, 전자와 잘 소통하는 침은 곧바로 전자를 흡수해서 산성철(Fe^{2+})이 된다. 그리고 이 산성철인 침을 알칼리 체액으로 유지되는 림프절에 찌르게 되면, 이때 알칼리 체액은 당연히 침의 산성철에 있는 전자를 빼내게 된다. 그러면 이 전자는 림프절의 간질로 나오게 되고, 일부는 산소로 중화되고, 일부는 자동으로 MMP를 불러내서 림프절의 간질 콜라겐 단백질을 분해하게 된다. 그러면 이 덕분에 간질에서 콜라겐 단백질에 붙잡혀서 꼼짝도 하지 못하던 면역 세포는 드디어 구속에서 풀려나서 활동할 수 있게 된다. 즉, 침이 면역을 활성화시킨 것이다. 즉, 침은 백신(vaccine)이 된다. 그리고 혹시나 간질에 산소 등이 부족해서 침이 공급한 전자가 모두 중화되지 못한 경우를 고려해서 자침한 다음에 뜸(灸)을 떠준다. 그러면 이 뜸은 열(熱)을 공급하게 되고, 이 열은 숨어있던 전자를 유혹해서 간질로 불러내게 되고, 그러면 전자만 보면 사족을 못 쓰는 산소는 환장하고 달려들어서 전자를 낚아채서 물로 중화시켜버린다. 열에너지는 전자를 활성화한다는 사실을 상기해보자. 그래서 침을 놓은 다음에 뜸을 떠주는 것이다. 지금까지 기술한 이것이 경(經)에서 침(鍼)이 하는 일이다. 그리고 이 면역은 12정경에서 서로 다르다. 정확히 말하면 오장에서 면역이 오장마다 다르다. 그래서 오장에 따라서 경의 위치도 다르게 된다. 그리고 12정경은 양경 6개와 음경 6개를 말한다. 여기서 양경(陽經)은 피부를 따라서 배열된 경락을 말하고, 음경(陰經)은 인체 안쪽을 따라서 배열된 경락을 말한다. 그런데 피부를 따라서 자리하고 있는 장부를 육부(六府)라고 하고, 인체 안쪽인 복부 안쪽에 깊이 파묻혀있는 장부를 오장(五藏)이라고 한다. 그래서 양경(陽經)은 육부와 연결되고, 음경(陰經)은 오장과 연결된다. 그리고 여기서 주의해야 할 점은 인체를 기준으로 보았을 때, 소화관이나 방광, 쓸개, 복막, 장간막도 피부라는 사실이다. 그래서 육부(六府)인 위장, 소장, 대장, 담, 방광, 삼초(三焦)도 인체 입장으로 보면, 피부라는 사실을 잊어서는 안 된다. 여기서 삼초(三焦)는 복막과 장간막을 말한다. 그리고 육부 각각은 오장과 각각 음과 양의 관계를 맺어서 연결된다. 구체적으로 보면, 간은 담과 음양 관계를 맺는데, 간이 담즙을 만들어주면, 담이 이를 처리한다. 그리고 심장은 소장과 음양 관계를 맺는데, 심장이 세로토닌(Serotonin)을 만들어주면, 소장은 이를 멜라토닌(Melatonin)으로 만들어서 처리한다. 그리고 비장은 위장과 음양 관계를 맺는데, 비장이 적혈구를 파괴하면서 적혈구에 있는 이산화탄소를 위장으로 보내면, 위장은 이를 위산으로 만들어서 처리한다. 그리고 폐는 대장과 음양 관계를 맺는데, 폐가 이산화탄소를 산소와 교환하면서 문제가 생기면, 이산화탄소를 중조염(sodium bicarbonate)으로 만들어서 혈류로 보내면, 대장은 대장 발효를 통해서 만든 단쇄지방산(Short Chain Fatty Acid:SCFA)을 통해서 이를 처리한다. 그리고 신장은 방광과 음양 관계를 맺는데,

신장이 요산염을 비롯해 각종 염을 만들어주면, 방광은 이를 받아서 소변으로 배출한다. 그래서 육부는 오장이 만들어준 중화물을 버리는 배출구 역할을 한다. 이때 오장이 만들어준 물질들은 모두 과잉 전자를 중화한 중화물들이다. 즉, 오장이 만들어내는 중화물의 종류가 각각 다르다. 그래서 이 중화물을 버리는 육부도 각각 다르게 되면서, 이 둘은 서로 짝을 이루는 음양 관계를 맺을 수밖에 없게 된다. 지금 말한 이 기전들은 상당히 복잡하므로 자세히 알고 싶다면 본 연구소가 발행한 황제내경을 참고하면 된다. 그리고 각각의 오장이 처리하는 고유 물질도 오장마다 다르다. 이런 이유로 인해서 12정경에서 오장육부는 서로 짝을 이룬다. 그리고 오장이 처리하는 고유 물질에 따라서 오장 고유의 면역 세포도 특성이 정해지게 된다. 그래서 간은 담즙이 수거해온 단백질을 분해해서 처리하게 되는데, 이때 간이 과부하가 걸려서 이를 처리하지 못하게 되면, 이때 간에 상주하는 성상세포(astrocyte:星狀細胞)의 일종인 쿠퍼세포(Kupffer's cell)가 처리하게 된다. 그래서 간이 처리하는 고유 물질은 단백질이 되고, 간의 고유면역은 쿠퍼세포가 된다. 그리고 전기(전자)로 움직이는 심장은 자유전자를 처리하게 되는데, 이때 심장이 과부하가 걸려서 이를 모두 처리하지 못하게 되면, 이에 따른 당연한 결과로 활성산소종인 ROS(Reactive Oxygen Species:ROS)가 만들어지게 된다. 이때 만들어지는 ROS가 슈퍼옥사이드(superoxide anion:O_2^-)이다. 즉, 산소 분자에 자유전자 한 개가 붙은 물질이 슈퍼옥사이드 음이온이다. 이것을 제일 잘 처리하는 면역 세포가 T-세포(T-Cell)이다. 그래서 심장이 처리하는 고유 물질은 자유전자가 되고, 심장의 고유면역은 T-세포가 된다. 그리고 비장은 지용성 성분인 림프액을 전문으로 처리하므로, 지용성 물질을 처리하게 되는데, 이 덕분에 비장은 많은 중성지방을 만들어내는데, 이때 비장이 과부하가 걸리면 비장에 상주하고 있는 림프구(淋巴球:lymphocyte) 세포 중에서 대식세포가 대신 중성지방을 만들어낸다. 즉, 림프구의 대식세포는 중성지방을 아주 잘 처리한다. 그래서 비장이 처리하는 고유 물질은 중성지방 같은 지용성 물질이 되고, 비장의 고유면역은 림프구의 대식세포가 된다. 그리고 폐는 적혈구를 취급하면서 과부하가 걸리면 적혈구가 깨지면서 철염(鐵鹽)이 만들어진다. 이때 철 대사를 제일 잘하는 면역 세포가 수지상세포(Dendritic Cell)이다. 그래서 이때 폐가 처리하는 고유 물질은 철염이 되고, 폐의 고유면역은 수지상세포가 된다. 그리고 신장은 부신과 신장에 수질(髓質)이 있게 되는데, 여기에는 골수(骨髓) 성분이 자리하고 있다. 수(髓)라는 글자에 주목하기 바란다. 그리고 골수에는 염(鹽)을 만들 때 사용하는 염의 재료가 많이 들어있다. 그래서 신장이 처리하는 고유 물질은 염이 되고, 신장의 고유면역은 골수세포가 된다. 그리고 오장이 처리하는 이들 물질에는 반드시 과잉 전자가 실려있게 된다. 그리고 이 과잉 전자를 오장의 고유면역이 처리한다. 이때 오장의 고유면역이 이들 과잉 전자를 중화할 때 사용하는 도구는 혈액이 실어다 준 산소이다. 그래서 오장은, 이 과잉 전자를 중화 처리하기 위해서 많은 혈액이 상주하고 있게 된다. 그리고 간은 인체 최대의 장기이므로, 간에는 그만큼 많은 양의 혈액이 체류하게 된다. 우리는 이 현상을 보고 간은 많은 양의 혈액을 저장하고 있다고 표현한다. 그러나 장기 크기의 비율로 따져보면, 비장에 가장 많은 양의 혈액이 체류한다. 그 이유는 비장을 이루고 있는 적색질과 백색질이 강한 삼투압 기질의 성질을 보유하고 있기 때문이다. 나머지 심장과 폐 그리고 신장도 많은 혈액이 체류한다. 그래서 이들 5가지 장기에 저장(藏)한다는 의미의 장(藏)이라는 글자가 따라붙게 된다. 그래서 이들 5개 장기를 모두 합쳐서 오장(五藏)이라고 부른다. 그리고 육부(六府)를 말할 때 부(府)는 물건이 들락거리는 창고를 말하는데, 이 육부는 내용물들이 계속해서 들락거리는 창고와 같은 역할을 하기 때문이다. 그리고 오장의 특징은 하나가 더 있다. 바로 오장이 통제하는 고유 체액이 따로 있다. 자세한 기전은 본 연구소가 발행한 황제내경을 참고하면 된다. 간단히 말하면, 간은 정맥혈을 통제하고, 심장은 동맥혈을 통제하고, 비장은 림프액을 통제하고, 폐는 간질액을 통제하고, 신장은 뇌척수액을 통제한다. 그래서 한의학이나 동양의학에서 인체의 대부분 기능이 오장을 중심으로 돌아가게 된다. 그래서 한의학이나 동양의학을 정확히 배우기 위해서는 오장의 기능을 정확히 파악할 수 있어야 한다. 아니면 황제내경을 전혀 모르게 되고, 한의학이나 동양의학을 전혀 이해할 수가 없게 된다. 그러면 여기에 부수적으로 경락과 침도 자동으로 모르게 된다. 그리고 이 현실은 현재 한의학계의 딱한 현실이다. 여기에서 또 하나의 특징이 나오게 되는데, 오장은 혈액의 산소를 이용해서 전자를 물로 중화해버린다. 그러나 육부는 피부이므로 혈액이 지나가기만 한다. 그래서 육부는 과잉 전자 대부분을 중화하지 못하게 된다. 이 결과가 경락의 구조로 나타나게 된다. 즉, 육부가 주도하는 양경과 오장이 주도하는 음경의 구조로 나타나게 된다. 그래서 오장의 경락 구조를 보면, 오장의 경락은 오장으로 들어가면 여기서 끝난다. 그 이유는 경락에서 조절하는 물질이 전자이므로, 전자는 오장으로 들어가면 물로 중화되면서 없어지기 때문이다. 오장은 혈액을 이용해서 과잉 전자를 중화하는 것이 주요 임무라는 사실을 상기해보자. 이런 이유로 한의학의 기반인 황제내경은 과잉 전자 문제로 발생하는 당뇨와 고혈압을 오장에 따라서 5가지 종류로 구분한다. 당뇨와 고혈압은 과잉 자유전자가 만들어내는 병증임을 상기해보자. 오장은 이 두 병증의 원인인 과잉 전자를 산소를 이용해서 물로 중화한다는 사실을 상기해보면, 왜 황제내경이 이 두 병증의 원인을 오장에 따라서 구분하는지도 이해가 갈 것이다. 그래서 한의학의 기반인 황제내경에서 오장은 아주 중요한 인자이므로, 많은 치료가 오장을 중심으로 이루어진다. 특히, 오장 중에서도 삼음(三陰)이 아주 중요하게 된다. 여기서 삼음은 간, 비장, 신장을 말한다. 그러면 왜 이 오장들이 그렇게 중요할까? 이 세 개의 오장은 상한론(傷寒論)의 기반이 되는 오장이기 때문이다. 여기서 한(寒)은 열(熱)의 원천인 자유전자(e^-)를 격리하고 있는 염(鹽)을 말한다. 즉, 염(鹽)은 열의 원천인 전자를 격리해서 열을 막았으므로 한(寒)이 된다. 그리고 인체에서 이 염의 종류는 3가지가 된다. 즉, 간이 만들어내는 담즙산염, 비장이 만들어내는 위산염, 신장이 만들어내는 요산염이다. 우리 인체에서 병을 만들어내는 원천은 자유전자이다. 그리고 이 자유전자는 염에 격리된다. 그리고 이 염을 이 세 개의 오장이 만들어낸다. 그러면 이 세 가지의 염을 담, 위장, 방광이 받아서 체외로 버려준다. 그러면, 인체를 괴롭히던 전자는 영원히 인체를 떠나게 되고 병은 해결된다. 이때 이 세 개의 육부를 삼양(三陽)이라고 부른다. 그래서 상한론에서 핵심은 삼음삼양(三陰三陽)이 된다. 그래서 한의학에서 치료의 핵심이 상한론이 되고, 삼양삼음은 상한론을 돕는 아주 중요한 치료 수단이 된다. 사실 지금까지 한의학에서 상한론은 그 실체를 정확히 모르고 있었다. 그 이유는 전자라는 실체가 병을 일으킨다는 사실도 몰랐고, 한이 염이라는 사실도 몰랐기 때문이다. 알고 보면 상한론의 치료 원리는 완벽한 과학이다. 그리고 이 상한론은 지금 전세계를 강타하고 있는 코로나바이러스뿐만 아니라 모든 바이러스의 예방과 치료를 할 수 있는 강력한 도구라는 사실이다. 모든 바이러스는 전자라는 에너지 문제이므로, 이 에너지인 전자를 염에 격리해서 버리는 곳이 삼양삼음이고, 이들을 상한론이 통제한다는 사실을 상기해보자. 이것은 완벽한 과학이다. 이런 연유로 인해서, 상한론과 삼양삼음은 한의학과 동양의학에서 치료의 핵심이 될 수 있다. 이 부분의 근거는 중국을 보면 된다. 중국 인구는 약 15억 명이다. 그러나 코로나에 감염된 인구는 극히 미미하다. 그러나 최첨단 현대의학을 자랑하는 미국은 가히 어마어마한 숫자로 감염자가 발생하고 있다. 그 이유는 면역을 근본적으로 다스려주는 침(鍼)에 있다. 중국은 침과 현대의학을 혼용해서 임상에서 사용한다. 어쩌면 현대의학보다 침을 더 많이 애용하는 곳이 중국의 임상이다. 즉, 중국은 평상시에도 침으로 면역의 근본을 다스려준다. 그러니 코로나 같은 감염병이 적어질 수밖에 없다. 물론 중국도 침을 사용하면서도, 이 기전은 모르고 사용하고 있다. 즉, 우연히 행운을 누리고 있을 뿐이다. 한국도 침을 사용하고는 있지만, 양방과 한방은 칸막이가 있다. 이런 이유로 침이 면역의 도구로 제대로 이용되지 못하고 있는 실정이다. 물론 한의학계도 침이 면역의 도구라는 사실을 까마득히 모르고 있기는 중국과 마찬가지이다. 이렇게 에너지인 자유전자를 중심으로 병이라는 인자를 살펴보면, 왜 황제내경이 오장을 중심으로 돌아가는지도 이해가 가게 된다. 그래서 황제내경에서 오장은 인체의 핵심이 된다. 그러나 육부는 사정이 다르다. 즉, 과잉 전자를 중화할 수 있는 도구인 혈액이 체류하지 못하고 지나만 가기 때문이다. 그러면 육부는 과잉 전자를 어떻게 처리할까? 아니면 이 과잉 전자는 육부를 해체시켜버릴 텐데! 즉, 신경을 이용하는 것이다. 그래서 육부는 과잉 전자가 생기면, 전자를 전문으로 실어나르는 신경(神經:Nerve)을 이용해서 처리한다. 더 정확히 말하자면, 구심신경을 통해서 전자를 머리로 보내버린다. 이렇게 해서 육부는 과잉 전자로 인해서 생기는 위기를 모면한다. 그래서 육부를 대표하는 경락인 양경(陽經)은 모두 머리로 집중된다. 이렇게 황제내경에서 말하는 인체의 구조를 파악하게 되면, 이제 경락이 눈에 밝게 보이기 시작한다. 그러나 이제 시작일 뿐이다. 이제 경(經)의 특징인 면역의 특성을 보자. 인체의 모든 면역은 골수가 근원이다. 즉, 오장에서 활동하는 오장의 고유면역도 모두 골수에서 나오게 된다. 그러면 당연한 순리로 오장의 경(經)에서 활동하는 면역은 모두 골수에서 나와야 하고, 그러면 오장의 면역을 책임지는 경(經)은 당연히 골수와 연결되어야 한다. 그래서 오장의 면역을 책임지는 경(經)은 반드시 큰 뼈의 구멍이 있는 곳에 자리하게 된다. 그래야 골수에서 나오는 면역을 공급받게 되기 때문이다. 그래서 경은 반드시 큰 뼈 옆에 있게 된다. 이 사실 하나만 가지고도 한의학이나 동양의학은 면역의학이라고 불러도 손색이 없을 것이다. 이렇게 기술하면 오장과 경에 관해서 대충 큰 틀만 설명하게 된다. 즉, 자세한 기술을 보고 싶으면 본 연구소가 발행한 책들을 보라는 뜻이다. 지금까지 기술한 내용들은 최첨단 현대의학이 무시하고 넘어간 부분들이다. 그 이유는 최첨단 현대의학은 단백질이 하느님이기 때문이다. 즉, 최첨단 현대의학의 눈에는 오직 단백질만 보일 뿐이다. 그러나 인체를 다스리는 것은 전자라는 사실을 알면, 최첨단 현대의학은 너무 허술하다. 즉, 최첨단 현대의학은 겉만 번지르르하고 내용은 거의 없는 의학이 된다. 마지막으로 오장들의 상생 관계와 상극 관계를 알아보자. 오장은 고유의 체액을 보유하고 있고 이를 통제하면서 과부하에 걸리면, 상극당하는 오장의 고유 물질을 만들어서 상극당하는 오장으로 보내서 위기를 모면한다. 한마디로 자기가 처리해야 하는 과잉 전자를 특정 물질에 실어서 자기가 상극하는 오장으로 떠넘기는 것이 상극(相克)이다. 하나씩 풀어보자. 먼저 간은 인체의 최대 해독기관이므로, 그만큼 과부하도 잘 걸린다. 그래서 간은 해독물질을 처리하면서 자주 과부하에 걸린다. 그리고 이들을 처리하는 도구는 중성지방인데, 이들을 만들어 림프로 보내서 위기를 모면한다. 그러면 림프를 처리하는 임무를 맡은 비장은 곧바로 덤터기를 쓰게 된다. 이것을 보고 간이 비장을 상극(克)했다고 말한다. 이렇게 덤터기를 쓴 비장은 갑자기 날벼락을 맞게 되고, 그러면 비장도 살아야 하니까, 이들을 림프에 실어서 신장으로 보내버린다. 이것을 보고 비장이 신장을 상극(克)했다고 말한다. 신장이 처리하는 뇌척수액도 림프액이므로, 신장과 비장은 림프액을 서로 교환이 가능하다. 그러면 신장은 갑자기 날벼락을 맞게 되고, 이때 신장도 살아야 하니까 과잉 전자를 심장으로 보내버린다. 이를 보고 신장이 심장을 상극(克)했다고 말한다. 심장과 신장은 전자를 가지고 노는 장기인데, 신장은 전자를 염(鹽)에 실어서 체외로 배출하는 장기이고, 심장은 전자를 동방결절(sinoauricular node/SA node, 洞房結節)을 통해서, 이를 수거해서 산소를 이용해서 물로 중화한다. 그래서 신장과 심장은 서로 전자의 교환이 가능해진다. 이제 그러면 심장도 당연히 과부하가 걸리게 되는데, 이때 자기도 살아야 하니까 과잉 전자를 동방결절에서 수거하지 않고 산성 정맥혈에 실어서 폐로 보내버린다. 정맥혈은 체액 흐름도 때문에 우 심장에서 곧바로 폐로 들어간다는 사실을 상기해보자. 그리고 동방결절이 전자를 수거하는 체액이 우 심장으로 들어오는 정맥혈이라는 사실도 상기해보자. 이 상태를 보고 심장이 폐를 상극(克)했다고 말한다. 이제 덤터기를 쓴 폐도 다른 방도가 없이 자기가 상극하는 오장으로 과잉 전자를 떠넘기게 된다. 즉, 폐는 산성 담즙을 만들어서 이를 전문으로 처리하는 간으로 보내버린다. 이를 보고 폐가 간을 상극(克)했다고 말한다. 결과는 간이 보낸 과잉 전자를 실은 물질이 다시 간으로 되돌아왔다. 즉, 과잉 전자를 실은 산성 물질이 오장을 돌고 돌아서 다시 처음의 간으로 되돌아온 것이다. 이 말은 다른 오장도 과부하가 걸려서 이 산성 물질을 처리하

8. 오장 고유 면역, 오장 고유 물질, 오장 고유 체액

지 못했다는 뜻이다. 그러면 결국에 오장 모두가 과부하에 걸렸다는 뜻이 된다. 그러면 인체는 더는 과잉 전자를 중화하지 못하는 상황에 부딪히게 되고, 결국은 MMP가 작동하면서 인체는 해체되고 죽게 된다. 이것이 상극 관계이다.

이번에는 상생(相生) 관계를 알아보자. 이 문장은 본 연구소가 발행한 난경(難經)에서 그대로 가져와 보자. 즉, 아래 내용은 난경의 문장을 그대로 가져온 것이다.

여기서 상생(相生) 관계를 하나만 더 기술해보자. 완벽한 과학이 탄생한다. 심장은 장쇄지방산을 가지고 전자를 수거해서 심장을 운용하는데, 이 지방은 비장이 통제하는 림프에서는 골칫거리이다. 그래서 이런 지방을 심장이 가져가면 비장은 한결 수월해진다. 즉, 이 둘은 서로 상생(相生)하는 관계이다. 그리고 비장은 과잉 산을 처리할 때 위산으로 처리하는데, 이 위산을 만들 때 이산화탄소를 이용한다. 그런데 이 이산화탄소는 폐에서는 골칫거리이다. 그래서 비장이 이산화탄소를 가져다 소비해주면 폐는 한결 수월해진다. 즉, 이 둘은 서로 상생(相生)하는 관계이다. 그리고 폐는 이산화탄소를 처리하다 과부하가 걸리면, 이 이산화탄소를 중조염으로 만들어서 신장으로 보낸다. 그런데 이 중조염은 신장이 좋아하는 알칼리 물질이므로 신장이 이용한다. 즉, 이 둘은 서로 상생(相生)하는 관계이다. 그리고 신장은 담즙인 유로빌린을 처리한다. 그런데 신장이 이 물질을 처리하다가 과부하가 걸리면 간으로 보낸다. 그런데 이 유로빌린이라는 담즙은 산성이 아닌 알칼리이다. 그래서 이 알칼리 담즙을 받은 간은 이를 아주 잘 이용한다. 즉, 이 둘은 서로 상생(相生)하는 관계이다. 그리고 간은 과잉 산이 모이면 이들을 산성 정맥혈로 만들어서 우 심장으로 보내버린다. 그러면 우 심장에 있는 동방결절은 이 산성 정맥혈에서 전자를 수거해서 심장의 동력으로 사용한다. 즉, 이 둘은 서로 상생(相生)하는 관계이다. 그리고 상생 관계와 상극 관계는 여러 가지 방법으로 다양하게 표현할 수도 있다. 이렇게 두 관계를 기술해보면, 상극 관계와 상생 관계는 완벽한 과학으로 탈바꿈한다. 즉, 체액 이론을 대입했더니 미신이 갑자기 과학이 된 것이다. 그리고 미신이라고 조롱했던 사람들이 이 책을 보면 어떻게 반응할지도 궁금하다.

앞 난경의 기술에서 "여기서 상생(相生) 관계를 하나만 더 기술해보자"라고 한 것은 상생 관계를 설명하는데, 다른 기술도 가능하다는 뜻이다. 체액의 문제이므로 이것이 가능해진다. 자세한 내용은 본 연구소가 발행한 난경을 보면 된다.

지금까지 오장의 기능 문제를 구구절절이 너줄하게 설명했는데, 그 이유는 이들이 경락에서 핵심이기 때문이다.

이번에는 경락에서 낙(絡)을 알아보자. 낙(絡)이라는 글자의 뜻은 연결한다는 뜻이다. 그래서 경락에서 낙(絡)은 연결한다(絡)는 뜻이 된다. 그러면 무엇을 연결(絡)하는데요? 그리고 왜 연결(絡)해야 하는

데요? 한의학이나 동양의학의 기반인 황제내경은 경락을 이용할 때, 경(經)보다는 낙(絡)을 더 많이 이용하게 되는데, 그 해답은 낙(絡)이라는 글자 안에 있다. 인체의 여러 기관 즉, 경락의 핵심인 오장육부는 서로 얽히고설켜(絡)있는데, 이들은 모두 체액과 신경 그리고 근육이 서로 얽히고설켜(絡)있다. 이 얽히고설킨(絡) 관계를 낙(絡)으로 해결한다. 그래서 한의학이나 동양의학에서 낙을 굉장히 많이 이용한다. 결국에 병이라는 것은 어느 하나의 장기 문제로 나타나지는 않는다. 즉, 보통은 여러 장기가 얽히고설키면서 일어난다. 그래서 병이 난 하나의 장기만 치료해서는 문제가 해결되지 않게 된다. 그래서 여러 장기를 동시에 치료하기 위해서는 당연히 낙혈이 필요한 것이다. 경락에서 낙은 여러 가지로 구분된다. 대표적인 낙(絡)이 오수혈(五腧穴:五兪穴)이다. 이 오수혈은 12정경 모두에 분포하고 있다. 그리고 오수혈의 특징은 혈자리가 모두 손과 발에 집중된다는 점이다. 그 이유는 오수혈을 포함한 모든 낙혈은 체액의 순환을 목표로 하기 때문이다. 그리고 체액 순환이 막히는 지점에서 병의 근원인 과잉 전자가 제일 많이 생성된다. 그래서 이 지점에서 과잉 전자를 조절해주게 되면, 여기서 생긴 과잉 전자는 다른 곳으로 전달되지 않게 되고, 이어서 병은 낫게 된다. 그래서 오수혈은 체액 순환의 최고 변곡점인 손과 발에 있게 된다. 손과 발은 심장에서 최고로 멀리 떨어져 있고 또, 손바닥과 발바닥은 강한 저항성 피부를 보유하고 있으므로, 체액 순환의 최고 장애 지점이 되게 만든다. 그래서 당연히 체액 순환을 위한 낙혈인 오수혈은 손과 발에 있게 된다. 그리고 인체의 체액은 오장에 따라서 5가지 체액으로 나뉜다. 이미 앞에서 설명했다. 그래서 병은 과잉 전자를 중화하는 오장이 거의 모두 개입하므로, 오수혈은 오장의 체액을 통제하는 곳이 된다. 그래서 오수혈은 하나의 경락에 한 세트씩 존재하게 된다. 즉, 예를 들면 간경에도 한 세트의 오수혈이 존재하고, 신장경에도 한 세트의 오수혈이 존재하게 된다. 물론 양경인 육부의 경락에도 각각 경락에 따라서 한 세트씩 오수혈이 존재하게 된다. 그러면 12정경의 오수혈의 세트는 12개가 나온다. 그리고 이들을 모두 합하면(12×5=60), 60개의 오수혈 혈자리가 나온다. 오수혈은 얽히고설킨 낙혈이므로, 이 60개의 혈자리가 조합을 이루어서 오장육부를 거미줄처럼 얽어매고 있게 된다. 이만큼 오장육부를 치료하는 방법도 다양하게 나오게 된다. 그래서 침을 정확히만 배우게 되면 어떤 병도 침으로 다스릴 수 있게 된다. 그래서 오수혈의 특징은 오장이 다스리는 체액을 조절해서 병을 다스린다는 점이다. 인체의 모든 병은 체액의 문제이기 때문이다. 그 이유는 인체의 모든 기능은 근육이 담당하는데, 이 근육은 신경이 통제하고, 신경은 전자가 통제하고, 전자는 체액이 실어나르기 때문이다. 그래서 병을 다스릴 때 결국은 체액이 핵심이 될 수밖에 없다. 그래서 황제내경을 알려면 자동으로 체액 생리를 아주 잘 알아야 한다. 그리고 경락이 자리하고 있고 통제하는 간질은 체액, 신경, 세포, 간질 조직, 근육이 모두 모이는 장소이다. 물론 간질에는 영양분도 모이고 산성 노폐물도 모인다. 그래서 이 간질의 생리를 경락 생리라고 부른다. 즉, 침과 경락을 자세히 알기 위해서는 경락 생리를 아주 잘 알아야 하며, 그러기 위해서는 체액 생리학, 신경 생리학, 세포 생리학, 근육 생리학, 전자생리학 등등이 필수로 요구된다. 그래서 오수혈은 오장이 통제하는 고유 체액을 조절해서 병을 통제하는 장소이다. 그래서 황제내경은 체액을 집중적으로 연구하는 반면, 최첨단 현대의학은 체액이 통제하는 단백질만 열심히 연구하고 있다. 당연히 최첨단 현대의학이 병을 치료하는데, 한계를 보일 수밖에 없다. 상식적으로 봐도 체액이 없다면 단백질은 아무짝에도 쓸모가 없어지며, 단백질의 변성도 일어나지 않는다. 이런데도 불구하고 최첨단 현대의학은 단백질이 하느님이다. 그리고 염기로 구성된 DNA가 생명의 전부이다. 최첨단 현대의학은 뭔가 잘못되어도 단단히 잘못되어있다. 그런데도 불구하고 일반인들과 지식인들조차도 최첨단 현대의학은 하나의 종교로 인식한다. 그러니 코로나가 전 세계를 강타할 수밖에 없게 되고, 암이 유행병이 되고 있다. 이 문제는 황제내경을 기반으로 하는 한의학이나 동양의학이 아니면 해결할 수 없는 문제이다. 세상의 모든 일은 시간이 걸려서 그렇지 결국에는 사필귀정(事必歸正)이 된다. 이 사필귀정의 좋은 예는 콜럼버스(Christopher Columbus)가 제공해준다. 콜럼버스가 1492년에 아메리카 땅에 첫발을 디뎠을 때, 선원들은 괴혈병으로 무수히 죽어갔다. 이때 아메리카 원주민들이 이 광경을 보고 레몬(lemon)을 건네주면서 이것을 먹으면 나을 거라고 말한다. 그러나 문명인이라고 자부하는 콜럼버스 일행은 이들을 미개인 취급하면서 이를 거들떠보지도 않게 된다. 이 오만함의 대가는 선원들의 계속적인 죽음으로 보답받게 된다. 겸손은 인간의 최대 덕목이다. 이러고 장장 250년이라는 시간이 흐르면서 여전히 선원들은 괴혈병으로 죽어갔다. 이 250년간 얼마나 많은 선원이 죽었을지는 상상이 안 간다. 그런데 이후에 영국의 해군 의사가 무슨 물질을 하나 발견해서, 이 물질을 먹으면 괴혈병이 낫는다고 했다. 그러나 이 사실도 의사들의 오만함이 이를 무시하게 만든다. 그러다가 영국 해군에서 괴혈병 문제가 하도 극심해지자 우연히 해군 의사의 권유에 따라서 이 물질을 먹게 된다. 당연히 괴혈병은 순식간에 사라지게 된다. 이 물질이 바로 비타민C이다. 그리고 그때 해군 의사는 제임스 린드(James Lind)이다. 즉, 이 비타민C는 40년 후에 드디어 인정받은 것이다. 그리고 미개인인 아메리카 원주민이 건네준 레몬에는 비타민C가 듬뿍 들어있다. 과연 누가 미개인이고 누가 문명인일까? 이 말을 하는 이유는 황제내경을 미신이라고 치부하는 최첨단 현대의학의 모습이 떠오르기 때문이다. 삽화가 너무 길었다. 다시 본론으로 가보자. 그래서 앞에서 오장이 통제하는 고유의 체액을 설명한 이유가 바로 이 오수혈(五臟 穴:五兪穴)을 설명하기 위해서였다. 그런데 오수혈의 배치가 양경과 음경에서 약간 다르다. 오수혈에는 목화토금수라는 오행을 중심으로 오장이 배치되어있다. 이 배치가 오장을 중심으로 하는 음경(陰經)에서는 간(肝)인 목(木)에서 시작하고, 육부를 중심으로 하는 양경(陽經)에서는 폐(肺)인 금(金)에서 시작한다. 그 이유는 오장이 중심인 음경은 양경에서 들어온 과잉 전자를 중화하는 장기인데, 오장으로 공급되는 양경의 체액 중에서 제일 많은 체액이 소화관 체액인데, 이를 간이 간문맥을 통해서 처리하기 때문이다. 그리고 간이 미처 처리하지 못한 양경의 체액은 나머지 오장이 차례로 처리하게 된다. 그리고 양경은 피부에 인접한 간질에서 체액을 처리하는데, 이 간질의 체액을 폐가 통제하기 때문이다. 그래서 음경의 오수혈의 첫 혈자리인 정혈(井穴)은 목(木)으로서 간(肝)의 체액을 통제하는 곳이다. 그리고 양경의 오수혈의 첫 혈자리인 정혈(井穴)은 금(金)으로서 폐(肺)의 체액을 통제하는 곳이다. 이는 배치 순서만 다르고 나머지 기능은 같다. 그래서 오수혈에서 목(木)은 간(肝)의 체액을 통제하는 혈자리이고, 화(火)는 심장(心)의 체액을 통제하는 혈자리이고, 토(土)는 비장(脾)의 체액을 통제하는 혈자리이고, 금(金)은 폐(肺)의 체액을 통제하는 혈자리이고, 수(水)는 신장(腎)의 체액을 통제하는 혈자리이다. 그래서 오수혈의 구조와 개념을 정확히 알기 위해서는 오장 각각이 처리하는 고유의 체액을 알아야 한다. 그래서 앞에서 오장이 통제하는 고유 체액에 관해서 알아 보았던 것이다.

이번에는 낙(絡) 중에서 12정경 고유의 낙혈(絡穴)이 있다. 이 낙혈은 12정경에 하나씩 자리하고 있다. 이 고유 낙혈의 용도는 오장육부의 체액을 조절하는 것이다. 즉, 고유 낙혈은 음과 양으로 연결된 오장과 육부를 연결하는 체액을 통제하는 데 사용한다. 예를 들면 신장은 방광과 음과 양으로 엮이게 되는데, 이들의 체액 연결점에 문제가 생기면, 이 고유 낙혈을 다스려준다. 즉, 신장은 각종 염을 만들어서 방광으로 보내므로 신장과 방광은 당연히 체액으로 연결된다. 그래서 이들은 항상 체액으로 소통하고 있어야 정상이다. 그래서 이 둘의 체액 소통이 막히게 되면 문제가 발생하게 된다. 이때 바로 이 고유의 낙혈을 다스려준다. 그러면 신장과 방광의 체액이 소통되고 염의 소통은 정상적으로 이루어진다. 그래서 앞에서 오장의 음양 관계를 설명한 이유가 바로 이 낙혈(絡穴)을 설명하기 위해서였다.

이번에는 낙(絡) 중에서 12정경 고유의 극혈(郄穴)이 있다. 이 극혈의 용도를 정확히 파악하는 사람들이 굉장히 드물다. 그 이유는 이 극혈의 정의가 암호처럼 되어있기 때문이다. 즉, 극혈은 부모(父母)라는 것이다. 여기서 부모라는 의미는 보법(補法)과 사법(寫法)에서 사용하는 단어이다. 나중에 보법과 사법의 정의는 추가로 기술할 것이다. 이 두 침법에서 병의 근원이 되는 과잉 전자를 보내주는 장기가 부모가 되고, 받는 장기가 아들이 된다. 즉, 극혈은 부모 관계가 맺어져서 일어나는 병을 다스릴 때 사용하라는 뜻이다. 이미 상극과 상생 관계에서 배웠듯이, 오장은 서로 고유 물질을 교환하게 된다. 바로 이 고유 물질 교환 과정에서 고유 물질을 공급하는 쪽이 어머니가 되고, 받는 쪽이 아들이 된다. 그러면 극혈의 용도는 상극과 상생 관계로 인해서 병이 생겼을 때 이용하라는 뜻이 된다. 그래서 앞에서 오장의 상극과 상생 관계를 설명한 이유가 바로 이 극혈(郄穴)을 설명하기 위해서였다.

이번에는 낙(絡) 중에서 12정경 고유의 원혈(原穴)이 있다. 이 원혈을 정확히 아는 사람은 황제내경을 거의 다 아는 사람일 것이다. 그만큼 원혈의 개념을 파악하기 위해서는 아주 많은 지식을 요구한다. 원혈은 원기(原氣)를 소통시키는 곳이다. 그러면 원기는 무엇을 말하는가? 그리고 이 원기를 알기 위해서는 신간동기(腎間動氣)를 먼저 알아야 한다. 그리고 신간동기를 알기 위해서는 명문(命門)을 먼저 알아야 한다. 그 이유는 명문에서 작동하는 기운이 신간동기이기 때문이다. 그리고 명문은 다름 아닌 신장(腎) 사이(間)에서 활동(動)하는 부신(副腎:adrenal gland)이다. 그러면 왜 부신은 목숨(命)을 좌우하는 문(門)일까? 그 이유는 부신은 스트레스를 통제하는 코티졸(Cortisol)이라는 스테로이드 호르몬을 분비하기 때문이다. 동물 실험에서 부신을 절제하고 동물을 키우게 되면, 스트레스가 없는 환경에서는 부신이 없는 동물은 아주 잘 살아간다. 그러나 부신이 없는 이 동물은 스트레스를 받으면 곧바로 죽게 된다. 즉, 부신이 스트레스를 통제하지 못하면서 죽게 되는 것이다. 그래서 부신(副腎)은 생명을 좌지우지하는 명문(命門)이 된다. 그리고 부신이 분비하는 호르몬은 모두 스테로이드 호르몬인데, 이 스테로이드 호르몬은 성호르몬(sex hormone)이기도 하다. 그리고 이 성호르몬은 남녀의 생식선(生殖腺:sexual gland)에서 분비된다. 그리고 생식은 인간을 태어나게 하는 원천(原)의 기운(氣)이다. 그래서 스테로이드 호르몬은 원기(原氣)가 된다. 그런데 이 스테로이드 호르몬은 원기에 그치지 않고 치료에서도 아주 중요한 도구이다. 최첨단 현대의학에서 스테로이드 과다 사용에 대해서 많은 감시를 하고 있다. 물론 부작용을 알 때까지는 오남용이 심했던 약물 중에서 하나였다. 그 이유는 이 제제가 거의 만병통치약으로 쓰였기 때문이다. 그 이유는 전자생리학으로 풀면 간단히 풀린다. 이 스테로이드 호르몬은 전자를 수거하는 귀신들이다. 그런데 문제가 하나 있다. 이 스테로이드 호르몬이 전자를 수거해서 처리하는 방법이 문제이다. 즉, 병의 원인이 되는 과잉 전자를 콜라겐을 환원하고 분해해서 중화하는 것이다. 그런데 콜라겐 단백질은 인체에서 아주 중요한 요소요소에 빠짐없이 모두 배치되어있다. 특히 관절의 연골은 콜라겐 덩어리이다. 그래서 스테로이드를 과다 사용하게 되면, 이 제제는 무릎의 연골을 분해하게 되고, 결국에 무릎이 아파서 걷지 못하는 경우가 아주 많이 발생한다. 이것을 복용하지 않고 피부에 도포만 해도 피부 아래에 있는 콜라겐을 소모하면서 피부를 얇게 만들어버린다. 그래서 실핏줄이 보이게 되고, 조금만 압력을 가해도 피부가 터지면서 출혈이 발생하게 된다. 그리고 이때 소모된 콜라겐은 영원히 복구가 불가하게 된다. 그 이유는 이 스테로이드가 콜라겐을 복구하는 섬유아세포까지 죽여버리기 때문이다. 간질의 콜라겐이 상하게 되면, 섬유아세포가 나와서 콜라겐을 만들어서 보충해주는데, 이 세포까지 죽여버리게 되면, 간질에서 분해되어서 없어진 콜라겐을 보충해줄 세포가 제거되기 때문이다. 그래서 스테로이드 제제를 사용할 때는 세심한 주의를 요구한다. 아무튼, 이 스테로이드 호르몬을 자극하는 혈자리가 바로 원혈이다. 그래서 인체 안에 타박상이 생기면, 특히 낙상 사고로 타박상이 심하면, 이 원혈을 사용한다. 이 사실을 알고 나면, 황제내경이라는 책은 이미 스테로이드 호르몬의 효능을 알고 있었다는 뜻인데, 그 시기가 몇천 년 전이라는데 있다. 최첨단 현대의학은 스테로이드 효능을 발견한 지가 불과 몇십 년에 불과하다. 과연 현대의학이 최첨단일까? 황제내경을 기반으로 한 한의학이 최첨단일까? 물론 지금까지 이 사실을 황제내경 저자들 외에는 누구도 몰랐다. 이것이 황제내경의 품격이다. 그리고 더불어 이것이 소름이 돋게 하는 경락의 실체이다. 물론 지금까지 이 사실을 황제내경 저자들 외에는 누구도 몰랐다. 그리고 부신은 골수세포를 보유하고 있으므로 면역까지 관여한다. 그래서 원혈은 고유의 면역을 보유하고 있는 오장과도 소통하게 되고, 스테로이드 호르몬을 통해서 온몸을 통제하게 된다. 그래서 이 원혈을 자극하게 되면, 면역과 스테로이드 호르몬이 동시에 자극된다. 그래서 황제명당경에서 보면, 이 원혈만 기술한 부분이 있게 된다. 그래서 원혈은 대단한 수혈 중에서 하나이다. 여기서 수혈은 낙혈의 부분 집합을 의미한다. 즉, 모든 수혈을 통칭해서 낙혈이라고 부른다. 그 이유는 수혈(兪穴)은 여러 장기와 연결(絡)되어서 작동하기 때문이다. 그래서 수혈은 낙혈(絡)이 된다.

이 외에도 12정경에는 일반 수혈이 많이 있다. 특히 방광경과 위장경, 담경에도 많은 유용한 수혈이 있다. 그리고 기경팔맥인 독맥, 임맥에도 많은 수혈이 있다. 특히 방광경에 있는 수혈들은 유용한 수혈이 아주 많다. 그 이유는 방광경은 척추를 중심으로 하는 중추신경을 통제하므로, 전신에 영향을 미칠 수 있기 때문이다. 또, 독맥에도 유용한 수혈이 아주 많다. 역시 독맥도 척추를 중심으로 하는 중추신경을 통제하므로, 당연한 일이다.

마지막으로 낙혈 중에서 하나인 교회혈(交會穴)이 있다. 교회혈은 여러 경락이 교차하는 지점에 있는 혈자리를 말한다. 당연히 이 하나의 혈자리로 여러 장기의 체액을 동시에 통제할 수가 있게 된다.

이제 이 낙혈들로 인해서 생기고, 이 낙혈들을 이용해서 치료하는 낙병(絡病)을 알아보자. 낙병은 자기의 경락에서 과잉 전자가 문제를 일으켜서 생긴 병이 아니라 다른 경락에서 과잉 전자가 흘러와 서 만들어낸 병이다. 당연히 낙병은 병의 근원을 찾아서 치료하게 된다. 예를 들어서 우 심장이 폐를 상극해서 폐에 병을 만들어냈다 면, 이때 폐에 생긴 병을 낙병(絡病)이라고 한다. 그리고 이때 치료 는 폐에서 하는 것이 아니라 우 심장에서 해야 한다. 이때 낙혈인 수혈이 유용하게 쓰인다. 그러면 이때 심장의 오수혈 중에서 폐로 가는 산성 체액을 통제해서 폐의 체액을 통제하는 금(金)인 경혈(經 穴)을 침(鍼)으로 다스려주면, 우 심장에서 폐로 들어가는 산성 체액 은 중간에서 침(鍼)으로 제거된다. 그러면 폐에 병을 일으키던 원인 을 중간에서 가로채서 침(鍼)으로 제거했으므로, 폐는 병의 원인으 로부터 해방되면서 병은 낫게 된다. 이때 침의 묘미는 중간에서 병 의 원인인 과잉 전자를 가로채서 제거하는 것이다. 이 방법은 간단 하다. 수혈의 경락이 있는 간질에 침이 자기가 가진 전자를 공급하 게 되면, 간질에 있는 모세 체액관들은 당장에 활동전위가 만들어진 다. 그러면 동맥 모세혈관에 만들어진 활동전위는 동맥 모세혈관의 투과성을 높여서 간질로 알칼리를 동맥혈을 더 많이 내보내서 간질 에 있는 과잉 전자를 산소로 제거하게 된다. 물론 이 과정을 자세히 설명하려면 많은 지면을 요구한다. 이 과정은 뒤에서 경락의 원리를 설명할 때 추가할 것이다. 그리고 정맥 모세혈관에도 활동전위를 만 들어내게 되면, 정맥혈의 흡수가 더 많게 된다. 또, 림프관에서도 활동전위가 만들어지면, 림프관의 투과성이 커지게 되고 림프액의 소통도 빨라지게 된다. 그래서 전반적으로 간질에 정체하고 있던 체 액은 점도가 내려가게 되고 소통은 빨라지게 된다. 간질 체액의 점도는 간질에 정체하고 있는 과잉 전자가 만들어내기 때문이다. 이렇게 되면, 이 통로를 통해서 전달되는 체액은 당연히 깨끗해지게 되고, 이 깨끗한 체액을 받은 장기는 병에서 회복되게 된다. 물론 이 과정은 그리 간단한 게 아니다. 뒤에서 무자법과 거자법 그리고 경락의 작동 원리를 설명할 때 이에 관한 설명은 추가될 것이다.

이번에는 수혈은 아니지만, 체액의 소통에서 수혈만큼 중요한 모혈(募穴)을 알아보자. 모혈은 가슴과 복부 부분에 있게 된다. 왜? 모혈에서 모(募)는 장간막(mesentery:腸間膜)을 뜻하기 때문이다. 모(募)는 모인다는 뜻이다. 그러면 도대체 무엇이 모인단 말인가? 이것은 장간막의 특성에 있다. 장간막은 삼초의 구성 요소이다. 그리고 장간막은 오장육부를 매달고 있다. 그래서 장간막은 콜라겐 섬유가 주를 이루는 강한 힘줄로 구성된다. 그리고 이 힘줄이 소모되면 오장육부가 당장 위험해지므로, 이를 바로 복구시켜야 한다. 그래서 이 장간막의 힘줄에는 소모되는 콜라겐 힘줄을 복구시키기 위해서 섬유아세포가 아주 많이 상주하고 있다. 덕분에 장간막에서 과잉 전자가 적체하면, 이 섬유아세포가 바로 중화해준다. 물론 과잉 전자가 이곳에 과하게 적체하면 복강에 콜라겐이 많이 적체하게 되면서, 복수(ascites:腹水)를 만들어내게 된다. 콜라겐은 강한 삼투압 기질이라는 사실을 상기해보자. 그리고 이 장간막은 오장육부로 통하는 동맥혈관, 정맥혈관, 림프관, 신경 다발이 지나가는 통로를 제공한다. 그래서 장간막이 문제가 되면, 모든 체액의 흐름이 막히게 되고, 대신 신경이 과부하가 걸리면서 통증이 유발되고 인체는 난리가 난다. 이만큼 장간막이 중요하다. 그리고 이 장간막을 통제하는 혈자리가 모혈(募穴)이다. 그래서 모혈은 아주 중요한 혈자리가 된다. 그리고 장간막은 복부와 가슴에 존재하므로 모혈은 자동으로 복부와 가슴 부분에 있게 된다. 그리고 이들도 모두 12정경에 배치된다. 장간막은 12정경을 이루고 있는 오장육부를 모두 매달고 있기 때문이다.

이렇게 해서 여러 종류의 낙혈에 관해서 알아보았다. 결국에 낙혈들은 체액의 문제를 해결하는 곳이다. 체액의 문제를 해결하면, 체액이 실어다 주는 전자가 자동으로 통제되고, 이어서 신경이 통제되고, 이어서 근육이 통제되면서 병은 낫게 된다. 모든 병은 근육 문제라는 사실을 상기해보자. 즉, 모든 병은 살(肉)이 아픈 현상이다. 그리고 이 살을 통제하는 우두머리는 전자이다. 그리고 이 우두머리를 체액이 싣고 다닌다. 그래서 체액의 통제는 이만큼 중요하다. 즉, 인체를 통제하는 것은 겉으로는 근육을 이루고 있는 단백질 같지만, 실제로는 전자이고, 그리고 이 전자를 통제하는 것은 체액이다. 그래서 인체의 병을 접근하는 방식은 최첨단 현대의학의 방법보다 황제내경의 방법이 더 옳다.

이번에는 12정경과 다른 면을 가진 기경팔맥(奇經八脈)을 보자. 12정경과 기경팔맥의 차이는 정(正)과 기(奇)의 차이이다. 정(正)은 짝이 있다는 뜻이고, 기(奇)는 짝이 없는 홀을 뜻한다. 즉, 12정경은 인체를 좌우 대칭으로 해서 양쪽에 하나씩 두 개의 경락이 흐른다. 다시 말하면 오장육부를 중심으로 해서 인체를 대칭으로 만들고 여기에 좌우로 경락을 배치한 것이다. 이 방법은 경락을 엄청난 과학으로 만든다. 이를 기반으로 무자법(繆刺法)과 거자법(巨刺法)이 탄생한다. 이 두 가지 방법은 침(鍼)이 백신(vaccine)처럼 행동하지만, 절대로 백신 사고는 없게 만든다. 이 두 가지 방법은 따로 설명할 예정이다. 12정경(十二正經)은 오장 그리고 이와 음양 관계를 이루는 육부의 경락을 표시한 것이다. 여기서 원래는 간, 심장, 비장, 폐, 신장의 오장과 이와 음양을 이루는 담, 소장, 위장, 대장, 방광의 경락을 말하는데, 여기에 심포와 삼초를 추가해서 6장 6부로 만들어 놓았다. 여기서 심막(pericardium:心膜)인 심포(心包)와 복막(peritoneum:腹膜)인 삼초(三焦)를 추가한 이유는 심포와 복막의 특징에 있다. 심포는 심장을 감싸고 있는 심막인데, 심장은 인체에서 최고로 많은 전자를 중화하는 기관이다. 심장은 전기(전자)로 작동하는 기관이라는 사실을 상기해보자. 그래서 산과 알칼리를 결정하는 전자가 많다는 말은 산(酸)에 아주 취약하다는 뜻이다. 즉, 심장은 산(酸)에 아주 취약하다는 뜻이다. 그래서 심장은 자기가 스스로 보호하기도 하지만, 누가 따로 심장을 보호해줘야 한다. 아니면 심장은 과잉 전자에 의해서 분해되고 말 것이기 때문이다. 전자는 MMP를 불러내서 인체를 분해할 수 있다는 사실을 상기해보자. 그래서 심장은 항상 위험을 달고 산다. 그런데, 이런 심장을 심포가 보호해준다. 어떻게? 심장의 최대 문제는 과잉 전자의 위험성이므로, 이 과잉 전자를 중화해주면 된다. 그리고 이 과잉 전자를 중화하는 방법은 알칼리를 동원하는 것이다. 그러면 자동으로 심장을 보호하는 심포는 강알칼리를 보유하고 있을 거라는 추론이 가능해진다. 정확히 맞는 추론이다. 우리는 건강을 유지하기 위해서, 인체 체액의 산도를 pH7.45로 맞춰 놓게 된다. 그런데 심포는 이보다 훨씬 강한 pH7.69라는 상대적으로 아주 강한 알칼리 체액을 보유하고 있다. 그래서 이 강알칼리 체액이 심장을 보호하고 있는 것이다. 그리고 이 심막인 심포는 장간막의 일종이다. 그리고 장간막을 책임지고 있는 경락은 삼초이다. 그래서 삼초와 심포는 서로 짝이 된다. 그리고 심포의 산성 체액은 자동으로 삼초로 버려지게 된다. 즉, 심포의 배출구가 삼초가 된다. 그래서 심포는 장(藏)이 되고, 삼초는 부(府)가 된다. 이렇게 하면 6장(藏) 6부(府)가 탄생하게 되고, 드디어 12정경이 만들어진다. 그래서 체액을 중요하게 생각하는 황제내경은 심포를 아주 중요하게 생각하지만, 단백질만 바라보는 최첨단 현대의학은 심막인 심포는 쳐다보지도 않는다. 즉, 단백질 측면에서 심포를 바라보면, 이는 아무런 의미가 없게 되므로, 당연한 일이 된다. 그러나 실제로는 엄청나게 중요한 장기가 심포인 것이다. 심장이 정지하면 생명 자체도 정지한다는 사실을 상기해보자. 과연 어떤 의학이 최첨단 의학일까? 이번에는 삼초를 보자. 삼초(三焦)에서 초(焦)는 눌러 붙어있다는 뜻이다. 즉, 삼초는 복막이 후복벽과 전복벽에 가마솥에 누룽지가 눌러 붙어있는 것처럼 눌러 붙어있는 상태이다. 그리고 이 부분은 횡격막과 하복부의 장간막으로 구분지어지므로, 결국에 세 부분으로 나눌 수가 있게 된다. 그래서 이 초(焦)가 3개로 구분된다. 그래서 삼초(三焦)이다. 그리고 복막에는 장간막(mesentery:腸間膜)이 포함된다. 즉, 장간막은 복막의 일부이다. 그리고 이 장간막의 중요성은 이들이 모든 체액과 신경 다발의 통로라는 사실에 있다. 그래서 장간막에 문제가 생기면, 오장육부로 영양 공급은 끊기게 되고, 생명도 끊기게 된다. 그래서 삼초도 엄청나게 중요한 기관이 된다. 즉, 체액이라는 측면에서 보면 삼초도 엄청나게 중요한 기관이 된다. 그래서 심포와 삼초를 하나의 장부(藏府)로 취급한 것이다. 이것이 황제내경의 품격이다. 이렇게 해서 12정경이 완성된다. 그런데 엄청나게 복잡한 구조를 보유하고 있는 인체라는 측면에서 보면, 이 12정경만 가지고는 모자란 부분이 있을 수밖에 없다. 그래서 이들을 보완해주기 위해서 기경팔맥을 도입하게 된다. 대신 이들은 12정경을 보완해주는 기능이므로, 짝(正)이 없이 홀(奇)로 존재하게 된다. 경락의 구조를 이렇게 만들어 놓게 되면, 인체의 구석구석 통제되지 않은 곳이 없게 된다. 즉, 인체의 모든 부분에 인체 정보(人體情報:Body information)가 제대로 소통하는 것이다. 즉, 이것이 양자역학을 연구하면서 그렇게 눈에 불을 켜고 찾고자 했던 인체 정보의 통로가 바로 경락이다. 즉, 경락은 인체 정보를 소통시키는 가상의 통신망이다. 그러나 가상이면서도 실제 통신망이다. 가상이라는 단어를 쓴 이유는 나중에 경락의 작동 원리에서 밝혀질 것이다. 그래서 필자가 경락을 완벽한 양자역학이라고 한 것이다. 양자역학의 핵심은 다른 것도 있지만, 우리가 일상생활에서 꼭 필요한 부분은 전자(Electron)이다. 우리는 지금, 이 전자가 없다면 하루도 살아남을 수가 없다. 먼저 전자가 흘러 다니는 전기가 없다면, 문제가 심각해질 것이다. 그리고 통신을 주도하는 물질도 실제로는 전자이다. 그리고 산업의 쌀이라고 불리는 반도체도 전자가 없다면 무용지물이 된다. 그리고 태양계 아래 존재하는 모든 물체는 원소로 구성되어있고, 이 원소는 전자가 없다면 존재 자체도 없게 된다. 물론 우리 몸도 마찬가지로 원소 덩어리이다. 그래서 우리를 지배하는 것은 전자이다. 그리고 황제내경은 이 전자를 신(神)으로 명명하고 있다. 전자(神)는 크기가 너무 작아서 눈에 보이지는 않지만, 귀신(神)처럼 무슨 일이든 잘하기 때문이다. 참으로 놀라운 것은, 어떻게 몇천 년 전에 이 전자(神)의 실체를 파악했느냐는 것이다. 최첨단 현대과학도 전자를 발견한 지가 얼마 안 되었는데 말이다. 과연 우리가 발전시킨다고 말하는 문명은 발전(發展)해가고 있는 것일까? 아니면 복원(復元:復原)해가고 있는 것일까? 이것이 황제내경의 품격이다. 더 재미있는 것은 최첨단이라고 목에 힘을 주고 있는 양자역학 연구자들은 아직도 인체의 정보가 어떻게 흐르는지 몰라서 머리를 싸매고 있다는 사실이다. 그러나 최첨단 현대과학이 미신으로 취급했던 황제내경은 이미 몇천 년 전에 이 해답을 알고 있었다. 과연 누가 미신일까? 인간의 최고의 미덕은 겸손이라는 사실이 여기서도 증명된다. 우주 공간에서 바라보면, 인간이라는 존재는 하나의 티끌만도 못하는 존재인데, 우주에서 일어나는 모든 것을 아는 것처럼 행동하면서, 문제가 안 풀리면 미신이라는 단어를 붙여서 자기를 우월화시킨다.

이제 기경팔맥을 본격적으로 알아보자. 기경팔맥의 정의를 보면, 한의학 대사전에서는 다음과 같이 말하고 있다. 본문을 그대로 따 왔다.

"십이경맥(十二經脈)과는 달리 오장육부와의 연계가 없고 일부 기항지부(奇恒之府)와 연계되어있는 8가지 경맥. 기경팔맥에는 독맥(督脈)·임맥(任脈)·충맥(衝脈)·대맥(帶脈)·음유맥(陰維脈)·양유맥(陽維脈)·음교맥(陰蹻脈)·양교맥(陽蹻脈)이 속한다. 독맥과 임맥·충맥은 포궁(胞宮)과 연계되어있고 독맥은 뇌(腦)와도 연계되었다. 독맥과 임맥은 십이경맥과 마찬가지로 경혈(經穴)을 가지고 있으므로 이 두 경맥을 합하여 십사경맥(十四經脈)이라 한다. 기경팔맥은 십이경맥의 작용을 보충해 주고 몸의 영위기혈(營衛氣血)을 조절하는 작용을 한다. [네이버 지식백과] 기경팔맥 [奇經八脈] (한의학대사전, 2001. 6. 15., 한의학대사전 편찬위원회)"

여기서 기항지부(奇恒之腑)는 혼자서도(奇) 인체의 항상성(恒)을 유지할 수 있는 장부(腑)라는 뜻이다. 그리고 이들을 구체적으로 보면, 뇌(腦), 골수(髓), 뼈(骨), 맥관(脈), 자궁(子宮), 담(膽)이다. 그러면 이들은 왜 기항지부가 되는 능력을 보유하고 있을까? 답은 어디에 있을까? 답은 줄기세포(stem cell)에 있다. 그리고 이 줄기세포는 과잉 전자를 아주 잘 처리한다는 데에 있다. 어떻게? 방법은 간단하다. 이 줄기세포는 전자를 흡수해서 에스터(Ester) 작용을 통해서 콜라겐 단백질을 만들 수 있는 능력을 보유하고 있다. 에스터 작용은 반드시 전자를 중화하는 과정이 동반된다는 사실을 상기해보자.

그래서 줄기세포를 체액 측면에서 보면, 이들은 체액을 산성화시키는 전자를 중화해서 알칼리화한다는 것이다. 그런데 그 능력이 아주 탁월하다. 그리고 이들이 바로 기항지부의 공통된 구성 요소이다. 앞에서 이미 말했지만, 인체의 항상성은 pH7.45라는 사실을 상기해보자. 그리고 이것을 맞추기 위해서는 항상 전자를 통제해야 한다는 사실도 상기해보자. 결국에 줄기세포는 기항지부에 필수 구성 요소가 될 수밖에 없다. 여기서 참으로 놀라운 것은, 어떻게 몇천 년 전에 이 줄기세포의 기능이 만들어내는 현상을 파악했냐는 것이다. 과연 우리가 발전시킨다고 말하는 문명은 발전(發展)해가고 있는 것일까? 아니면 복원(復元:復原)해가고 있는 것일까? 이것이 황제내경의 품격이다. 더 재미있는 것은 최첨단이라고 목에 힘을 주고 있는 최첨단 현대의학은 아직도 줄기세포의 정확한 실체를 찾느라고 머리를 싸매고 있다는 사실이다. 그러나 최첨단 현대의학이 미신으로 취급했던 황제내경은 이미 몇천 년 전에 이 해답을 알고 있었다. 이것이 기항지부이다. 이 기항지부에 관해서도 지금까지 말들이 많았다. 그러나 체액을 모르면, 이 단어는 오리무중이 될 수밖에 없다. 게다가 줄기세포의 실체까지 파악할 수 있어야 하므로, 이 단순한 단어를 해석하는 것이, 그리 쉽지만은 않다. 이제 여기서 기항지부의 논쟁은 끝내는 것이 어떨까요?

다시 기경팔맥으로 가보자. 기경팔맥은 독맥(督脈), 임맥(任脈), 충맥(衝脈), 대맥(帶脈), 음유맥(陰維脈), 양유맥(陽維脈), 음교맥(陰蹻脈), 양교맥(陽蹻脈)을 말한다. 기경팔맥은 보통 오장육부와 연계가 없다고 말하는데, 오장육부와 연계된 12정경을 보강해주는 역할을 하므로, 간접적으로 오장육부와 연계된다. 이들의 내용은 본 연구소가 발행한 황제내경 소문에서 그대로 가져왔다.

대맥(帶脈)은 대맥(帶脈), 오추(五樞), 유도혈(維道穴) 등 교회혈(交會穴)과 장문(章門)을 가지고 있다. 앞의 3개는 담경(膽經)의 혈자리이고, 장문(章門)은 간경(肝經)의 혈자리이다. 그런데 대맥에 병이 생기면 배가 더부룩하게 불러 오르고 물속에 앉은 느낌이며 여자는 하복통과 월경이 고르지 못하고 이슬이 생긴다고 한의학 대사전은 말하고 있다. 하나씩 풀어보자. 대맥(帶脈)은 기경팔맥(奇經八脈)에서 여자포(女子胞)를 담당한다. 그 이유는 다음과 같다. 여자포는 자궁과 난소를 모두 포함하는 단어이다. 이 두 기관에서 핵심은 성호르몬인 에스트로겐의 분비이다. 이 에스트로겐은 에스트론(Estrone)이라는 강알칼리로 존재하고 있다가 과잉 산이 발생하면 이 과잉 산을 수거해서 에스트라디올(Estradiol)이 된다. 그러면 이 물질은 전해질이 되고 당연히 삼투압 기질이 되면서 수분을 잔뜩 끌어안게 된다. 그런데 이 에스트라디올은 최종적으로 간에서 중화 처리가 되어서 담에서 체외로 배출된다. 그래서 간과 담이 문제가 되면 삼투압 기질인 에스트라디올이 배출이 안 되면서 배가 더부룩하게 불러 오르고 물속에 앉은 느낌을 준다. 이렇게 에스트라디올이 간과 담에서 처리가 안 되면 하복통과 월경이 고르지 못하고 이슬이 생긴다. 그 이유는 에스트라디올은 알콜(Alcohol)로서 산(酸)이다. 그래서 당연히 자궁이 자리하고 있는 하복부에서는 정체된 에스트라디올로 인해서 하복통이 일어나고 자궁의 대사는 엉망이 되고 만다. 그 결과 월경이 고르지 못하고 이슬이 생긴다. 결국에 간과 담과 자궁과 난소는 서로 긴밀하게 연계가 될 수밖에 없다. 그래서 간과 담과 자궁과 난소는 이런 식으로 생리학적으로 연결되며 대맥(帶脈)이 존재하는 이유이다. 그래서 대맥(帶脈)은 기항지부(奇恒之腑)에서 담(膽)과 여자포(女子胞)의 연결을 맡는 경락이 된다. 이 소문의 설명에 몇 마디를 추가하자면, 여자포가 있는 이곳은 간문맥이 통제하는 하복부 정맥총이 아주 잘 발달해있다. 물론 이 부분에는 남성의 생식기관도 포함된다. 그리고 남성의 생식기관도 간문맥이 통제하는 정맥총의 영향을 받게 된다. 특히 여성은 자궁 정맥총과 난소 정맥총의 영향을 크게 받고, 남성은 정계정맥총의 영향을 크게 받는다. 그래서 이 대맥은 한편으로 보면, 이들 정맥총을 순환하는 경맥이라고도 말할 수 있다.

충맥(衝脈)은 척추와 회음 그리고 신장경을 따라서 구성된다. 또, 충맥은 월경과 밀접한 관계를 맺으며 임신과 관계된다. 또, 혈해(血海)라고도 하며 경맥지해(經脈之海)라고도 한다. 그리고 온몸의 기혈을 조절한다. 하나씩 풀어보자. 충맥의 핵심은 뇌척수액을 조절하는 신장이다. 혈해(血海)에서 해(海)는 모인다는 뜻과 큰 그릇이라는 뜻이 있다. 즉, 뇌척수액에 잠겨있는 골수(骨髓:bone marrow)는 혈구아세포(血球芽細胞:hematopoiesis)인 조혈(造血) 세포를 가지고 있다. 그래서 충맥이 통제하는 경(經)들은 뇌척수액과 관계를 맺고 있으므로 당연히 골수를 통제하게 되고 이어서 조혈 세포를 통제하게 된다. 그래서 충맥은 혈해(血海) 즉, 혈액을 만들어내는 조혈 세포를 가지고 있는 큰 그릇(海)이다. 그래서 충맥(衝脈)을 혈해(血海)라고 한다. 또, 이 골수는 모든 면역 세포들의 근원이다. 그리고 모든 면역 세포들이 활동하는 장소가 경(經)이다. 그래서 충맥(衝脈)은 모든 면역이 활동하는 경(經)에 면역을 제공하며, 조혈 세포를 작동시켜서 혈액을 만들기 때문에, 혈관(脈)에 들어있는 혈액을 공급하므로 종합적으로 경맥지해(經脈之海)라고 부른다. 그래서 충맥(衝脈)은 온몸의 기(氣)와 혈(血)을 조절한다고 말한다. 여기서 기(氣)는 면역의 자극 지점인 경(經)에 공급되는 위기(衛氣)를 말한다. 마지막으로 충맥은 회음(會陰)인 포궁(胞宮:자궁)에서 시작된다. 그러면 자궁과 뇌척수와는 무슨 관계가 있다는 말이다. 뇌척수에는 골수가 있는데 이 골수 건강과 에스트로겐이 아주 밀접하게 연관이 되어있다. 즉, 에스트로겐이 과잉 산을 수거해서 제거해줌으로써 골수의 면역은 보존이 되고 골수는 건강해진다. 또, 반대로 골수가 건강하면 면역이 건강해지게 되고 이 건강한 면역은 과잉 산을 잘 조절하기 때문에 에스트로겐이 과잉 산 때문에 소비되어야 할 이유가 없어진다. 그래서 골수와 회음부는 서로 상부상조하는 관계가 된다. 그래서 충맥은 월경과 밀접한 관계를 맺으며 임신과 관계된다. 이에 관해서 많은 논문이 나와 있다. 그래서 충맥(衝脈)은 기항지부(奇恒之腑)에서 맥(脈)과 수(髓)와 골(骨)과 여자포(女子胞)의 연결을 맡는 경락이 된다. 이것이 충맥의 기전이다.

임맥(任脈)은 스테로이드(Steroid) 호르몬이 핵심이다. 임맥은 임주포태(任主胞胎) 즉, 자궁과 태아를 주관한다. 즉, 임신은 스테로이드인 여성 호르몬이 핵심이기 때문이다. 이 스테로이드의 흐름을 따라가다 보면 임맥이 나온다. 인체에서 스테로이드를 제일 많이 만드는 세 곳이 있다. 하나는 생식기인 회음(會陰)이고, 또 하나는 신장에 붙은 부신(副腎)이고, 마지막이 단(膻)인 흉선(胸腺)이다. 그래서 임맥은 회음(會陰), 신장에 통하는 석문(石門)과 수분(水分)을 거치고, 흉선인 옥당(玉堂)을 거친다. 이 스테로이드 호르몬은 지용성이기 때문에 당연히 림프를 거쳐서 소통한다. 그래서 족태음비경을 포함한다. 또, 스테로이드 호르몬은 최종적으로 간에서 처리된다. 그래서 간경을 거친다. 마지막으로 앞에서 본 것처럼 골수와 스테로이드 호르몬은 상부상조하는 관계이므로 골수와 관련을 맺는 신장경과 연결된다. 그래서 족삼음경을 모두 거친다. 또, 임맥은 음유맥을 거치게 되는데, 음유맥 자체가 간경과 비경과 신경을 모두 거치기 때문에 당연한 일이다. 이렇게 해서 임맥은 온몸의 삼음경(三陰經)을 조절하는 경맥(經脈)이 된다. 이에 따라서 관련된 양경(陽經)도 거치게 된다. 그래서 이때 생기는 병은 남자의 생식기 문제인 산증(疝症), 여자의 생식기 문제인 월경 불순, 자궁 출혈, 대하증, 불임증, 유산 등이 나타나는데, 모두 스테로이드 호르몬과 연관된다. 그래서 자동으로 충맥(衝脈)과도 연계가 된다. 그래서 임맥(任脈)은 기항지부(奇恒之腑)에서 모두와 연결을 맡는 경락이 된다. 이것이 임맥의 기전이다.

독맥(督脈)은 회음(會陰)에서 시작하고 척추를 따라서 뇌를 지나서 윗입술에서 끝난다. 지맥(支脈)은 신장에 연결된다. 이 독맥이 발병하게 되면 척추가 강직되고 머리와 목, 등의 활처럼 휘어지는 후궁반장(後弓反張)이 일어나고 또한, 하복부에서 심장으로 틀어 오르는 통증을 비롯하여 대소변의 어려움과 치질, 갈증 등의 증상이 나타나게 된다. 또, 수족양경을 모두 통제한다. 독맥(督脈)에서 독(督)은 감독한다는 뜻이다. 즉, 독맥(督脈)은 인체 전체를 감독한다는 뜻이다. 그러면 독맥(督脈)의 경락들은 인체 전체에 바로 영향력을 미친다는 뜻이 된다. 인체 전체에 바로 영향을 줄 수 있는 방법은 중추신경과 면역을 통해서이다. 그래서 독맥(督脈)은 중추신경인 척추와 뇌를 경유하고 있다. 당연히 골수도 통제한다. 인체는 한마디로 신경의 놀이터이다. 그래서 중추신경을 조절할 수 있으면 인체 전체를 조절할 수가 있다. 이 중추신경을 조절하는 체액은 뇌척수액이다. 그래서 독맥(督脈)은 뇌척수액을 담당하는 신경(腎經)과 당연히 연결고리를 가지게 된다. 또, 독맥(督脈)은 모든 수족양경(手足陽經)을 통제한다. 양경(陽經)은 모두 피부 쪽(陽)에 존재한다. 그런데 피부는 인체 외부의 반응에 대응하기 위해서 구심신경이 잘 발달해있다. 그래서 양경이 작동하면 피부를 통해서 당연히 구심신경이 작동해서 뇌 신경이 자극된다. 그래서 모든 양경은 머리에까지 반드시 미친다. 그래서 중추신경을 통제하는 독맥(督脈)은 수족양경을 모두 통제할 수밖에 없다. 이에 따라서 독맥(督脈)의 병증도 척추와 뇌 신경이 있는 곳에서 발생하기 때문에 두통이나 후궁반장이 일어날 수밖에 없다. 그리고 독맥(督脈)은 뇌척수액과 바로 연결되기 때문에 뇌척수액을 처리하는 신장과 방광에도 영향을 미치고 병증도 신장과 방광에 수반된다. 그래서 독맥이 신장경과 방광경에도 자연스럽게 연결된다. 그런데 실제로는 독맥은 중추신경을 다루기 때문에 독맥이 문제가 되면 온몸이 바로 문제가 된다. 그리고 뇌척수액이 감싸고 있는 골수는 스테로이드 호르몬과 상부상조하는 관계이기 때문에 당연히 회음(會陰)과 연결된다. 그래서 독맥은 당연히 회음과 연결되는 다른 맥들과도 자연스럽게 연결된다. 또, 뇌척수액은 담즙을 통해서 간(肝)의 영향도 받기 때문에 독맥은 간경(肝經)과 담경(膽經)에도 자연스럽게 연계된다. 그래서 독맥(督脈)은 임맥(任脈)처럼 기항지부(奇恒之腑)에서 모두와 연결을 맡는 경락이 된다. 이것이 독맥의 기전이다. 소문의 설명에 몇 마디 추가하자면, 독맥은 척추를 통해서 중추신경을 통제하는 방광경의 보조 역할을 하는 경락이다. 그 이유는 중추신경은 인체 전체를 통제하므로 하는 일이 아주 많게 되고, 이어서 당연히 허점이 많고 과부하가 많이 일어날 수밖에 없기 때문이다. 그래서 독맥은 이런 방광경을 보조해서 방광경이 중추신경을 잘 다스릴 수 있게 해준다.

음유맥(陰維脈)은 임맥(任脈)과 구성이 똑같다. 즉, 작은 임맥인 셈이다. 구성은 신장경 1개, 간경 1개, 비장경 3개, 그리고 임맥 2개이다. 비장은 림프를 담당하는데 임맥을 구성하는 옥당도 림프를 처리한다. 그래서 스테로이드를 만드는 옥당을 더 강화해서 스테로이드 문제를 전문적으로 하는 임맥을 더 강화시키자는 전략이다. 즉, 음유맥(陰維脈)은 임맥을 한 번 더 강화시키는 기능을 수행한다.

그리고 소문의 설명에 몇 마디 추가하자면, 음유맥은 신장경, 간경, 비장경이라는 삼음의 혈자리를 보유하고 있다. 그래서 음유맥은 한 편으로는 음경(陰)을 연결(維)해주는 맥(脈)이 된다. 그래서 음유맥 (陰維脈)이라고 부른다.

양유맥(陽維脈)은 독맥(督脈)과 구성이 똑같다. 즉, 작은 독맥인 셈이다. 구성을 보면 담경이 11개로써 압도적으로 많다. 그 이유는 독맥이 중추신경을 통제하기 때문이다. 담(膽)은 담즙을 통해서 신경을 통제한다. 즉, 담(膽)이 막히면 산성 담즙 처리가 지체되면서 신경 간질에 과잉 산이 쌓이게 되고 신경은 심한 과흥분을 하게 되고 인체는 난리가 난다. 그래서 양유맥은 담을 도와서 독맥을 더 강화시켜주는 기능을 수행한다. 음유맥(陰維脈)과 양유맥(陽維脈)은 임맥(任脈)과 독맥(督脈)이 아주 중요하다는 암시를 주고 있다. 양생 (養生)의 전문가들이 임맥과 독맥만 잘 조절하면 건강은 충분하다는 말들을 하는데 이유가 여기에 있는 듯하다. 그리고 소문의 설명에 몇 마디 추가하자면, 양유맥은 담경이라는 양경과 독맥이라는 양경 (陽)을 서로 연결(維)해주는 맥(脈)이므로 양유맥(陽維脈)이 된다.

음교맥(陰蹻脈)은 신장경 3개, 위경 1개, 방광경 1개로 구성된다. 창양지맥(昌陽之脈)이라고도 하며, 인후에서는 충맥(衝脈)과 서로 통한다. 음교맥(陰蹻脈)의 해답은 창양지맥(昌陽之脈)에 있다. 여기서 양(陽)은 어디일까? 지금 우리는 기경팔맥은 논하고 있다. 그래서 여기서 양(陽)은 독맥(督脈)이 된다. 그래서 창양지맥(昌陽之脈)이란 독맥(陽)을 번창(昌)하게 해주는 맥(脈)이라는 말이다. 그래서 독맥은 뇌척수액이 산성으로 기울면 안 된다. 그래서 뇌척수액을 책임지고 있는 신장과 방광을 잘 다스려줘야 독맥이 힘을 발휘한다. 위경(胃經)이 나온 이유는 위가 분비하는 위산(胃酸)인 염산(鹽酸)이 신장이 취급하는 염(鹽)이기 때문이다. 즉, 위산이 체외로 분비하는 산(酸)인 염소(Cl^-)는 신장에서도 체외로 버려지는 염소(Cl^-)이다. 그래서 위장과 신장은 서로 연계가 된다. 또, 신장이 뇌척수액을 조절하는 도구도 염소(Cl^-)이다. 충맥(衝脈)도 신장경이 핵심이기 때문에 음교맥(陰蹻脈)과 만날 수밖에 없다. 이것이 음교맥(陰蹻脈)의 기전이다. 참고로 여기서 교(蹻)는 강성(強盛)하게 해준다는 뜻이다. 그리고 소문의 설명에 몇 마디 추가하자면, 음교맥(陰蹻脈)은 음경(陰)인 신장경을 강(蹻)하게 도와주는 맥(脈)이다. 그러면 독맥은 자동으로 혜택을 받게 된다. 신장과 독맥은 뇌척수액으로 연결된다는 사실을 상기해보자. 그래서 음교맥(陰蹻脈)은 양맥(陽)인 독맥이 번창(昌)하게 돕는 맥(脈)이므로, 창양지맥(昌陽之脈)이 된다.

양교맥(陽蹻脈)은 방광경 3개, 담경 2개, 위경 4개, 대장경 2개, 소장경 1개로 구성된다. 이 맥의 특징은 3부9후에서 인체 내외의 기순환(氣循環)을 책임지고 있는 장기들이 모여있다는 데 있다. 즉, 이 맥은 창음지맥(昌陰之脈)이라고 해야 할 것이다. 방광, 위, 대장, 담을 통해서 과잉 산을 인체 밖으로 내보내고 양경에서 최고로 과잉 산을 잘 중화시키는 소장을 동원해서 과잉 산을 제거한다면, 그 혜택은 과잉 산을 중화 조절하는 음경(陰經)에게 돌아가기 때문이다. 그리고 임맥(任脈)은 온몸의 삼음경(三陰經)을 조절하는 경맥(經脈)이다. 그래서 양교맥(陽蹻脈)은 임맥(任脈)을 강(蹻)하게 해주는 맥(脈)이다. 결국 음교맥(陰蹻脈)과 양교맥(陽蹻脈)도 음유맥(陰維脈)과 양유맥(陽維脈)처럼 독맥(督脈)과 임맥(任脈)을 강화(蹻)해주자는 것이다. 그리고 소문의 설명에 몇 마디 추가하자면, 양교맥(陽蹻脈)은 모두 양경과 연계하므로, 당연히 양경(陽)을 강(蹻)하게 해주는 맥(脈)이 된다.

이렇게 기경팔맥을 모두 알아보았다. 종합하자면, 결국에 기경팔맥은 12정경을 도와주는 역할이 핵심이다. 그리고 이들은 12정경이 소홀히 할 수 있지만, 인체에서 아주 중요한 역할을 하는 인체 기관을 돌보는 역할도 한다. 그 대표가 스테로이드 호르몬을 통제하는 임맥이다. 스테로이드의 중요성은 원혈(原穴)을 설명할 때 이미 언급했다. 이렇게 되면, 황제내경이 제시하는 경락은 온몸 구석구석을 빠짐없이 통제해서, 모든 생체 정보가 서로 완벽하게 소통하게 만든다. 즉, 경락의 중요성은 생체 정보 소통의 중요성을 말한다. 한의학이나 동양의학에서는 이들 두고 기(氣)의 소통이 잘되고 있다고 표현한다. 여기서 에너지로서 기(氣)는 에너지로서 전자(Electron)를 말한다. 그래서 기의 소통은 전자의 소통이며, 다른 말로 말하면 생체 정보의 소통이다. 생체나 비생체에서 어떤 정보도 전자가 없이는 불가하다는 사실을 상기해보자. 현재 우리의 현실을 보고 이 현실을 이해하자면, 정보 소통의 핵심은 반도체인데, 우리 몸에 있는 단백질이 물에 잠겨있게 되면, 반도체가 된다는 사실을 곱씹어보자. 그리고 추가로 인체도 지극히 자연에 일부라는 사실도 곱씹어보자. 즉, 인간은 만물의 영장이라는 헛소리를 다시는 하지 말자는 뜻이다. 인간도 그냥 자연의 구성원으로서 자연의 일부일 뿐이다. 우리가 이렇게 생각을 고쳐서 먹을 때, 드디어 생명의 신비함은 자연의 평범함으로 보이게 되고, 그 신비함도 풀리게 된다. 물론 생명을 가벼이 보자는 이야기는 아니다. 생명을 가진 우리 모두는 다른 생명을 먹지 않으면, 그 즉시 생명을 유지하지 못하고 죽게 된다. 그래서 우리가 모든 생명을 귀중히 여기는 이유는 우리가 살기 위해서이다. 아메리카 원주민들이 물소를 사냥해서 먹으면서도, 풀을 채취해서 먹으면서도 이들을 영혼(神)이 있는 존재로 여기면서 신(神)으로 모셨던 이유를 곱씹어봐야 하지 않을까? 물론 우리는 이 사실을 두고 이들을 미개인으로 취급했지만 말이다. 과연 누가 미개인일까? 답은 독자 여러분의 몫으로 남긴다. 아무튼, 양자역학을 연구하는 천재들이 그토록 머리를 싸매고 찾으려고 했지만, 실패했고, 지금도 열심히 찾고 있는 생체 정보 시스템이 바로 경락 시스템이다. 이제 이 생체 정보 시스템이 어떻게 환상적으로 작동하는지 알아보자. 새로운 세계가 열릴 것이다. 새로운 환상의 세계로 여행을 떠나보자. 그러나 이 세계는 생각처럼 환상적이지 않고 아주 단순하다. 물론 전자(Electron:神)라는 단순한 열쇠(Key)를 가지고 있을 때만 가능한 일이기는 하다.

9. 경락의 작동 원리, 생체 정보 시스템, 사중창단(quartet)

경락의 작동 원리는 반사(反射:reflex)이다. 그러면 무엇이 반사한단 말인가? 혹시라도 인체 안에 빛이라도 있나? 아니면 당구공이라도 있나? 그러면 발 반사(足反射:foot reflex)는 무엇이고, 얼굴 반사(面反射:face reflex)는 무엇인가? 지금까지 반사의 기전을 밝히지 못한 이유는 뭘까? 정답은 최첨단 현대의학이다. 즉, 최첨단 현대의학이 쳐놓은 장벽 때문이다. 그리고 지금 의학을 연구하는 모든 사람은 이 최첨단 현대의학의 덫에 걸려서 꼼짝도 하지 못하고 있다. 이놈의 단백질이 뭔지 모르겠다. 단백질을 넘어서서 경락의 작동 원리를 하나씩 풀어보자. 앞에서 경락이 자리하고 있는 지점이 간질이라고 설명했다. 그리고 이 지점에 자침한다는 사실도 말했다. 그래서 여기서 자유전자(Free Electron)를 침(鍼)으로 조절해주면, 병(病)은 낫게 된다. 그런데, 자침하는 혈자리를 보면, 병소와는 너무 멀리 있게 된다. 그래도 자침하면 희한하게 병이 낫는다. 이 원리를 신경으로 해결해보려고 해도 맞지 않고, 근육으로 해결해보려고 해도 안 맞고, 그렇다고 체액으로 설명해보려고 해도 안 맞고, 림프로 혹은 혈관으로 설명해보려고 해도 해답이 안 나온다. 왜? 반사(反射:reflex)의 원리 때문이다. 서양에서 발 반사는 많이 이용되고 있다. 그러나 최첨단 현대과학은 이 발 반사의 원리를 파악하지 못하고 있다. 발은 인체의 거의 모든 장기의 반사 지점을 가지고 있다. 그러면 이 발 반사 요법이 어떻게 서양으로 유입되었을까? 이 추정은 쉽지 않지만 해보자면, 칭기즈칸(成吉思汗(성길사한), Chingiz Khan)에 있다. 칭기즈칸이 유럽으로 원정을 하면서, 이 요법이 퍼져나가게 된다. 즉, 원나라 때에 홀태필열(忽泰必烈)의 금난순경(金蘭循經)과 활백인(滑佰仁)의 십사경발휘(十四經發揮)에 나와 있는 발 반사 치료학설이 유럽으로 전해져 오늘날의 유럽식 발 건강법의 시조가 되었다. 이 두 책은 결국에 경락(經絡)을 기초로 발 반사를 말하고 있다. 십사경발휘(十四經發揮)는 중국 원(元)대 1341년 활수(滑壽)가 저술한 경맥학서(經脈學書)이며, 상권은 경맥 순행의 규율을 기술하고 있고, 중권은 전신 십사경순행(十四經循行)과 관련된 내용을 기술하고 있고, 하권은 기경팔맥(奇經八脈)의 순행 내용을 기술하고 있다. 금난순경(金蘭循經)은 중국 원나라 홀공태(忽公泰)가 저작하고, 그 아들 광제(光濟)가 전차(詮次)하여 1303년에 간행한 1권의 의서이다. 여기서 나온 것이 금란순경취혈도해(金蘭循經取穴圖解)인데, 중국 원나라 때의 침구학자인 홀태필렬(忽泰必烈)이 침구경락도(鍼灸經絡圖)를 그리고 주석을 달아 저술한 침구학(鍼灸學) 전문 의서이다. 결국에 반사 요법의 실체는 경락이다. 그러면 최첨단이라고 자랑하며 으스대는 최첨단 현대의학은 왜 이 반사 원리를 밝혀내지 못하고 있는 것일까? 그 이유는 인간은 만물의 영장이라는 헛소리 때문이다. 즉, 인간과 자연은 다르다는 것이고 인간이 월등하다는 것이다. 추가로 최첨단 현대의학이 인체의 에너지는 ATP이고, 인체를 좌지우지하는 근본은 DNA라는 잘못된 인식 때문이다. 인체의 에너지는 ATP가 아니고 자유전자(Free Electron)이며, 인체를 좌지우지하는 인자는 DNA가 아니라 체액인데, 인체를 ATP와 DNA로만 풀려고 하니 풀리면 그게 더 이상할 것이다. 즉, 반사 요법에서 반사의 주체가 자유전자이다. 그런데, 이 말은 만물의 영장인 인간에게 써서는 안 되는 금기어이다. 어떻게 자연을 약탈하는 인간과 자연이 똑같은 에너지로 움직인다는 말인가? 이건 상상할 수도 없고, 상상해서도 안 되는 금기어이다. 그러나 엄연한 사실이다. 그래서 인체의 에너지를 전자로 바꾸게 되면, 드디어 반사 요법의 실체가 간단하게 풀린다. 그렇다고 아주 간단한 기전은 아니다. 우리가 말하는 반사(反射:reflex)란 쉽게 말하면, 당구에서 보면 쿠션을 말한다. 이것을 인간의 세계로 비유해보면, 아프리카 오지를 가는데, 비행기를 여러 번 갈아타는 환승을 말한다. 그리고 경락은 바로 환승지이다. 물론 경락에서 환승지는 경과 낙이 되고, 승객은 전자가 된다. 그리고 이 전자는 결국에 아프리카 오지라는 병소(病所)에 도착하게 된다. 이때 병소에 도착한 전자가 문제를 일으키면 병(病)이 되고, 정상적으로 활동하면 에너지(氣)가 된다. 대개는 이 전자의 숫자가 문제가 된다. 즉, 전자가 인체가 필요로 하는 숫자보다 많게 되면, 이 전자는 환승 비행기를 타지 못하게 되고, 이제 공항에서 문제를 만든다. 즉, 왜 누구는 가고 누구는 못 가냐고 항의하면서 공항의 기물을 부수고 난리를 친다. 여기서 환승 공항은 실제로는 경락에 해당한다. 그러면, 억지로라도 비행기에 과적해서 승객을 다음 환승지로 보낸다. 그러면 다음 환승 공항에서 또, 똑같은 사건이 발생한다. 그러면 또, 귀찮으니까 비행기를 과적해서 다시 손님을 다음 환승지로 보낸다. 그리고 이때 말하는 비행기는 실제로는 승객인 전자를 원거리 수송하는 신경(神經:nerve)이다. 신경은 전자(神)를 원거리로 실어나르는 도구라는 사실을 상기해보자. 즉, 비행기에 과적했다는 말은 신경이 과흥분했다는 뜻이다. 그리고 승객이 환승지에서 물건을 부수고 난리를 친다는 말은 과잉 전자가 MMP를 동원해서 간질의 콜라겐을 환원해서 분해한다는 뜻이다. 물론 이것이 병(病)이다. 이제 문제는 과적해서 승객을 최종 종착지까지 보내면, 여기서는 이 많은 승객을 수용한 호텔 객실이 모자라게 된다. 그러면, 이제 또, 승객이 기물을 부수고 난동을 피운다. 이곳은 이제 승객을 어디로 보낼 수도 없는 종착지이다. 이것이 바로 과잉 전자가 모인 병소(病所)이다. 그러면 이제 이 문제를 해결하는 방법은 비행기의 첫 출발지에서 승객의 숫자를 줄이면 간단히 해결된다. 즉, 경락의 첫 출발지에서 전자의 숫자를 줄이면 병소까지 갈 전자는 없게 되고 병은 낫게 된다. 이때 전자의 숫자를 줄이는 방법은 전자를 격리해서 신경이라는 비행기를 타지 못하게 하거나. 아예 승객이라는 전자를 공항에서 빼 내버리는 것이다. 이 일을 침(鍼)이 한다. 어떻게? 방법은 약 4가지가 된다. 하나는 침이 자유전자를 경락이 있는 간질에 공급해서 산소를 공급하는 동맥혈관의 투과성을 높여서 간질로 산소를 추가로 공급하게 만들고, 이 산소가 문제가 되는 과잉 전자를 물로 중화하는 것이다. 그러면 물에 격리된 전자는 꼼짝하지도 못하고 잡혀있게 되면서 더는 난동을 부릴 수가 없게 된다. 또 하나는 침으로 면역 세포를 자극해서 활성화시키면, 이들이 과잉 전자를 흡수해서 미토콘드리아의 전자전달계에서 이들을 역시 물로 격리해버린다. 그러면 물에 격리된 전자는 꼼짝하지도 못하고 잡혀있게 되면서 더는 난동을 부릴 수가 없게 된다. 또 하나는 과잉 전자가 모여있는 곳을 침으로 찔러서 과잉 전자를 보유한 산성 체액을 인체 밖으로 빼 내버린다. 우리는 이것을 보고 사혈(瀉血:venesection)이라고 부른다. 그러면 체액에 머물러있는 전자는 인체 밖으로 추방되면서 더는 인체 안에서 난동을 부릴 수가 없게 된다. 나머지 하나는 침 자체를 이용하는 것이다. 침은 상온에 두면, 공기 중에 있는 용매화 전자를 흡수해서 전자를 보유한 산성철(Fe^{2+})이 된다. 그런데 이 산성철에 있는 전자에 열에너지를 강하게 주게 되면, 전자는 산화되어서 날아가 버린다. 그러면 이 산성철은 전자를 흡수할 수 있는 알칼리철(Fe^{3+})로 변한다. 이제 이 알칼리철은 전자를 사냥할 수 있는 도구로 변모하게 된다. 이때 이 침을 화침(火鍼)이라고 부른다. 이 화침(火鍼)을 다른 말로 번침(燔鍼), 소침(燒鍼)이라고도 부른다. 모두 불에 달군다는 뜻이다. 즉, 불로 열에너지를 공급해서 전자를 산화시켜버리는 것이다. 그리고 이 침법을 쉬자(焠刺)라고 부른다. 즉, 과잉 전자가 있는 병소에 이 침을 사용해서 자침하게 되면, 전자는 철의 유혹에 끌려서 철로 흡수된다. 그러면 영악한 의사는 재빠르게 이 침을 인체 밖으로 빼내서, 다시 불로 침이 유혹해서 데려온 전자를 산화시켜버린다. 그러면 병소의 과잉 전자는 제거되고 병은 낫게 된다. 이렇게 해서 병소에서 과잉 전자를 일소하는 방법은 4가지가 된다. 그런데, 면역과 산소를 이용하는 방법은 다소 복잡하다. 즉, 병소에 직접 자침하지 않는다. 이 부분은 뒤에 거자법(巨刺法)과 무자법(繆刺法)을 설명할 때 자세히 설명된다. 그리고 나머지 두 방법은 병소에 직접 자침하는 경우이다. 즉, 병소에서 직접 과잉 전자를 제거하는 것이다. 그리고 침법 중에는 아주 최첨단 원리를 이용하는 침법도 있다. 즉, 침을 찌르지 않고 침으로 과잉 전자를 다스리는 것이다. 바로 원침(圓鍼)이다. 이 침법은 병소에 침을 문지르는 것이다. 주로 영아(嬰兒)들을 치료할 쓰기도 한다. 이는 복사기(copy machine:複寫機)의 원리를 이용하는 것이다. 즉, 병소에는 많은 과잉 전자가 적체하고 있으므로, 당연히 정전기(static electricity:靜電氣)가 발생한다. 그러면 침으로 이 정전기를 흡수하는 것이다. 정확히 복사기의 원리이다. 그러면 병소의 과잉 전자는 제거되고 병은 낫게 된다. 다시 비행기 환승장으로 가보자. 이 환승장은 3개의 부서가 전자라는 승객을 위해서 활동하는 장소이다. 이 3개의 부서는 신경, 체액, 근육이다. 근육은 건물에 해당하고, 신경은 비행기에 해당하고, 체액은 승객을 관리하는 운영 시스템에 해당한다. 이 3가지는 전자라는 승객을 위해서 존재한다. 그래서 이들 3가지가 서로 협조가 안 되면 불협화음이 생기면서 공항은 마비된다. 즉, 인체의 기능이 마비된다. 그러면 불편을 겪게 되는 승객인 전자는 항의하면서 난동을 부린다. 이게 병(病)이다. 이렇게 환승장을 연결한 비행기 노선도가 경락이 된다. 즉, 경락은 환승장의 노선도이다. 그리고 이 환승장은 각각의 요충지에 자리하고 있다. 즉, 경락은 신경, 근육, 체액의 요충지에 자리하고 있다. 신경의 요충지는 신경총이 모인다거나 신경이 분기되는 지점이고, 근육의 요충지는 근육이 분기되거나 모이는 곳이 되고, 체액의 요충지는 체액의 정체가 심한 오금 같은 곳이다. 그래서 이들 3가지가 경락을 구성하는 조건이 된다. 먼저 체액이 막히게 되면, 산소 공급이 줄면서 전자를 중화하지 못하게 되면서 문제를 만들고, 과잉 전자 때문에 근육이 이완되어있지 못하고 경직되어있게 되면, 체액의 흐름을 막으면서 문제를 만들고, 신경이 과잉 전자 때문에 과흥분하게 되면, 근육을 경직시키면서 문제를 만들게 된다. 그리고 이 중심에 전자(神)가 떡 버티고 서있다. 즉, 이 3가지는 전자를 잘 다루기 위해서 존재하게 된다. 아무튼, 이런 이유로 모든 경락은 이 3가지의 요충지가 만들어낸다. 그래서 이 요충지인 경락에 문제가 생기면 침으로 전자를 다스려서 근육의 경직을 풀기도 하고, 신경의 과부하를 풀기도 하고, 체액의 점도를 풀기도 한다. 그러면 체액의 흐름이 정상화되면서, 인체가 에너지로 사용하고 남은 전자는 체액이 실어다 주는 산소를 이용해서 이 전자를 물로 중화한다. 이것이 건강이다. 결국에 체액의 흐름을 막는 것은 근육의 경직이다. 그리고 근육의 경직을 유발하는 인자는 신경의 과흥분이다. 그리고 신경의 과흥분을 유발하는 인자는 전자이다. 그러면 침이 이 전자를 조절해서 체액의 흐름을 잡아준다. 그러면 신경의 과흥분이 풀리고, 이어서 근육의 경직이 풀리고, 이어서 체액의 정체가 풀리고, 이어서 산소 공급이 정상화되면서 전자는 인체를 가동시키는 에너지로서만 역할을 수행하게 된다. 이게 치료이다. 그리고 이게 침을 놓는 이유이고, 침의 원리이다. 그런데 인체는 아주 복잡한 생체 정보 전달 체계를 보유하고 있으므로, 비행기 환승 노선도 하나만 가지고는 인체의 정보 소통을 모두 감당하기가 불가하게 된다. 황제내경은 이 노선도를 12정경이라는 이름으로 12개를 이용해서 생체 정보를 소통시킨다. 그리고 중간중간에 허점이 보이는 곳을 보완하기 위해서 기경팔맥이라는 특별 노선도를 따로 가지고 있다. 그리고 각각 노선도마다 서로 소통하는 지점을 경락이라는 이름으로 가지고 있다. 그래서 12개의 12정경 노선도와 8개의 기경팔맥 노선도가 인체 정보의 소통을 위해서 거미줄처럼 인체를 얽어매서 네트워크를 구성하고 있다. 그리고 각각의 노선도의 필요에 따라서 각각의 이름을 따로 명명해두었다. 그리고 승객인 전자의 최종 종착지를 오장이라고 부르며, 이는 간, 심장, 비장, 폐, 신장이 된다. 오장은 전자를 중화하는 기관이라는 사실을 상기해보자. 그리고 이 오장에서 수용하는 승객인 전자가 과잉되면, 이 승객인 전자를 처리하기 위해서 부(府)를 둔다. 이 부를 6부라고 부르며, 이는 오장에 딸려있게 된다. 그래서 간에는 담이라는 부를 두고, 심장에는 소장이라는 부를 두고, 비장에는 위장이라는 부를 두고, 폐는 대장이라는 부를 두고, 신장은 방광이라는 부를 둔다. 그리고 이 오장과 육부가 전자라는 승객을 서로 교환하는 장소를 낙혈(絡穴)이라고 부른다. 그래서 이 낙혈은 오장육부 모두에 있게 된다. 그리고 이 지점에서 전자라는 승객수를 조절할 수 있게 된다. 또, 전자라는 승객을 오장과 육부만 서로 교환하는 것이 아니라 오장과 오장끼리, 육부와 육부끼리도 서로 교환하게 되는데, 이 장소를 극혈(郄穴)이라고 부른다. 그래서 이 극혈도 오장육부 모두에 있게 된다. 그리고 이 지점에서 전자라는 승객수를 조절할 수 있게 된다. 그리고 오장육부의 출발 공항에서 각기 다른 공항인 오장으로 가는 길목이 있는데, 이를 오수혈(五兪穴)이라고 명명하고 있다. 그래서 오장육부 경락이라는 출발 공항에는 각각 5개의 갈림길이 있게 된다. 그리고 이 갈림길을 따라가게 되면, 5개의 각기 다른 오장에 도착하게 된다. 그래서 이 갈림길에서 오장으로 소통하는 전자라는 승객수를 조절할 수 있게 된다. 그리고 오장육부 경락에는 스테로이드를 공급하는 만능 민원 센터가 있어서 전자가 만들어내는 어떤 민원도 스테로이드를 이용해서 깨끗이 신속하게 처리해준다. 우리는 이를 원혈(原穴)이라고 부른다. 이 원혈이라는 민원센터도 오장육부 경락에 모두 자리하고 있으면서 전자가 만들어내는 민원을 즉각 처리해준다. 그래서 전자가 만들어내는 소란을 즉시 잠재우게 된다. 대신, 이 민원 처리 과정에서 콜라겐이라는 비용이 수반된다. 즉, 이 과정에서 콜라겐이 소모된다. 그리고 인체의 정보 교환 시스템이 거미줄처럼 연결되어 있는 관계로 인해서, 서로 정보망이 교차하는 경우가 생기는데, 이를 교회혈(交會穴)이라고 부른다. 이 교회혈에서도 역시 전자라는 정보를 조절할 수 있다. 그리고 오장육부라는 종착지 공항을 총통제하는 관제탑인 모혈(募穴)이 있다. 그래서 관제탑인 모혈이 막히면 오장육부라는 공항은 아무짝에도 쓸모가 없어지고, 공항은 대혼란에 빠지게 된다, 그래서 공항관제탑인 모혈은 아주 중요하다. 그리고 이 관제탑인 모혈에서도 전자라는 승객을 직접 조절할 수도 있다. 그리고 공항 환승 노선도에는 경(經)이라는 곳도 있다. 이 경에는 파견 경찰이 근무하고 있으면서, 소란을 피우는 전자라는 승객이 있으면, 이들이 즉시 해당 환승 공항에 도착해서 이 전자라는 승객을 체포해서 미토콘드리아라고 하는 경찰서로 데려가서 물로 중화해서 소란을 잠재운다. 우리는 이 파견 경찰을 면역 세포라고 부른다. 이 파견 경찰인 면역 세포는 원래 골수라고 부르는 중앙 경찰청에 소속되었다가 경이라는 지점으로 파견된다. 그래서 면역 세포라는 파견 경찰을 언제라도 증원할 수 있도록 경(經)이라는 파출소는 항상 중앙 경찰청이라는 골수를 담고 있는 뼈의 구멍 통로 근처에 자리하게 된다. 그리고 이 파견 경찰은 난동을 부리는 전자를 감시하다가 즉시 체포해서 난동을 잠재우는데, 난동을 부리는 전자라는 범죄자에게 가끔 맞아서 희생당하기도 한다. 우리는 이 사건을 보고 면역이 죽었다고 말한다. 그러면 이런 곳은 전자가 판을 치면서 무법천지가 되고, 주위에 있는 시설물들은 초토화된다. 우리는 이 현장을 보고 염증이 생겼다고 말한다. 즉, 인체가 전자의 난동 때문에, 파괴된 것이 염증이다. 이처럼 경락이라는 인체 정보 시스템은 다양한 방법으로 경락을 이용해서 생체 정보를 주도하는 전자를 조절하게 된다. 전자는 두 얼굴을 가지고 있다. 하나는 인체를 가동하는 에너지의 역할이고, 하나는 과잉되면 병의 원인이 되는 인자이다. 그래서 전자는 균형이 아주 중요하다. 이 전자의 균형점이 pH7.45이다. 인체가 이 pH7.45를 맞춰가는 과정을 생체 에너지 균형 또는 생체 정보 균형이라고 부른다. 다른 말로 인체의 항상성이라고도 말한다. 그리고 비행기를 탈 때 반드시 먼저 노선을 잘 알아보고 타야 한다. 즉, 환승해서 가는 환승 공항이 정해져 있게 된다. 우리는 이 환승 노선표를 고유 경락도라고 부른다. 즉, 아프리카 가나를 가는 환승 노선도가 따로 있고, 아마존 정글로 가는 환승 노선도가 따로 있듯이, 경락도도 각각 따로 있으므로, 이 노선도인 경락도를 잘 파악해서 승객인 전자를 조절해야 한다. 아니면 엉뚱한 노선의 승객인 전자를 조절하게 된다. 그러면 당연한 결과로 다른 경락에 병이 생기든지, 아니면 병이 든 병소는 낫지 않게 된다. 그래서 치료할 때는 반드시 경락도를 살펴야 한다. 아니면 치료는 안 된다.

이런 식으로 경락이라는 생체 정보 시스템은 인체 전체를 네트워크로 얽어매고 있다. 그리고 그 중심에는 전자가 있고, 이 전자는 반사 작용을 주도하게 된다. 그리고 이 반사 작용은 체액, 신경, 근육, 전자라는 사중창단(quartet)이 함께 만들어낸다. 이것이 반사 요법의 실체이다. 즉, 반사 요법은 어느 하나의 인자로만 파악하기가 불가능하다는 뜻이다. 그런데도 불구하고 최첨단 현대의학은 이런 반사 요법의 원리를 밝히겠다고 하면서, 체액이나, 신경이나, 근육이라는 독주(solo)만 추적하고 있다. 당연히 발 반사 원리는 파악이 불가하게 된다. 여기서 핵심은 뭐니 뭐니 해도 자유전자이다. 그래서 경락의 원리, 반사의 원리, 생체 정보 시스템의 원리를 정확히 파악하려면 자유전자가 인체를 다스린다는 사실을 먼저 알아야 한다. 아니면 이들 원리는 영원한 미제가 되고 만다.

10. 무자법과 거자법, 보법과 사법, 인체의 에너지 공급

이번에는 앞에서 미루어두었던, 무자법(繆刺法)과 거자법(巨刺法)을 알아보자. 무자법은 낙(絡)의 대칭을 이용하는 침법이고, 거자법은 경(經)의 대칭을 이용하는 침법이다. 참고로 무자법에서 무(繆)의 뜻은 낙(絡)과 같은 뜻이다. 그래서 무자법(繆刺法)은 낙자법(絡刺法)으로 써도 된다. 이 두 침법의 공통점은 인체의 대칭(對稱)을 이용한다는 점이다. 그리고 이 방법은 침법이라는 측면에서 보면, 침법에서 당연히 실행해야 하는 법칙이다. 어쩌면 법칙이 아니라 그냥 해야만 하는 원리이다. 그 이유는 침법의 원리 때문이다. 침법은 반드시 알칼리를 전제로 한다. 여기서 침법은 과잉 전자가 섞여 있는 산성 체액을 침으로 빼내는 침법이 아니다. 이때 침법은 사혈 요법의 도구일 뿐이지 진정한 침법은 아니다. 침법에서 알칼리를 전제로 해야 한다는 말은 침은 과잉 전자를 보유하고 있는 산성 체액을 다스리기 때문에, 침이 공급하는 전자가 이 산성 환경에 추가되면 안 된다는 뜻이다. 그러면 침은 자동으로 산성 환경에 놓아서는 안 된다. 만일에 전자가 과잉으로 존재하는 산성 환경에 침을 놓게 되면, 침은 전자를 공급하는 도구이므로, 이 기존의 산성 환경을 더 진한 산성 환경으로 만들어서 병을 더 키우고 만다. 물론 알칼리 침을 사용하는 쉬자법은 예외가 된다. 그러나 보통 쓰는 침은 전자를 보유한 산성철(Fe^{2+})로 된 침이다. 그러면 당연히 철이 보유한 전자가 인체로 공급된다. 그러면 이런 논리라면 침은 병이 났을 때 아무짝에도 쓸모없는 존재가 되고 만다. 그래서 이런 모순을 돌파

하기 위해서 고안해낸 방법이 무자법과 거자법이다. 그래서 온몸에 과잉 산이 퍼져있게 되면, 자침은 금기 사항이 되고 만다. 이때는 인체 어느 곳도 알칼리로 유지되는 곳이 없기 때문이다. 이때는 침으로 사혈 요법을 시행해서 산성 체액을 빼주는 단순한 방법만 실행할 뿐이다. 이것은 진정한 침법이 아니다. 그 이유는 이런 사혈 요법은 어떤 도구로도 실행이 가능하기 때문이고, 그 효과도 대부분 국소에 한정되기 때문이다. 그리고 더 중요한 것은 오장육부를 중심으로 체액이 순환하는데, 이 좌우 대칭 체액이 오장육부에서 신경을 통해서 만난다는 사실이다. 오장을 중심으로 보면 이 사실을 확연하게 알 수 있다. 신장을 예로 들어보면, 신장을 가운데 두고 인체 좌우에서 동시에 체액이 신장으로 들어오게 된다. 이때 물론 체액을 만드는 도구는 신경이다. 그러면 여기서 재미있는 논리가 만들어진다. 즉, 신장으로 들어오는 좌우 어느 한쪽의 체액을 차단하게 되면, 신장으로 들어오는 체액은 절반으로 준다는 사실이다. 그런데, 이 체액이 만일에 산성 체액이어서 신장을 괴롭히는 상황이라면, 어느 한쪽의 체액을 차단하면 산성 체액을 중화하는 신장은 그만큼 부담을 던다는 뜻이 된다. 그래서 신장으로 공급되는 체액 중에서 오른쪽의 체액은 산성이고 왼쪽의 체액은 알칼리 체액이라면, 왼쪽의 알칼리 체액을 이용해서 오른쪽의 산성 체액을 중화하면 된다. 어떻게? 즉, 체액은 알칼리 체액일지라도 항상 일정량의 전자를 소통시키고 있다. 여기서 전자는 에너지라는 사실을 상기해 보자. 즉, 인체는 살아있는 한 에너지로서 일정량의 전자가 체액을 따라서 항상 흘러 다니게 된다. 보통 이 체액의 산도는 pH7.45가 된다. 이때 오른쪽의 산성 체액을 중화하기 위해서 왼쪽의 알칼리 체액이 있는 경락에 자침하게 되면, 이 왼쪽 경락에 침이 추가로 자유전자를 공급하면서, 경락이 자리하고 있는 간질의 공간에 있는 동맥 모세혈관의 활동전위를 높이게 된다. 그러면 간질로 더 많은 산소가 공급되면서, 간질에 있는 에너지로서 작동하는 정상적인 전자까지 물로 중화해버린다. 그러면 이 간질 공간의 체액의 산도는 pH7.45를 훌쩍 넘어서, 예를 들면 pH7.6 정도까지 갈 수가 있다. 그러면 신장으로 들어가는 왼쪽 체액은 정상적으로 존재해야만 하는 전자의 양이 턱없이 부족하게 되고, 이 부족분은 신장이 유통시키는 오른쪽 산성 체액으로 채워서 pH7.45라는 평형을 맞추게 된다. 그러면 이 과정에서 오른쪽 산성 체액은 자동으로 중화된다. 그리고 당연한 순리로 병은 낫게 된다. 이것이 인체의 대칭을 이용하는 침법이다. 그리고 이때는 체액의 산도를 이용한다. 이렇게 체액의 대칭을 이용하는 방법이 무자법이다. 대신에 대칭을 구성하고 있는 경락도를 정확히 알아야 한다. 아니면 침으로 만든 강알칼리 체액은 병소가 아닌 다른 곳으로 가고 만다. 그러면 당연히 치료는 실패하게 된다. 그리고 면역이 상주하는 경(經)에 자침하는 거자법은 약간 다르다. 보통 병소는 산성 체액이 점령하면서 면역이 고갈된 상태가 된다. 산성 체액에서 면역은 죽는다는 사실을 상기해보자. 암의 체액 환경인 pH5.5의 산성 체액에서는 면역이 모두 죽어서 작동하지 않는다는 사실을 상기해보자. 그래서 병이 있는 산성 환경의 경(經)에 자침해봤자 전자를 추가로 공급해서 병을 더 키우고 만다. 그래서 근본적으로 산성 환경에 자리하고 있는 경에는 자침은 금기 사항이 된다. 그래서 좌우 대칭을 이용해서 알칼리 환경에 있는 경에 자침해서 면역을 활성화시키면, 여기서 활성화된 면역은 좌우 대칭으로 연결된 체액의 순환 경로를 따라서 산성 환경으로 가서 과잉 전자를 먹어치우게 되고, 이어서 병은 당연히 낫게 된다. 이것이 좌우 대칭의 경을 이용해서 병을 치료하는 거자법이다. 물론 이때 활성화된 면역은 면역 세포를 말한다. 이것은 완벽한 과학이다. 대신에 대칭을 구성하고 있는 경락도를 정확히 알아야한다. 아니면 침으로 활성화시킨 면역 세포는 병소가 아닌 다른 곳으로 가고 만다. 그러면 당연히 치료는 실패하게 된다. 그런데 여기서 이 두 침법의 차이점이 하나가 더 있다. 경을 이용하는 거자법은 자기 경락 안에서만 사용할 수 있으나, 무자법은 자기 경락을 넘어서서 다른 경락까지 영향을 미칠 수가 있다. 그 이유는 침법의 이름에서 바로 알 수 있다. 무자법에서 무(繆)는 낙(絡)과 같은 뜻이라는 사실을 상기해보면 바로 알 수 있다. 즉, 자기가 속한 경락의 장기 외에도 다른 장기하고도 연결(絡)된다. 여기서 보법(補法)과 사법(寫法)의 한 종류가 탄생한다. 즉, 보법과 사법은 여러 방법이 있다는 뜻이다. 즉, 보법과 사법은 응용하게 되면, 여러 가지가 나오게 된다. 이것을 오수배혈법(五腧配穴法)이라고도 부른다. 오수혈을 이용하므로 붙여진 이름이다. 즉, 간에 문제가 되어서 간을 치료해야 하는데, 좌우 간경 모두가 산성 체액으로 가득해서 간경을 이용해서는 간을 치료할 수 없는 경우가 생긴다. 그러면 간경을 통한 치료는 포기하고 다른 오장의 경락을 이용해서 치료하는 전략을 찾아야 한다. 이 개념에는 상생과 상극이라는 철학이 숨겨져 있다.

즉, 간에 병이 들었다는 말은 간으로 누군가가 병인이 되는 과잉 전자를 보냈다는 암시가 있고, 또, 간이 병인이 되는 과잉 전자를 간 밖으로 내보내지 못했다는 암시가 있다. 여기서 간을 중심으로 상극 관계와 상생 관계를 찾아서 치료 경락을 찾으면 된다. 간은 폐와 상극 관계를 형성한다. 즉, 폐는 이산화탄소를 처리하면서 과부하가 걸리면, 이산화탄소가 혈중에 적체하면서, 적혈구를 파열시켜버린다. 그러면 이때 파괴된 적혈구는 담즙이 되어서 간으로 보내지게 된다. 그러면 간은 갑자기 날벼락을 맞으면서 병이 들게 된다. 우리는 이 현상을 보고 폐가 간을 상극(克)했다고 말한다. 이때 간경은 이미 산성 체액으로 가득하므로 침을 쓸 수가 없게 된다. 그러면 폐에서 간으로 가는 산성 체액을 조절하는 오수혈을 이용하면 된다. 즉, 폐에서 간으로 가는 산성 체액을 조절하는 오수혈을 통해서 과잉 전자를 중간에서 가로채서 중화해버리면 간은 날벼락을 피하게 된다. 즉, 폐의 오수혈 중에서 간의 체액을 통제하는 목(木)으로서 정혈(井穴)을 이용하면 된다. 이 방법을 보법(補法)이라고 말한다. 그리고 간은 과잉 전자로 인해서 과부하가 걸리면, 이 과잉 전자를 중성지방으로 만들어서 림프로 흘려보내면 이를 비장이 처리하게 된다. 그래서 비장이 문제가 되어도 간에 병이 들게 된다. 그러면 비장에서 간에서 오는 산성 체액을 중화해주면, 간은 그만큼 많은 산성 체액을 외부로 버릴 수가 있게 되고, 간은 병에서 벗어나게 된다. 즉, 비장의 오수혈 중에서 간의 체액을 통제하는 목(木)으로서 정혈(井穴)을 이용하면 된다. 이 방법을 사법(寫法)이라고 말한다. 여기서 만일에 간이 문제가 있는데, 간경 전체에 문제가 없고 한쪽만 문제가 있다면, 이때는 건강한 쪽 간경의 오수혈을 취해서 보법과 사법을 실행하면 된다. 즉, 상생과 상극 관계를 고려해서 건강한 간경에서 사법을 쓰든지 보법을 쓰든지 하고, 상생과 상극 관계에 있는 경락에서 사법을 쓰든지 보법을 쓰든지 하면 된다. 예를 들면, 상극 관계에서 보법을 쓴다면, 건강한 간경에서 상극 관계를 맺고 있는 폐의 체액을 통제하기 위해서 간의 오수혈 중에서 폐의 체액을 통제하는 금(金)으로서 경혈(經穴)에 자침하면 된다. 그리고 이때 상극 관계에서 사법은 폐경의 오수혈 중에서 간의 체액을 통제하는 목(木)으로서 정혈(井穴)에 자침하면 된다. 이외에도 다른 방법도 나올 수가 있다. 즉, 간경 자체에서 처리하는 방법인데, 간경의 오수혈에서 오장의 상극, 상생 관계를 찾으면 된다. 즉, 간은 폐와는 상극 관계이고, 심장과는 상생 관계이므로, 폐의 오수혈 중에서 폐의 체액을 통제하는 금(金)으로서 경혈(經穴)에 자침하면 되고, 이어서 심장의 체액을 통제하는 화(火)로서 형혈(滎穴)에 자침하면 된다. 그러면 전자는 보법이 되고, 후자는 사법이 된다. 이 외에도 다양한 방법으로 보법과 사법을 이용할 수 있다. 문제는 보법과 사법의 구구단을 아는 것이 제일 중요한 핵심 포인트이다. 이것들이 무자법의 다른 방법들이다. 이렇게 해서 무자법을 이용하면 경우의 수는 아주 많이 나오게 된다. 물론 이때도 인체의 대칭을 이용한다. 즉, 건강한 쪽의 오수혈을 이용한다. 이렇게 해서 간을 폐와 비장이라는 양쪽에서 도와주게 되면, 간은 곧바로 병에서 탈출하게 된다. 지금까지 기술한 이것이 무자법과 거자법의 간략한 설명이다. 지금까지는 침의 원리를 정확히 모르므로 인해서, 이 두 침법을 이용하는 방법을 거의 모르고 있었다. 또, 이때 상극 관계와 상생 관계를 이용하는 보법과 사법 외에도, 상생과 상극 관계를 똑같이 이용하는 극혈(郄穴)을 이용해도 된다. 그리고 오장과 육부가 서로 소통하는 낙혈(絡穴)을 이용해도 된다. 그리고 면역과 스테로이드를 동시에 이용하는 원혈(原穴)을 이용해도 된다. 그래서 침의 원리와 침법의 구구단만 알고 있으면, 침법의 응용은 무궁무진하게 나오게 된다. 그리고 12정경을 도와주는 기경팔맥을 이용해도 되고, 중추신경을 통제하는 방광경의 수혈을 이용해도 된다. 이렇게 해서 노하우가 쌓이게 되면, 자침할 수 있는 혈자리는 쏟아져서 넘쳐 흐르게 된다. 문제는 침법의 구구단을 아는 것이다. 이런 침법의 응용을 위해서 황제내경은 이때 필요한 준비를 철저히 해준다. 이제 그들을 알아보자. 그전에 일반인들에게는 아주 낯선 보법과 사법의 예를 하나만 더 추가하자. 인체는 에너지로 가동되는데, 이 에너지가 적어도 문제가 되고, 많아도 문제가 된다. 이때 에너지가 너무 많으면 체액을 산성으로 만들어서 문제를 일으킨다. 이때는 이 지점을 침으로 찔러서 산성 체액을 빼주는 사혈 요법을 쓴다. 이것도 사법(瀉法)이다. 그런데, 거꾸로 에너지가 부족해서 문제가 되면, 침으로 인체의 에너지를 공급할 수도 있다. 여기서 에너지는 전자이고, 침이 공급하는 인자도 전자이다. 그래서 침으로 인체의 에너지를 보충시켜줄 수가 있다. 이 부분을 이해하려면 인체는 전자라는 에너지로 움직인다는 사실을 먼저 알아야 한다. 아니면 침으로 인체의 에너지를 공급한다고 하면 박장대소하고 비웃게 된다. 그리고 최첨단 현대과학은 이를 두고 황제내경이 미신이라고까지 폄하

한다. 그러나 인체가 침이 공급할 수 있는 전자라는 에너지로 움직인다는 사실을 알면, 침으로 에너지를 공급한다는 말에 바로 수긍이 갈 것이다. 이때 시행하는 침법을 보법(補法)이라고 한다. 즉, 인체에 에너지를 보충(補)해준다고 해서 보법이라고 말한다. 이때 시행하는 보법을 실행하기 위해서는 에너지의 원리를 정확히 알아야 한다. 에너지는 전자인데, 이 전자를 침으로 공급하면서, 이 전자가 산소를 만나면 침이 공급한 에너지인 전자는 물로 중화되면서 에너지로서 역할을 하지 못하고 만다. 그래서 이런 실수를 막기 위해서 침으로 에너지를 공급하는 보법을 실행할 때는, 혈액 순환을 막아 놓고 실행한다. 즉, 침을 놔야 할 혈자리의 피부 부분을 손으로 잡아 올려서 혈액 순환이 안 되게 만든 다음, 여기에 침을 놓아서 침으로 전자라는 에너지를 공급하게 된다. 이 부분도 거의 이용되지 못하고 화석으로 남아 있었던 부분이다. 인체를 움직이는 에너지가 전자라는 사실도 몰랐고, 침이 전자를 공급해서 병을 다스린다는 사실도 몰랐기 때문이다. 그리고 앞에서 미루어두었던 CRY와 침의 관계를 보자. 황제내경에서는 달(月:Moon)이 기울고 차오르는 시점에 따라서 침을 놓는 횟수가 달라진다. 이것도 대표적인 미신으로 취급되어서 최첨단 현대의학의 조롱거리였다. 그러나 달이 기울고 차오르면, 지구의 중력이 달의 간섭을 받게 된다. 그리고 이 중력의 변화는 CRY의 변화를 가져오게 되고, 인체의 체액은 산성이나 알칼리로 바뀌게 된다. 침은 반드시 알칼리를 전제로 하므로, 인체의 알칼리 정도에 따라서 침을 놓을 수 있는 조건도 달라지게 된다. 즉, 보름달이 되면 지구는 달의 중력 간섭에서 완전히 벗어나게 된다. 그러면 인체의 CRY 활동은 최고조에 달하게 된다. 이어서 인체 체액의 알칼리화 정도도 최고조에 다다르게 된다. 그러면 이때가 침을 놓을 수 있는 최적의 조건이 되면서, 이때가 최고 좋은 자침 시기가 된다. 반대로 달이 기울어서 초승달이 되면, 이때는 달이 지구의 중력을 최고 많이 간섭하면서, 지구의 중력은 자동으로 약해지게 되고, 침을 놓을 수 있는 조건인 체액의 알칼리화는 최저치로 떨어지면서, 이때는 최고 나쁜 자침 시기가 된다. 이것은 미신이 아니라 완벽한 최첨단 과학 그 자체이다. 과연 한의학이 미신일까? 최첨단 현대의학이 미신일까? 그리고 어느 의학이 최첨단일까? 물론 판단은 독자 여러분의 몫이다. 이에 관한 자세한 기전은 본 연구소가 발행한 황제내경 소문을 보면 된다.

10. 무자법과 거자법, 보법과 사법, 인체의 에너지 공급

11. 사중창단(quartet), 반사, 진맥(최첨단 혈액 분석학),
맥의 3요소 박(搏)·견(堅)·장(長), 망진의 과학, 콜라겐, 주리

황제내경은 상당히 빈틈이 없는 책이다. 침과 경락 체계를 자유자재로 응용할 수 있도록 모든 준비를 해놓았기 때문이다. 앞에서 경락의 작동 원리를 설명하면서 사중창단(quartet)이라는 표현을 썼다. 즉, 경락이라는 생체 정보 시스템이 완벽하게 작동하기 위해서는 체액, 신경, 근육, 전자라는 4가지 인자가 사중창단이 되어서 불협화음이 일어나지 않아야 한다고 했다. 그래서 이 4가지를 아는 것은 경락을 이용할 때 필수가 된다. 그래서 황제내경은 이들을 아주 자세히 기술해주고 있다. 그리고 황제내경이 기술하고 있는 이 사중창단은 연속하는 하나의 노선이 아니라 단절되고 이어지는 과정을 반복해서 최종 목적지에 도달한다. 그래서 이들을 하나의 노선으로 이해하게 되면 답이 나오지 않게 된다. 이 사실은 최첨단 현대의학이 경락이라는 생체 정보 시스템의 원리를 이해하지 못하는 이유이기도 하다. 즉, 최첨단 현대의학은 경락이라는 생체 정보 시스템의 원리를 파악하려고 할 때, 오직 단일 노선으로만 파악하려고 하기 때문이다. 즉, 단절되어있지만 반사에 의지해서 이어지면서, 하나의 노선처럼 행동하는 경락이라는 생체 정보 시스템의 원리를 모르기 때문이다. 물론 여기서 최첨단 현대의학의 최대 장애물은 전자라는 인자이다. 전자 대신에 ATP를 가지고는 이 장애물을 뛰어넘을 수가 없게 된다. 결국에 최첨단 현대의학은 최첨단 생체 정보 시스템인 경락을 이해할 수가 없게 되고, 자기의 무지를 감춰야 하므로, 경락을 미신으로 치부하고 만다. 그러나 ATP 대신에 전자를 대입하면, 경락은 곧바로 최첨단 생체 정보 시스템으로 변모하게 된다. 이 최첨단 생체 정보 시스템을 작동시키는 사중창단(quartet)을 황제내경은 어떻게 기술하고 있는지, 하나씩 알아보기로 하자. 이 내용을 알아야 경락에 있는 혈자리를 응용할 수 있게 된다. 낙(絡)으로 구성된 수혈들의 이용 원칙은 앞에서 이미 설명했다. 그래서 수혈들을 이용하는 방법은 대체로 규칙이 정해져 있으므로, 비교적 쉽다. 그러나 이들을 제외한 나머지 혈자리를 이용하려면, 황제내경이 기술하고 있는 사중창단(quartet)을 잘 이해하고 있어야 한다. 그러면 황제명당경에 나와 있는 혈자리 분석이 가능해진다. 그러나 이 일은 일일이 이 사중창단을 점검해야 하므로 보통 문제가 아니다. 여기서는 이 사중창단을 대략 소개해본다.

먼저 체액을 보자. 이 사중창단에서 제일 중요한 인자이다. 그래서 황제내경도, 이 체액 부분을 많이 할애하고 있다. 이 체액은 특히 영양분과 면역도 소통시키는 인자이므로, 아주 중요한 인자가 될 수밖에 없다. 그래도 체액에서 최고 핵심은 자유전자이다. 이 자유전자를 보유한 상태를 기(氣)라고 표현한다. 그리고 이 기(氣)가 모이는 장소를 혈(穴)이라고 표현한다. 그래서 특히 자유전자가 많이 모이는 장소를 기혈(氣穴)이라고 표현한다. 만병의 근원은 자유전자의 적체이므로, 이 기혈이 자리하고 있는 장소 즉, 혈자리는 아주 아주 중요해진다. 그래서 황제내경은 소문 제58편 기혈론(氣

穴論)에서 이들을 자세히 기술하고 있다. 자유전자는 염으로 저장되어서 나중에 열에너지가 주어지면 문제를 일으킬 수도 있으므로, 이때의 치료를 위해서 수수(水兪) 57혈(五十七穴)을 두고 있다. 여기 수수(水兪)에서 수(水)는 염은 삼투압 기질이므로 반드시 물을 끌고 다니므로 붙여진 것이고, 수(兪)는 과잉 자유전자가 모이는 혈자리를 지칭한다. 그래서 수수(水兪)는 염이 과잉일 때 치료하는 혈자리가 된다. 그리고 제58편에서 이들 혈자리를 구체적으로 57개를 나열하고 있다. 이어서 이 과잉 자유전자가 모이는 혈자리를 오장육부에 따라서 부수(府兪) 72혈(府兪七十二穴)도 구체적으로 기술하고 있다. 또, 과잉 자유전자 때문에 열이 날 때 치료하는 열수(熱兪) 59혈(五十九穴)도, 이 제58편에서 기술하고 있다. 이외에도 365개의 혈자리가 만나는 손락(孫絡), 365개의 회혈을 가지는 계곡(谿谷)도 기술하고 있다. 여기서 계곡은 크고(谷) 작은(谿) 림프절을 말한다. 그래도 마음이 안 놓여서 소문 제59편 기부론(氣府論)에서 다시 육부의 수혈, 기경팔맥의 수혈을 구체적으로 기술하고 있다. 그리고 경락에 모이는 체액의 근원지도 황제내경 영추 제12편 경수(第十二篇 經水)에서 비유적으로 다루고 있다. 이렇게 해서 체액을 통해서 과잉 자유전자가 모이는 장소를 자세히 기술하고 있다. 황제내경은 이만큼 체액과 자유전자를 중요하게 다루고 있다. 그리고 황제내경은 체액이 싣고 다니는 면역도 굉장히 중요하게 다루고 있다. 그래서 황제내경은 어떤 측면에서 보면, 차라리 면역의학이라고 해도 손색이 없을 정도이다. 황제내경은 이만큼 면역을 굉장히 많이 다루고 있다. 면역이 죽는 순간 생명도 죽게 되므로 어쩌면 당연한 일일 것이다. 그래서 아래에서 기술하는 편들 (篇) 이외에서도 시간이 날 때마다 면역을 다루고 있다. 황제내경 영추 제52편 위기(第五十二篇 衛氣)에서 면역을 구체적으로 기술하고 있다. 여기서 위기(衛氣)는 면역을 말한다. 그리고 황제내경 영추 제76편 위기행(第七十六篇 衛氣行)에서는 위기인 면역을 더 자세히 기술하고 있다. 즉, 위기는 하루 밤낮으로 인체를 50번 순환한다. 그런데 이 위기는 낮 시간대는 양을 25번 주행하고, 밤 시간대는 음을 25번 주행한다. 그리고 이 과정에서 주행하면서 거쳐서 가는 오장육부도 자세히 기술하고 있다. 얼마나 면역이 중요했으면, 이렇게 면역을 자세히 기술했을까? 다시 한번 생각하게 만드는 대목이다. 황제내경에서는 이렇게 면역이 중요하다. 이렇게 면역이 오장육부를 도는 과정을 12종(十二從)이라고 해서, 그 순행 경로까지도 기술하고 있다. 최첨단 현대의학도 감히 흉내 낼 수 없을 정도로 면역을 자세히 기술하고 있다. 참고로 12종은 폐경에서 시작해서 간경에서 끝난다. 이 십이종의 순서를 열거하면 다음과 같다. 폐경→손끝→대장경→위경→발끝→비경→심장경→손끝→소장경→방광경→발끝→신장경→심포→손끝→삼초→담→발끝→간경에서 끝나며, 다시 폐경으로 돌아가서 순환을 시작하게 된다. 그러면 면역 문제는 여기서 끝낼까? 아니다. 그러면 황제내경은 면역의학이 아니다. 이 면역은 영양분이 있어야 살 수 있으므로, 면역과 영양분의 동반 순행도 황제내경 영추 제18편 영위생회(第十八篇 營衛生會)에서 자세히 기술하고 있다. 물론 이때 영양분인 영기(營氣)도 면역인 위기와 동반 순행하므로 위기와 똑같은 경로로 똑같은 횟수로 순행한다. 이 부분을 묘사한 편이, 황제내경 영추 제16편 영기(第十六篇 營氣), 제15편 오십영(第十五篇 五十營)인데, 제15편에서는 하늘의 28개의 별자리와 호흡과 영양분의 순환을 연계시키고 있다. 여기서 하늘의 28개 별자리는 태양의 궤적을 추적하기 위해서 개발한 고정된 별자리 28개를 말한다. 즉, 태양이 지나가는 이 정표가 28개의 별자리이다. 즉, 이 말은 시간별로 영양분의 순환을 파악한다는 뜻이다. 이처럼 영양분의 순환도 굉장히 심도 있게 다루고 있다. 그리고 면역의 원천은 골수이므로, 이를 담고 있는 뼈도 자세히 다루고 있고, 골수 면역은 뼈의 구멍을 통해서 소통하므로 뼈의 구멍도 다루고 있다. 즉, 황제내경 소문 제60편 골공론(骨空論)에서는 뼈 구멍을 열거하고 있고, 황제내경 영추 제14편 골도(第十四篇 骨度)에서는 뼈의 전반을 다루고 있다. 그러면 면역은 여기서 끝날까? 아니다. 여기서 끝나면 황제내경은 면역의학이 아니다. 황제내경 영추 제65편 오음오미(第六十五篇 五音五味)에서는 12정경을 분할해서 이들을 면역과 연계시켜서 면역을 다루고 있다. 이외에도 황제내경 영추 제59편 위기실상(第五十九篇 衛氣失常)에서는 비만(obesity:肥滿)과 면역을 다루고 있다. 황제내경은 참으로 대단하다. 그리고 한술 더 떠서 황제내경 영추 제64편 음양25인(第六十四篇 陰陽二十五人)에서는 사람이 보유한 에너지에 따라서, 이들을 음양의 에너지로 나눈 다음에, 면역과 성격을 연계시켜서 25가지로 나누고 있다. 그런데 더 무섭고 소름 돋는 것은, 이것이 정확한 논리를 가지고 있다는 사실이다. 물론 이 부분도 실제로는 화석으로 남아 있었던 부분이다. 이제야 겨우 본 연구소에서 심폐소생술을 동원해서 살려 놓았다. 황제내경은 지금 기술한 이 부분들 외에도 엄청나게 많은 부분에서 면역을 논하고 있다. 그리고 황제내경 영추 제33편 해론(第三十三篇 海論)에서 면역, 자유전자, 혈액, 영양분을 종합적으로 논하고 있다. 즉, 수해(髓海), 혈해(血海), 기해(氣海), 수곡의 해(水穀之海)를 논하고 있다. 그리고 황제내경 소문 제20편 3부9후론(三部九候論)에서는 인체 안팎으로 순환하는 인체 에너지를 논하고 있다. 이 부분은 차크라(chakra)와 같은 개념을 도입하고 있다. 이렇게 해서 사중창단에서 체액 부분을 간략하게 살펴보았다.

이번에는 근육과 신경이다. 근육과 신경은 같이 쌍으로 존재한다. 그 이유는 이 둘은 서로 전자를 주고받는 관계이기 때문이다. 그래서 황제내경 영추 제13편 경근(第十三篇 經筋)에서는 12정경의 근육(筋)과 신경(經)을 같이 기술하고 있다. 이들을 경근(經筋)이라고 한다. 그리고 황제내경 영추 제10편 경맥(第十篇 經脈)에서는 면역이 상주하고 있는 경(經)과 신경이 모이는 경(經)을 같이 논하고 있다. 이렇게 기술하는 이유는 신경이 실어나르는 자유전자가 면역을 자극하는 요소이며, 면역이 이들을 잡아먹기 때문이다. 그래서 이 둘은 원수지간이지만 같이 짝이 된다. 그래서 해부학에서도 보면, 면역이 상주하고 있는 경(經)인 림프절에 신경이 아주 잘 발달해있다. 이렇게 해서 경락과 관련하고 있는 사중창단의 개요를 간략하게 알아보았다. 그리고 이 사중창단의 경로를 파악할 줄 알면, 오수혈 외에서도 자침할 수 있는 침법의 원리가 나오게 된다.

그러나 이 부분은 상당히 고된 작업을 해야 겨우 얻게 된다. 즉, 상당히 어려운 작업이라는 뜻이다. 즉, 신경, 근육, 체액이 상호작용하는 지점과 병소의 연계성을 파악해야 하므로 상당히 고된 작업이 된다는 뜻이다. 여기에 자유전자의 적체 장소까지 추가해야 하므로 상당히 고된 작업이 된다. 그러나 불가능한 작업은 아니다. 그리고 황제내경은 면역의 마무리를 본초를 통해서 한다. 즉, 황제내경 영추 제56편 오미(第五十六篇 五味)에서는 면역을 돕는 오곡(五穀), 오과(五果), 오축(五畜), 오채(五菜)를 구체적으로 기술하고 있고, 여기에 추가해서, 이 오미를 가지고 안색인 오색(五色)을 보고 처방하는 방법과 주의점을 기술하고 있고, 황제내경 영추 제63편 오미론(第六十三篇 五味論)에서는, 이 오미의 과유불급을 논하면서 부작용의 경로까지 자세히 기술하고 있다.

그리고 면역에서 아주 중요한 주리(腠理)를 여러 곳에서 논하고 있다. 주리는 현대의학으로 표현하면, 간질 조직을 구성하고 있는 콜라겐(Collagen) 단백질을 말한다. 이 콜라겐 단백질이 중요한 이유는 인체는 거대한 그물망 위에 세포가 다닥다닥 붙어있게 되는데, 이 그물망을 콜라겐 단백질이 만들고 있다. 즉, 콜라겐 단백질인 주리(腠理)가 인체의 그물망을 만들어주고 있다. 그래서 콜라겐 단백질과 주리는 생명의 근간이며, 생명의 그물망이다. 그리고 이들이 하나 더 중요한 이유는 이 콜라겐인 주리에 면역 세포가 잡혀있다는 사실이다. 그래서 황제내경에서는 면역이 활성화되는 조건을 주리(腠理)가 열린다(開)고 표현한다. 정확히 맞는 말이다. 또, 주리인 콜라겐 단백질이 중요한 이유는, 이 단백질이 간질 조직을 구성하고 있다는 점이다. 간질은 산성 노폐물과 영양분이 교환되는 장소로서, 과잉 자유전자가 적체하는 곳이다. 그래서 간질의 콜라겐은 자유전자가 불러들이는 MMP가 작동하는 곳이기도 하다. 그래서 자유전자에 의해서 MMP가 작동하면 간질의 콜라겐은 분해되고, 이것이 심해지면 염증(inflammation:炎症)이 된다. 그래서 모든 병은 간질에서 시작하므로, 콜라겐을 알아야만 병을 알 수 있게 된다. 그래서 병의 90%는 간질 조직을 구성하고 있는 콜라겐의 분해에서부터 시작된다. 결국에 병을 알려면 콜라겐 단백질인 주리를 모르면 안 된다. 그리고 황제내경에서는 이 주리를 분리(分理) 또는 분육(分肉)이라고도 표현한다. 즉, 세포와 세포를 분리(分)해주는 인자가 간질을 구성하고 있는 콜라겐 단백질이라는 뜻이다. 그리고 주리인 간질이 중요한 이유는 또 있다. 바로 암(Cancer:癌)의 시작점이 간질이다. 그리고 암은 간질에 상주하고 있는 섬유아세포에서 시작된다는 점을 상기해보자. 그래서 황제내경에서 간질인 주리는 아주 중요한 부분이 된다. 특히, 면역에서 아주 아주 중요한 인자가 된다.

이제 마지막으로 병을 진단하는 진맥법이 남아 있다. 이 진맥법은 약간의 훈련만 거치면 가정에서도 누구나 실행할 수 있다. 간이 문제가 될 때 나타나는 맥을 현맥(弦脈)이라고 한다. 현(弦)은 활시위처럼 팽팽하다는 뜻이다. 간맥을 측정할 때는 손목의 관부를 이용한다. 손목의 관부는 가로 근육이 지나가는 지점이다. 즉, 간맥은 관부 근육의 경직 상태를 측정하는 것이다. 간은 단백질을 취급하는 오장이기 때문에 반드시 암모니아를 취급하게 된다. 그런데 만일에 간 기능이 저하되면 간은 이 암모니아를 처리하지 못하게 되고 그러면 이 암모니아는 신경을 자극해서 근육을 강하게 수축시킨다. 이때 손목의 관부 근육 상태를 진맥하면 활시위처럼 팽팽하게 느껴진다. 이 상태를 간의 현맥(弦脈)이라고 부른다. 즉, 간의 현맥은 간이 처리하지 못한 혈액 속에 존재하는 암모니아의 상태를 측정하는 것이다. 진맥은 완벽한 과학으로써 최첨단 혈액 분석학이다. 심장이 문제가 될 때 나타나는 맥을 구맥(鉤脈)이라고 한다. 여기서 구(鉤)는 혁대의 버클(鉤)을 말한다. 버클의 기능은 혁대를 조이는 기능을 수행한다. 즉, 심장에 전자가 과잉 공급되면 심장은 강한 압전기를 만들어내면서 동맥 혈관은 공진으로 인해서 강하게 조여진다. 즉, 혈관이 굳어지는 것이다. 이 상태를 손목의 촌부에서 손가락으로 측정해보면 버클이 혁대를 조이듯이 혈관이 조여져서 수축한 상태를 느낄 수가 있게 된다. 이것이 심장의 구맥(鉤脈)이다. 이건 완벽한 과학이다. 비장이 문제가 될 때 나타나는 맥을 완맥(緩脈)이라고 부른다. 비장은 림프액을 통제하기 때문에, 비장이 문제가 되면 지용성 성분인 림프액이 혈액에서 순환하게 된다. 림프액은 지용성이기 때문에, 혈액의 점도를 높여서 혈액의 상태를 걸쭉하게 만든다. 이때 비장맥을 관부에서 손가락으로 측정하면 혈액의 점도로 인해서 혈액 순환이 느리게(緩) 느껴진다. 즉, 비장의 완맥(緩脈)은 혈액의 점도를 알아보는 혈액 분석법이다. 이보다 더 과학적일 수는 없다. 폐가 문제가 될 때 나타나는 맥을 부맥(浮脈)이라고 부른다. 여기서 부는 부풀어(浮) 오른다는 뜻이다. 폐가 문제가

되면 폐가 처리하는 이산화탄소가 혈액에 적체된다. 그러면 이산화
탄소는 기체이기 때문에, 혈액은 부풀어(浮) 오른다. 이때 손목의
촌부에서 폐맥을 손가락으로 측정하면 부풀어 오른 혈액 상태를 감
지할 수가 있다. 이것이 폐의 부맥(浮脈)이다. 완벽한 과학이다. 신
장이 문제가 될 때 나타나는 맥을 활맥(滑脈)이라고 부른다. 신장은
염(鹽)을 처리한다. 물은 경수와 연수로 나눈다. 경수는 매우 미끄
러운(滑) 물을 말한다. 미끄러운 경수는 염(鹽)이 많은 물을 말한다.
그래서 신장이 문제가 되면서 염이 정체되면 혈액이 미끄러운 경수
처럼 변한다. 즉, 순환하는 혈액이 미끄러워진다. 이때 척부에서 신
장맥을 손가락으로 측정하면 혈액의 상태가 미끄럽게 느껴진다. 이
상태의 맥을 활맥(滑脈)이라고 부른다. 즉, 진맥은 혈액의 상태를 손
가락으로 측정하는 최첨단 혈액 분석학이다. 지금까지 진맥은 반신
불수 상태였다. 그러나 진맥을 이렇게 현대과학을 이용해서 과학적
으로 풀면 완벽한 혈액 분석학이 된다. 이것이 진맥의 진실이다. 다
른 맥들은 이것을 응용해서 확장하면 된다.

그리고 얼굴색을 통해서 하는 망진(望診)도 있다. 망진을 과학이
라고 말하면 반응은 냉소적이다. 그 이유는 설명자가 명확한 논리
를 가지고 과학적으로 설명하지 못했기 때문이다. 이제 현대과학으
로 그 냉소를 해소해보자. 가정에서도 안색을 가지고 체질을 어느
정도 측정이 가능하다. 즉, 안색을 가지고 오장 중에서 어느 오장이
문제를 일으키는지 알 수가 있다. 하나씩 풀어보자. 간은 청색의 담
즙을 처리하는데, 간이 기능 저하에 빠지면 청색의 담즙이 체액을

따라서 순환하면서 안색이 청색으로 변한다. 심장은 적색의 혈액을 순환시키는데, 심장의 기능이 저하되면 동맥혈이 제대로 순환되지 못하면서 간질에 혈액이 정체되고 안색이 적색으로 변한다. 비장은 폐기 적혈구를 처리한다. 그런데 비장의 기능이 저하되면 폐기 적혈구에서 나온 황색의 빌리루빈이 체액을 따라 순환하면서 안색이 황색으로 변한다. 폐가 처리하는 이산화탄소가 정체되면 적혈구가 파괴되면서 적혈구가 가진 적색의 혈색소 숫자가 적어지게 되고 안색은 백색으로 변한다. 신장은 담즙의 일종인 흑색 색소를 가진 유로빌린(Urobilin)을 처리하는데, 신장의 기능이 저하되면 이 물질을 처리하지 못하면서 이 물질이 체액을 따라서 순환하면 안색이 흑색으로 변한다. 이렇게 현대과학으로 풀어주면 안색을 통해서 병을 진단하는 망진은 완벽하게 과학이 된다. 즉, 황제내경의 안색을 통한 망진은 완벽한 현대과학이다. 이것이 황제내경의 품격이다. 재미있는 것은 오장과 짝을 이루는 오성의 색깔과 오장이 취급하는 물질의 색깔이 같다는 사실이다.

그리고 진맥은 혈관의 문제와도 연계된다. 그런데, 이 문제는 최첨단 현대의학이 고혈압을 측정할 때 사용하는 도구이다. 그런데 황제내경은 맥을 논의하면서 또, 3가지 요소를 추가한다. 그 3가지가 박(搏), 견(堅), 장(長)이다. 이 3가지 의미를 알 수 있는 사람이라면, 아마도 그 사람은 맥의 기본 원리를 아주 잘 아는 사람일 것이다. 박(搏), 견(堅), 장(長), 이 3가지는 맥의 핵심 중에서 핵심인 맥의 3요소를 말하고 있다. 이 세 가지 의미를 정확하게 파악할 수 있으면, 그 사람은 진정한 의사이다. 왜, 이 세 가지가 맥의 3요소이니까! 박(搏)은 혈액의 상태를 말하고 있고, 견(堅)은 혈관의 상태를 말하고 있고, 장(長)은 맥박 공진의 파장을 말하고 있다. 맥에서 이 3가지 외에 뭐가 더 필요한가? 다시 말하면 진맥을 할 때는 이 세 가지, 즉 혈액의 상태, 혈관의 상태, 맥박의 상태를 동시에 측정해야 한다. 어느 하나만 측정해서는 무의미하다. 이 3가지 자세한 기전은 본 연구소가 발행한 황제내경 소문이나 황제내경 영추를 참고하면 된다. 지금까지 진맥은 화석으로 남아 있었다. 그 이유는 한의학이나 동양의학에서 맥의 종류만 제시하지 맥의 기본 원리를 말하지 않았기 때문이다. 그러나 진맥은 완벽한 과학이다. 그것도 인체를 비침습적으로 한다는데 놀라울 따름이다. 지금 병원에서 고혈압을 구별하는 기준이 있듯이, 한의학에서는 맥의 기준을 구별하는 기준이 있을 뿐이다. 그 기준을 따라서 실행해서 인체의 건강 상태를 측정하는 것이 진맥이다.

12. 본초(本草) : 생체 정보 시스템 조절 인자, 면역약학, 본초학(本草學) : 생체 정보학, 오미와 오장, 방향족

동양의학과 한의학은 영양소를 오장에 대비해서 5가지로 나눈다. 이 5가지 영양소는 오장에서 활동하는 면역을 돕게 되고 이어서 오장을 돕는 결과를 만들어낸다. 간은 과잉 산성 물질을 지방으로 만들어서 림프를 통해서 비장으로 보낸다. 이때 지방을 만드는데 필요한 재료를 간에서 활동하는 쿠퍼세포가 단백질을 분해해서 제공한다. 이 과정은 상당히 복잡한 과정을 요구한다. 그런데 간을 돕는 영양소인 신맛(酸)은 이런 복잡한 과정을 거치지 않고 바로 지방을 만드는 재료를 공급한다. 그래서 간에서 활동하면서 지방으로 과잉 산을 중화하는 쿠퍼세포는 신맛이 공급되면 면역 활동을 더욱더 강하게 할 수가 있게 된다. 결국에 신맛이 쿠퍼세포를 돕게 되고 이어서 간을 돕게 되는 것이다. 심장은 자유 지방산이 수거해온 전자를 중화하는 기관이다. 이 자유 지방산을 맛보면 쓴맛이 난다. 이 자유 지방산은 심장에서 주로 활동하는 T-cell을 자극해서 T-cell을 활성화시키고 이어서 T-cell은 더 많은 전자를 중화하게 된다. 결국에 쓴맛은 심장을 돕게 되는 것이다. 비장은 림프액을 처리하기 때문에, 중성지방을 만들어서 처리하게 되는데, 중성지방을 만들기 위해서는 반드시 3탄당이 필요하다. 즉, 비장은 당(糖) 성분인 단맛이 필요하다. 비장에서 활동하는 대식세포는 단맛인 당을 이용해서 중성지방을 만들어서 과잉 산을 중화시키는 전문가이다. 즉,

단맛이 주어지면 대식세포는 더욱더 활성화가 되고 비장으로 몰려 드는 과잉 산을 더 많이 중화할 수가 있으므로, 결국에 단맛은 비 장을 돕게 된다. 폐는 이산화탄소를 처리하는 기관이다. 그리고 이 산화탄소는 적혈구를 파괴하면서 산성인 환원철(Fe^{2+})을 만들어낸 다. 그런데 매운맛은 휘발성 지방산으로써 휘발성 물질을 다루는 폐로 자연스럽게 모여든다. 그리고 이 휘발성 지방산인 매운맛은 환원철과 반응을 아주 잘하므로 폐에서 산성인 환원철을 자연스럽 게 수거해서 처리해준다. 이때 폐에서 활동하는 수지상 세포는 철 대사를 책임지고 있다. 그래서 매운맛은 자연스럽게 수지상 세포를 돕게 되고 결국에 폐를 돕게 된다. 신장은 염(鹽)을 전문적으로 처 리하는 기관이다. 신장은 부신과 신장으로 나누어진다. 부신에도 수질(髓質)이 있고 신장에도 수질(髓質)이 있다. 여기서 나오는 수 질(髓質)의 수(髓)는 골수(骨髓)라는 뜻이다. 그래서 신장은 골수 면 역이 작동하는 기관이다. 이 골수에는 염(鹽) 재료인 알칼리 금속 들이 많이 저장되어있다. 그래서 신장은 염 재료가 부족하면 골수 를 파괴해서 염 재료를 조달한다. 이때 짠맛인 염(鹽)을 공급해주 면 골수는 보존되고 골수 면역은 더욱더 활성화가 되면서 결국 신 장을 돕게 되는 것이다. 이렇게 현대 생리학으로 한의학의 생리학 을 해석하면 한의학과 현대의학이 서로 다른 의학이 아니라 똑같 은 의학이 되는 것이다. 그러면 오장에 부여된 5가지 맛은 완벽한 과학적 근거를 가지게 된다. 즉, 한의학은 알고 보면 완벽한 과학 인 것이다. 더불어 오장육부의 짝도 완벽한 과학적 근거를 가지게 된다. 그리고 오장끼리 떠넘겨지는 산성 물질의 관계를 한의학에서는 상극(相克) 관계라고 말한다. 이 상극 관계는 오장을 치료할 때 아주 유용하다. 예를 들면 간이 과잉 산으로 인해서 과부하에 걸리면서 과잉 산을 지방으로 만들어서 비장으로 보내면 비장은 갑자기 날벼락을 맞는다. 그런데 이때 비장의 기능이 좋지 않다면 간은 과잉 산을 지방으로 만들어서 비장으로 보낼 수가 없게 된다. 그러면 이 문제는 연쇄반응을 만들어낸다. 즉, 간은 폐가 보내는 폐기 적혈구를 받아서 담즙으로 처리할 수가 없게 된다. 그래서 간이 문제가 생겼다면 간 하나만 치료해서는 효과를 빠르게 볼 수가 없게 된다. 간을 완벽하게 치료하기 위해서는 간이 과잉 산을 지방으로 만들어서 보내는 비장을 치료하고, 간으로 폐기 적혈구를 보내는 폐를 치료해야 간을 완벽하게 치료할 수 있게 된다. 즉, 간을 중심으로 상극 관계를 이용해서 치료하면 간은 쉽게 치료가 된다. 하나만 더 보면, 신장이 문제가 되면 신장은 염(鹽) 안에 들어있는 전자를 이를 전문적으로 처리하는 심장으로 보내버린다. 그런데 이때 심장이 상태가 좋지 않다면 신장은 과잉 전자를 심장으로 보낼 수가 없게 된다. 그러면 연쇄반응이 일어나면서 신장은 비장에서 보내는 염을 받을 수가 없게 된다. 결국은 신장을 완벽하게 치료하기 위해서는 심장과 비장을 동시에 치료해줘야 한다. 지금까지는 한의학에서 상극 관계를 말하면 이상하게 쳐다보았었다. 그러나 이렇게 현대 생리학으로 풀어보면 상극 관계는 완벽한 과학이 된다. 그래서 여기서 일반 독자들이 알아야 할 문제는 간이 좋지 않다면 간에 좋은 음식만 먹을 것이 아니라 동시에 비장과 폐에도 좋은 음식을 섭취하라는 것이다. 이것이 간을 음식으로 치료하는 방법이다. 그래서 심장에 문제가 생기면 폐와 신장에 좋은 음식도 같이 먹어야 하며, 비장에 문제가 생기면 간과 신장에 좋은 음식도 같이 먹어야 하며, 폐에 문제가 생기면 심장과 간에도 좋은 음식도 같이 먹어야 하며, 신장에 문제가 생기면 비장과 심장에도 좋은 음식을 같이 먹어야 한다. 이것이 한의학의 과학이다. 이렇게 해주면 코로나 같은 바이러스에 아주 강한 면역력을 가지게 된다. 이제 제철 음식을 알아보자. 제철 음식에 대해서 말은 많이 들어 봤어도 정확히 아는 사람은 드물다. 그러나 한의학으로 풀면 아주 쉽게 풀린다. 제철 음식을 알기 위해서는 색(色)을 먼저 알아야 한다. 그런데 색을 오행에 배정한다. 그래서 색을 알기 위해서는 오행을 먼저 알아야 한다. 오행(五行)이란 하늘에 있는 별의 행동을 말한다. 오행은 보통 목화토금수로 표현한다. 여기서 목화토금수는 목성, 화성, 토성, 금성, 수성을 말한다. 그래서 오행은 바로 이 5개(五)의 별이 행동(行)하는 것을 말한다. 이 5개의 별이 하늘에서 행동하면 지구에서는 사계절이 만들어진다. 즉, 목성이 하늘에서 행동하면서 지구에 에너지를 보내주면 지구에서는 봄이 만들어진다. 그리고 화성이 하늘에서 에너지를 지구에 보내주면 지구에서는 여름이 만들어진다. 그리고 토성이 행동하면 지구에 장마철이 만들어진다. 금성이 행동하면서 지구에 에너지를 보내주면 지구에서는 가을이 만들어진다. 또, 수성이 행동하면 수성의 에너지가 지구에 도달하면서 겨울이 만들어진다. 이 현상은 중국과 한국을 포함한 사계절이 만들어지는 지역에서 일어나는 기상 상태이다. 그런데 이 오성을 컬러 망원경으로 관찰해보면 목성은 청색을 띠고 있고, 화성은 적색을 띠고 있고, 토성은 황색을 띠고 있고, 금성은 백색을 띠고 있고, 수성은 흑색을 띠고 있다. 다시 말하면 오행에 오색을 배정하는 것은 미신이 아니라 완벽한 과학인 것이다. 더 재미있는 과학적 사실은 이 오색을 식물이 그대로 인식한다는 사실이다. 그래서 채소의 색깔이 오색으로 나타나게 된다. 즉, 목성의 영향을 받은 식물은 청색을 띠고, 화성의 영향을 받은 식물은 적색을 띠고, 토성의 영향을 받은 식물은 황색을 띠고, 금성의 영향을 받은 식물은 백색을 띠고, 수성의 영향을 받은 식물은 흑색을 띤다. 또, 목성의 영향을 받아서 봄에 나는 식물은 신맛이 나고, 화성의 영향을 받아서 여름에 나는 식물은 쓴맛이 나고, 토성의 영향을 받아서 장마철에 나는 식물은 단맛이 나고, 금성의 영향을 받아서 가을에 나는 식물은 매운맛이 나고, 수성의 영향을 받아서 겨울에 나는 식물은 짠맛이 난다. 즉, 앞에서 보았던 오장에 좋은 5가지 맛도 오성의 영향을 그대로 받는다는 사실이다. 이 부분들은 식물 생리학을 아주 자세히 알아야 한다. 이 오행은 오장에도 그대로 적용된다. 목성이 주도하는 봄에는 날씨가 따뜻해지면서 담즙에 영향을 미치게 되고 그러면 담즙을 처리하는 간이 영향을 받기 때문에 간에 목성을 배정하고 색깔은 목성의 색인 청색이 배정되고 계절은 봄이 배정되고, 간에 좋은 식물은 목성의 에너지를 받은 청색 식물이 된다. 똑같은 논리로 오장에 오색과 사계절과 오미와 오색 식물이 배정된다. 종합하면 오행으로 나타나는 모든 것들은 완벽한 과학이라는 사실이다. 지금까지 황제내경이라는 책은 그냥 화석 상태로 남아 있었다. 그 이유는 황제내경을 완벽하게 해석하기 위해서는 너무나 많은 과학적 지식을 요구했기 때문이다. 이런 과학적 유희를 즐길 의향이 있다면 본 연구소가 발행한 황제내경 소문을 보시면 된다. 이 책은 분량이 많아서 탐독하는 데 시간은 걸릴지 모르겠지만 시간을 투자한 만큼 의학에 대한 새로운 패러다임을 보게 될 것이다. 기존의 현대의학과 완전히 다른 새로운 의학을 만나게 될 것이다. 한마디로 동양의학인 한의학은 완벽한 과학인 것이다. 앞에서 오장에 배정되는 오미를 설명했다. 그런데 오장에는 주요 면역이 정해져 있다. 이 오장에 상주하는 면역과 한의학에서 말하는 오미가 상관관계를 갖는다. 즉, 오장에 배정된 오미는 오장에서 활동하는 면역을 활성화시키거나 도와주는 핵심 물질이다. 지금까지 한의학에서 말하는 본초학의 기초인 오미는 그냥 약초 성분에 불과했다. 그러나 오미를 면역 세포의 활동과 연결해보면 약초 성분인 오미는 면역 세포를 돕는다. 즉, 본초학(本草學)은 완벽한 면역약학(免疫藥學)이다.

지금까지 한약은 그냥 보약 정도로만 알고 있었다. 그리고 왜 보약인지도 사실상 모르고 있었다. 즉, 과학적으로 그 기전을 모르고 있었다. 코로나가 기승을 부리고 있는 지금 이때 한약은 면역을 지키는 데 아주 좋은 도구가 될 것이다. 즉, 오장에 배정된 오미는 면역에 아주 좋은 도구가 될 것이다. 현실적 증거를 보려면 동양의학과 현대의학을 차별 없이 임상에서 사용하고 있는 중국을 보면 된다. 중국은 면역이 핵심인 코로나의 종식을 선언했다.

지금까지 이 내용들은 본 연구가 발행한 "코로나 시대 한방 건강 관리법"과 "침(針)은 백신이고, 한의학은 면역 의학이다"에서 가져왔다. 이제 여기에 추가해서, 이 소책자의 주제를 구성하고 있는 양자 역학 측면에서 본초를 다시 보자. 앞에서 면역은 생체 정보를 소통시키는 주요 도구라고 설명했다. 즉, 과잉 전자가 간질에 정체해서 문제를 일으키면 면역 세포가, 이 간질로 달려가서 과잉 전자를 흡수해서 전자전달계를 통해서 물로 중화해서 문제를 깨끗이 해결한다. 그리고 전자는 좀 더 정확히 말하자면 자유전자는 인체의 정보 소통 도구이다. 그리고 이 자유전자가 간질에서 문제를 일으키면, 인체의 정보 소통은 막히고 만다. 그래서 이 문제를 해결하는 면역 세포는 인체의 정보 소통의 핵심 중에서 핵심이다. 인체는 정보의 소통이 막히면 죽기 때문이다. 그래서 면역이 죽으면 인체도 죽게 된다. 이게 면역의 중요성이다. 그런데, 앞에서 보았듯이, 본초를 구성하고 있는 오미는 오장에서 활동하고 있는 면역 세포를 돕게 된다. 결국에 오미를 기본으로 하는 본초(本草)는 자동으로 생체 정보 시스템 조절 인자가 된다. 그리고 본초학(本草學)은 자동으로 생체 정보학이 된다. 그러면 이들은 어떤 기전으로 이런 역할을 할까? 이들에 관한 연구는 서양의 전통의학인 아로마테라피를 보면 힌트를 얻을 수 있다. 이 치료법은 정확히 향기 요법이다. 그리고 이 주요 성분은 방향족(芳香族:aromatic series)이다. 그러면 방향족의 무슨 특징이 이런 치료 효과를 내게 할까? 그리고 서구에서 선풍적인 인기를 얻고 있는 이 방향 요법을 과학적으로 설명하면서 주로 뇌 신경을 들먹인다. 그러나 최첨단이라고 자랑하는 현대의학은, 그 기전은 얼버무리고 만다. 이유는 뭘까? 어디에서 잘못된 걸까? 하나씩 보자. 이 기전들은 전자생리학으로 풀어야 쉽지, 단백질로 풀면 아무리 용을 써봤자 헛수고만 하고 만다. 그 이유는, 이 기전이 자유전자가 핵심이기 때문이다. 방향족의 특징은 모두 전자가 부족한 이중결합(double bond:二重結合)을 보유하고 있다는 점이다. 그래서 방향족은 전자가 과잉 존재하는 곳에 도달하면, 이 과잉 전자를 흡수해버린다. 그러면 과잉 전자로 인해서 막힌 곳은 문제가 해결되고, 병은 낫게 된다. 반대로 이 방향족이 전자가 부족한 곳에 도달하면, 자기가 수거한 전자를 공급해준다. 즉, 방향족이 원래 자기 형태로 되돌아가는 것이다. 즉, 방향족은 전자를 임시로 보관하는 전자 유통 창고이다. 그래서 전자는 방향족을 통해서, 이 전자 창고를 들락날락하게 된다. 즉, 인체에 병을 일으키는 과잉 자유 전자 완충장치가 방향족이다. 그래서 향기로 치료할 때는 대개 이 향을 불로 태워서 향기 요법을 실행하는 경우가 많다. 그래야 혹시라도 방향족이 가진 전자를 불로 태워서 공기 중으로 날려 보내서 이 물질을 전자가 부족한 알칼리로 만들 수 있기 때문이다. 그리고 마사지로 이용할 때는 피부에 도포하는데, 이때는 공기 중에서 있는 전자친화성이 강해서 전자라면 환장하고 달려드는 산소가 이 물질에 든 전자를 해결해준다. 그러면 최첨단 현대의학은 이 물질이 왜 뇌 신경에 작용한다고 했을까? 그 해답은 신경 전달 물질(神經傳達物質:neurotransmitter)에 있다. 신경 전달 물질의 공통 특징이 방향족이기 때문이다. 우리는 지금까지 신경을 공부하면서 시냅스를 통해서만 신경이 작동한다고 잘못 배웠기 때문에, 방향족의 치료 기전을 밝힐 수가 없었다. 그래서 최첨단 현대의학은 방향 요법의 실체를 대충 얼버무릴 수밖에 없었던 것이다. 그러나 신경을 작동시키는 주요 인자는 자유전자라는 사실을 알면, 이 기전은 아주 쉬운 기전이 된다. 이제 본초를 보자. 그러면 이들과 본초는 무슨 관계가 있을까? 간단하다. 본초에서 약성을 발휘하는 성분 대부분이 방향족이다. 간단해도 너무 간단하다. 그래서 본초 생약학에서 본초 성분 분석을 보면 대부분이 방향족이다. 그러면 방향족은 어떤 기전으로 작동할까? 이것도 간단하다. 신경의 통제이다. 즉, 방향족은 신경을 가지고 노는 자유전자를 통해서 신경을 통제한다. 그래서 아로마테라피가 뇌 신경과 관계를 맺었던 것이다. 그리고 인체에서 병이 나서 문제를 만드는 부분은 살(肉)이다. 즉, 근육이다. 그리고 이 근육은 신경이 통제한다. 그래서 신경을 통제하면 병을 다스릴 수가 있게 되고, 이어서 방향족으로 병을 다스릴 수 있게 된다. 그리고 본초로도 병을 다스릴 수 있게 된다. 그리고 본초의 성분인 방향족은 인체의 정보 소통 도구인 자유전자를 가지고 놀게 되므로, 자동으로 본초학은 생체 정보학이 된다. 그리고 이들이 작동하는 현장은 경락이 된다. 즉, 본초와 경락이 연결되는 이유는 경락이라는 지점이 과잉 자유전자가 잘 정체하는 곳이기 때문이다. 그래서 경락과 본초는 완벽한 짝이 된다. 그러면 이때 본초는 자동으로 면역과 똑같이 행동하게 된다. 즉, 본초의 방향족 성분은 면역 세포가 과잉 자유전자를 처리하는 것처럼, 똑같이 처리하게 된다. 단지 차이가 있다면, 면역 세포는 과잉 자유전자를 수거해서 곧바로 미토콘드리아로 가지고 가서 전자전달계에서 산소를 통해서 물로 중화하나. 방향족은 일단 산성 환경에 있는 과잉 자유전자를 이중결합을 통해서 수거해서 알칼리 환경으로 가지고 가서 그때야 자기가 수거한 전자를 산소로 중화할 수가 있게 된다. 이 부분은 면역 세포보다 더 유리하게 작용한다. 즉, 면역 세포의 단점은 산성 현장에서 수거한 과잉 자유전자를 오직 현장에서만 처리할 수 있다는 데에 있다. 그래서 산성 현장에서 활동하는 면역 세포는 가끔 과잉 자유전자라는 깡패에게 맞서서 장렬히 전사하기도 한다. 그런데 방향족의 장점은 자기가 가진 이중결합을 통해서 과잉 자유전자를 잠시 보관할 수 있다는 점이다. 그다음에 산소가 존재하는 알칼리 환경을 만나면 여유를 가지고, 방향족은 이 깡패들을 산소에게 던져준다. 물론 산소는 환장하고 이 전자를 낚아채서 가져간다. 물론 덕분에 병은 깨끗이 낫게 된다. 그래서 한의학은 병을 침으로도 치료하지만, 침으로 치료하지 못하게 될 때는 본초로 다스리게 된다. 그래서 본초는 자동으로 침의 보조 치료 도구가 된다. 물론 주요 도구로 사용해도 된다. 본초의 단점은 침만큼 신속하지 않고, 번거롭다는 데 있다. 그래서 지금까지 본초학이 발전하지 못했던 이유는, 전자생리학이라는 도구로 기전을 규명해야 하는데, 단백질 생리학으로 규명하면서, 안 풀리게 되었기 때문이다. 세상에서 어느 하나가 무슨 일을 독점한다는 폐해는 이만큼 크게 된다. 그리고 독점하는 주체가 그 독점을 강화하기 위해서 사람들을 지독하게 세뇌시켜서, 이들의 뇌를 쇠뇌로 만들면, 이들은 더는 저항하지 못하고 약탈당하게 된다. 이 상황이 작금의 의료 상황이다. 어쩌면 지금 우리가 된통 당하고 있는 코로나가 이 결과가 아닐까 한다. 이렇게 보면 본초학은 인류 최대의 자산이다. 물론 현재 의료를 독점하고 있는 이들이 볼 때는 최고의 위협적인 존재가 본초학이다. 그리고 더 재미있는 것은, 현재 최첨단 현대의학이 개발한 의약의 대부분이 방향족이라는 사실이다. 즉, 최첨단이라고 어깨에 힘을 주는 약이 한약과 다를 바가 없다는 뜻이다. 그 대표가 아스피린(aspirin)이다. 이것은 당연한 결과이다. 그 이유는 신경이 인체를 가지고 놀면서 문제를 일으키는 것이 병(病)이기 때문이다. 결국에 동서고금(東西古今)의 모든 약은 방향족이다. 그리고 남녀노소(男女老少) 모두의 병은 무조건 신경 문제이다. 그리고 그 가운데서 핵심 역할을 하는 자유전자(Free Electron)가 떡하니 버티고 서있다. 그리고 가끔 불량배로 변하는 이놈들을 다스리기 위해서 침과 경락 그리고 본초가 떡하니 버티고 서있다. 그래서 이 셋은 인체 정보 소통의 핵심이 된다. 지금까지 기술한 이것이 양자역학을 전공한 거장들이 찾고자 했던 생체 정보 시스템의 실체이다. 즉, 이것이 노벨상까지 받아가면서 명성을 휘날리던 사람들이 머리 싸매고 단체로 찾고자 했던 생체 정보 시스템이라는 뜻이다. 그리고 그 중심에 침(鍼)과 경락(經絡) 그리고 본초(本草)가 떡하니 버티고 서있다.   -끝-

From D, J, O.   20220201. 구정에 …

생명이란 무엇인가? 침(鍼)·경락 완벽한 양자역학·생체 정보 시스템

발 행 | 2022년 2월 11일
저 자 | D.J.O 동양의철학 연구소
펴낸이 | 한건희
펴낸곳 | 주식회사 부크크
출판사등록 | 2014.07.15.(제2014-16호)
주 소 | 서울특별시 금천구 가산디지털1로 119 SK트윈타워 A동 305호
전 화 | 1670-8316
이메일 | info@bookk.co.kr

ISBN | 979-11-372-7371-9

www.bookk.co.kr